In unseren Veröffentlichungen bemühen wir uns, die Inhalte so zu formulieren, dass sie Frauen und Männern gerecht werden, dass sich beide Geschlechter angesprochen fühlen, wo beide gemeint sind, oder dass ein Geschlecht spezifisch genannt wird. Nicht immer gelingt dies auf eine Weise, dass der Text gut lesbar und leicht verständlich bleibt. In diesen Fällen geben wir der Lesbarkeit und Verständlichkeit des Textes den Vorrang. Dies ist ausdrücklich keine Benachteiligung von Frauen oder Männern.

Impressum

buch+musik ejw-service gmbh, Stuttgart
Buch ISBN 978-3-86687-102-1
E-Book ISBN 978-3-86687-115-1

Verlag Haus Altenberg GmbH, Düsseldorf
ISBN 978-3-7761-0316-8

Lektorat:	buch+musik – Claudia Siebert, Kassel
Gestaltung:	b3plus – Benjamin Funk und Alina Viereck, Alheim-Heinebach
Satz:	buch+musik – Claudia Siebert, Kassel
Bildrechte Umschlag und Seite 3, 25, 49, 79, 143, 185:	envato, Galyna_Andrushko, PhotoDune envato, peus80, PhotoDune envato, joshua_resnick, PhotoDune
Bildrechte Autorenfotos:	Die Fotos wurden von den Autoren zur Verfügung gestellt.
Druck und Gesamtherstellung:	freiburger grafische betriebe, Freiburg

www.ejw-buch.de

Martin Burger, Vassili Konstantinidis (Hg.)
Film+Verkündigung
Filme als Brücke zwischen Glaube
und Themen junger Menschen
Entwürfe für
die Jugendarbeit
buch+
musik
Verlag Haus
Altenberg GmbH
Düsseldorf

Vorwort und Einleitung

Wenn sich Menschen zusammentun, die vom Evangelium und von Filmen begeistert sind, dann entsteht etwas Neues. Beides passt gut zusammen. Deshalb haben wir „Film+Verkündigung“ herausgebracht. Nicht als Buch, das man einmal durchliest und wieder in das Regal stellt, sondern als Praxisbuch für die Jugendarbeit, das immer wieder einen Impuls gibt, mit jungen Menschen tiefer in Themen einzusteigen.

Filme können richtig eingesetzt zur Brücke zwischen Glaube und Themen junger Menschen werden. Dies zeigt sich in der Vielfalt der Methoden. Andachten, Predigten, Gottesdienste oder Entwürfe für die Arbeit mit Gruppen sind hier genauso zu finden wie eine theologische Grundlegung, Hinweise zur Filminterpretation oder rechtliche Hinweise.

Damit man gut mit dem Buch arbeiten kann, gibt es zu Beginn jeder Einheit einen kurzen Überblick über passende Themen, Bibelstellen und benötigtes Material. Die FSK-Angaben machen deutlich, dass man die Filme bzw. angegebenen Filmsequenzen nur mit der geeigneten Altersgruppe anschauen sollte.

Die Zeitangaben der Filmsequenzen beziehen sich auf die DVDs der Filme. Es kann allerdings je nach DVD-Programm zu Abweichungen kommen.

Auch das beste Praxisbuch erspart einem nicht die eigene Arbeit. Deshalb ist es grundsätzlich wichtig, dass man sich den Film bzw. die Filmsequenzen zur Vorbereitung selbst anschaut. In den meisten Einheiten wird nicht der ganze Film angeschaut, sondern es werden nur kurze Szenen gezeigt. Dies erfordert in der Regel, dass man die Filmhandlung weitererzählt oder Sinnzusammenhänge darstellt. Dies sollte bei der Vorbereitung und der Zeitplanung berücksichtigt werden. Auch wenn oft nur kleine Filmszenen gezeigt werden, ist darauf zu achten, dass Ton- und Bildqualität stimmen – wie bei einem kompletten Film.

Wir freuen uns über alle, die Filme in der Jugendarbeit einsetzen. Man bewegt sich damit aber nicht in einem rechtsfreien Raum. Im Kapitel „Rechtliche Bedingungen für die öffentliche Vorführung von Filmen“ gehen wir deshalb auf die wichtigsten Punkte ein, die man beachten muss.

Wir sind begeistert von dem, was unsere Autorinnen und Autoren zusammengetragen haben. Wir wünschen uns, dass ihr bewegende Erfahrungen macht in der Arbeit mit Jugendlichen. Denn Filme und das Evangelium bewegen in ihrer eigenen Art und Weise. Deshalb: Film ab!

Martin Burger und Vassili Konstantinidis

Inhaltsverzeichnis

Arbeit mit Gruppen

Filmperspektiven

Tipps aus der Praxis

Filmverzeichnis

Jesus goes to Hollywood – oder: Wie Gott auf die Leinwand kommt

Ein Differenzierungsversuch

Ich gehe gern, wenn auch nicht sehr oft ins Kino. Ich sehe gern, wenn auch nicht sehr oft im Fernsehen komplette Spielfilme an. Ich lese regelmäßig die eine oder andere Filmzeitschrift, bin aber sicherlich kein Freak im eigentlichen Sinn des Wortes. Filmliebhaber bin ich gleichwohl, wenn auch mit einigen Einschränkungen, die ich meiner Einstellung zu meiner Seele verdanke. Dazu gehört, dass ich keine Horrorfilme mag, selbst dann nicht, wenn sie künstlerisch hochstehend sind. Ich vertrage es schlecht, mit dem Grauen umzugehen. Und wenn es zu grausam zugeht, verbleibe ich auch nicht lange im Filmsessel. Aber das ist eine persönliche Angelegenheit und besagt an dieser Stelle nur: ich liebe das Kino, aber nicht bedingungslos.

Und seit einem bestimmten Zeitpunkt ist ein tiefes theologisches und gemeindepraktisches Interesse hinzugetreten: Es ist eine ganze Weile her, dass ich zum ersten Mal Walt Disneys „König der Löwen" gesehen habe; genauer: sehen musste. Ich hatte eine Wette mit meiner Frau verloren und musste mir deshalb einen – nach meiner Lesart – langen, zappeligen Comicstrip anschauen, ein Filmgenre, dem ich bis dahin wenig bis gar nichts abgewinnen konnte. Nach den auch für mich immer interessanten Werbeblöcken und Trailern zukünftiger Filmdarbietungen sah ich also diesen Film.

Was mich an diesem Film tief berührte und beunruhigte, war zweierlei: Zum einen wurde hier in einer klassischen Parabelform eine geschlossene Weltanschauung dargeboten, die im ökologischen Zeitalter natürlich eine imponierende Überzeugungskraft besaß und sicherlich den meisten meiner Mitbetrachter aus dem Herzen gesprochen war. Ich sah im Geiste schon manche meiner Konfirmanden mit dem Hinweis auf die Worte des Löwenkönigs Mufasa mit mir im Unterricht argumentieren: „Gibt es also doch den ewigen Kreislauf des Lebens?" Darüber hinaus wurde mehr oder minder unverhohlen auf dem sogenannten „Königsfelsen" eine Salbungs- oder Taufszene vorgestellt, der eigentlich nur noch das Wort „Siehe, das ist mein Sohn, den sollt ihr hören" fehlte, um biblisch komplett zu sein. Zum anderen aber war mir in diesem Augenblick klar, dass kaum einer der Mitbetrachter diesen Bezug erkannt hatte oder auch nur erkennen konnte. So viel biblisches Wissen oder Reflexionswillen beim Filmeschauen stand ihnen vermutlich kaum zur Verfügung. Die Filmemacher wissen sehr genau, was sie tun und mit welchem Material sie spielen, aber die Betrachter wissen es natürlich nicht. Sie können manchmal die Hintergründe erkennen, einige Bezüge entschlüsseln oder sich einfach berieseln lassen. Für eine gute Unterhaltung oder auch eine echte Berührung langt es allemal; wenn allerdings ein Erkennen und Verstehen hinzukommt, vertieft sich das Erlebnis des Films deutlich.

Warum sollte man dieser Vertiefung nicht ein wenig aufhelfen? Seit dem Erlebnis mit dem „König der Löwen" bin ich dabei, Religion im Spielfilm aufzusuchen und sie für mich, in gewisser Hinsicht auch für andere, kenntlich zu machen. Seit diesem Film steht für mich aber auch fest, dass das Kino bzw. der Film an sich einer der wichtigsten Orte der gesellschaftlichen Gegenwart ist, um

Weltanschauungen im wahrsten Sinne des Wortes zu vermitteln oder allererst zu produzieren. Dies geschieht eben in weiten Teilen der Gesellschaft nicht mehr über Bücher und Texte, sondern über Sendungen im Fernsehen (das betrifft schon die älteren Semester), Playstations, Youtube und audiovisuelle Medien jedweder Natur. Kirche, Glauben, Priester, Mysterien – das entnehmen junge Menschen zum großen Teil aus dem filmischen Material, das sie gesehen haben, nicht mehr der eigenen Anschauung. Wer Jesus sein oder wie man ihn verstehen könnte, sagt uns Monty Pythons „Das Leben des Brian“ seit 30 Jahren, nicht etwa die Kinderbibel oder die Geschichten aus dem Kindergottesdienst. Und wie „Kirche tickt“, sagt uns Ron Howards „Da Vinci Code“ mit Tom Hanks und seiner Gespielin Audrey Tautou, nicht der Priester aus St. Joseph nebenan.

Man kann sich diesen Sachverhalt nicht deutlich genug vor Augen führen. Binnen einer Generation ist zwischen die direkte Unterweisung in Religions- und Konfirmandenunterricht und Gottesdienst eine selbstständige Vermittlungsinstanz getreten, die wirklich ganze Arbeit leistet. Daher glaube ich, dass es uns als verantwortlich Mitarbeitenden in den Gemeinden gut ansteht, die Quellen der Vorstellungen, die in den Köpfen und Herzen vieler junger und erwachsener Menschen leitend sind, wenigstens ungefähr zu kennen und sich mit ihnen nicht nur oberflächlich zu beschäftigen oder sie gar abzuweisen.

Ich möchte im folgenden sechs Kategorien präsentieren, um die verschiedenen Formen religiöser Elemente im Film halbwegs übersichtlich zu gliedern. Mehr als eine erste Orientierung kann und soll das nicht sein. Gleichwohl ist mit diesen Kategorien auch ein erster Hinweis verbunden, wie man sich hermeneutisch (d. h. auslegend) einem Film mit erkennbar religiösen Elementen nähern kann.

1. Die historische Darstellung religiöser Gestalten

Sie versucht eine Art historisierenden Dokumentarbericht. Die biblischen und bisweilen auch kirchengeschichtlichen Figuren werden cineastisch nachgezeichnet und dabei natürlich interpretiert. Freilich ist diese Interpretation im Rahmen einer historischen Kulisse gehalten und als Interpretation gelegentlich schwerer erkennbar.

Es handelt sich methodisch um eine Exegese (Auslegung) mit anderen als den in der Theologie üblichen Mitteln. Dennoch ist natürlich offensichtlich, dass zwischen dem Film „Das Evangelium nach Matthäus“ von P.P. Pasolini und dem Hollywood-Historiendrama „König der Könige“ ein kategorialer Unterschied besteht. Beiden gemeinsam ist der Umstand, dass es sich um den Versuch einer im geschichtlichen Nahfeld beheimateten und am überlieferten Text orientierten Visualisierung handelt.

Die von der damaligen Kirch-Gruppe in Auftrag gegebene und im Privatfernsehen gesendete Bibelverfilmung nahm diese Präsentation biblischer Stoffe nach vielen Jahren in den 90ern wieder auf. In den 50er-Jahren hatten insbesondere fromme Sandalenfilme über die Patriarchen, Moses und andere Große des Alten Testaments in den Kinos ihre große Zeit gehabt. In jüngerer und jüngster Zeit findet dieses Thema nun eine interessante Fortsetzung. Den Auftakt bot wohl Mel Gibsons „Passion" als eine Mischung aus ebenso bekenntnishafter wie blutrünstiger Hommage an Jesus als den Erlöser und bemühter Detailtreue in Sachen historischer Recherche. Gegenwärtig folgt vor allem das Alte Testament. „Noah" als grandioses optisches Feuerwerk verwandelt den biblischen Archebauer in eine Mischung aus zornigem Ökofundamentalist und frommem Actionheld – Reinhold Meßmer meets Arnold Schwarzenegger. Ähnliches ist auch für die weiteren Remakes der „biblischen Filme" zu erwarten, die in den nächsten Monaten in die Kinos kommen. Das Unterhaltungs- und Actionpotenzial des Alten Testaments wird genutzt, um Unterhaltung zu gewinnen, und nebenher ergibt sich ein aufschlussreicher Blick auf die derzeitigen Interpretationslinien der kreativen cineastischen Kunst.

Auch der legendäre „Ben Hur" lässt sich als eine historische Jesusgeschichte sehen, immerhin – vom Oscar-Ertrag her gesehen – einer der beiden erfolgreichsten Filme aller Zeiten. Solche Filme sind als Veranschaulichung wichtig, da oftmals unseren Zeitgenossen jede Vorstellung von der Lebenswelt alt- und neutestamentlicher Figuren abgeht. Auf diesem Hintergrund sind manche „Römer"-Filme von kirchengeschichtlichem Interesse: Ridley Scotts „Gladiator" bietet zum Teil gut recherchierte Veranschaulichungen der römischen Lebenswelt, in die hinein das junge Christentum seinen Weg nahm.

Filmische Darstellungen von kirchengeschichtlich interessanten Gestalten sind mit ebensolchem Bedacht und Aufmerksamkeit zu genießen; „Franziskus", „Hildegard", „Luther" oder die Verfilmung der letzten Tage Dietrich Bonhoeffers zeigen Interpretationen wichtiger religiöser Figuren und stellen interessante Gesprächsangebote an die Besucher dar.

2. Der Propagandafilm

Bei diesen Produktionen, meist aus der evangelikalen Tradition des Glaubens heraus entstanden, geht es um direkte Werbung für den christlichen Glauben. Sie wollen nicht eigentlich unterhalten, sondern überzeugen; nicht zeigen, sondern werben. Sie sind zum Teil von hoher handwerklicher Qualität, ihnen ist jedoch ein Kennzeichen zwangsläufig gemeinsam: sie unterwerfen die ästhetische und cineastische Eigendynamik einem von außen kommenden Eigenwillen, der nicht nur den Eindruck des Films prägt, sondern ihn damit auch auf eine Evangelisationsaussage reduziert. Das ist gewollt, genauso wie die Werbefilme jeder beliebigen Firma allen cineastischen und ästhetischen Scharfsinn allein dazu aufwenden, ihr Produkt und ihre Idee in Gestalt einer Story loszuwerden. In dem Maße, in dem der Film verzweckt wird, erleidet er das Schicksal aller verzweckten Kunst: sie gerät unter einen artfremden Druck und verliert an eigener kreativer Substanz. Das macht diese Art Film wie alle Propagandafilme nicht verwerflich, heißt auch nicht automatisch, dass sie deswegen schlecht sind (als programmatisches und berühmtes Gegenbeispiel „Panzerkreuzer Potemkin" von Sergej Eisenstein), bringt aber eine andere Intention in die Produktion und die visuelle Ausgestaltung des Films hinein.

Möglicherweise ist dies aber ein Grund, warum missionarisch verzweckte Kunst in jeder Hinsicht selten qualitativ gute Kunst ist. Eines der ehernen Gesetze kreativer Tätigkeit ist ihre Eigengesetzlichkeit. Kreative Menschen sind selten dogmatisch.

3. Der philosophische Film

Ich möchte unter diesem Titel jene Filme einordnen, die sich ausdrücklich religiösen oder philosophischen Themen widmen, dies aber unter ebenso ausdrücklichem Verzicht auf eine weltanschauliche Festlegung, Behauptung und programmatische Position tun. Diese Produktionen reflektieren zum Teil auf sehr hohem Niveau theologische und religiöse Sachverhalte, erheben aber keinen Anspruch auf Darstellung der Wahrheit, Zugehörigkeit zur Schar der wirklich Weisen oder gar priesterliche Weihen, stellen sich vielmehr in eine bestimmte und verarbeitete Tradition und nehmen zu ihr zustimmend oder kritisch Stellung. Sie erzählen eine Geschichte, aber sie vertreten keine Wahrheit.

Ich beziehe mich auf Filme wie Robert Redfords inzwischen schon über 20 Jahre altem „Aus der Mitte entspringt ein Fluss“, in der die Frage nach dem Ziel, Sinn und Maß des Lebens anhand zweier Söhne eines Presbyterianerpfarrers dargestellt wird; „Forrest Gump“ von Robert Zemeckis, der sich phasenweise wie eine Umschreibung der Bergpredigt verstehen lässt; oder auch Richard Attenboroughs Monumentalwerk „Gandhi“, der nicht nur die öffentlich bekannte Lebens- und Wirkungsgeschichte des Mahatma darstellt, sondern die Tragik von Politik, Moral und Gewalt in den verschiedenen Figuren präsentiert. Mit den religiösen Begriffen arbeitet in jüngerer Zeit Michael Haneke mit seiner beeindruckenden Trilogie über „Glauben“, „Hoffnung“ und „Liebe“.

Neben den epischen Formen des Spielfilms gehören aber auch die Versuche Krysztof Kieslowskis über den Dekalog oder seine berühmte Trilogie „Drei Farben ...“ in diesen Kontext. Es ist nicht schwer, in diesen Filmen die religiöse Thematik aufzuspüren, weil sie unverdeckt dargeboten wird. Aber es handelt sich eben nicht um propagandistische oder historisierende Interessen, die die Inszenierung und Produktion leiten, sondern um Kommentare zu den großen Themen der Religion, der Philosophie und des menschlichen Glaubens.

Solchen Filmen ist selten eine lange Spieldauer in den Kinos beschieden, weil sie entweder an Unterhaltungsmomenten zu arm sind – man schaue sich diesbezüglich einmal den Trailer von einem Film wie „Die Legende von Bagger Vance“ an – oder aber den Zuschauer fast gewalttätig zu einer eigenen Betrachtung des Lebens auffordern, so etwa die Filme von Lars von Trier („Breaking the waves“, „Dogville“, „Antichrist“). Beides beansprucht Konzentration und Dauer – Tugenden, die nicht eben zu den Stareigenschaften des Kinopublikums gehören. Solche Werke sind aber für die theologische Arbeit äußerst interessant, weil sie thematisch klar sind und ihre theologischen Positionen nicht mit einem Berg von Action und Sensation tarnen.

Eine Ausnahme in dieser Reihe bietet gewiss die Geschichte der „Ziemlich beste Freunde“, die mit Recht eine großartige Erfolgsgeschichte geschrieben hat. Kaum je wird so spielerisch und unbekümmert mit den ernsten Fragen des Lebens und des Todes umgegangen. Skurril hingegen und mit ausdrücklichem Bezug auf die biblische Hiobs-Geschichte die dänische Produktion „Adams Äpfel“ aus 2006. Oscargekrönt und gleichwohl äußerst strittig die riskante Inszenierung des Holocaustgrauens als Komödie in „Das Leben ist schön“ (1997).

4. Verfremdungen

Diese Abteilung von Filmproduktionen beschäftigt sich wiederum ausdrücklich mit den Gestalten und Themen der überlieferten Traditionen, verfremdet sie aber in einem programmatischen Sinn und bleibt nicht innerhalb der geschichts- und textnahen Erklärung.

Natürlich könnten solche Filme auch den philosophischen Filmen zugerechnet werden, aber im Unterschied zu diesen handelt es sich hier um religiös aufgeladene Traktate, nicht um freie Erzählungen – wollte man es in literarischen Formen ausdrücken (ein Verfahren übrigens, das sich außerordentlich bewährt, um in der Vielfalt der Filmgenres Strukturen zu erkennen, vgl. dazu Langenhorst, Georg: Jesus ging nach Hollywood, Patmos, München, 1998). Wiederum ist nicht entscheidend, ob es sich dabei um zustimmende, kritische oder auch massiv polemische Stimmen handelt; wichtig ist lediglich, dass die biblischen Figuren und Szenen erkennbar und ebenso erkennbar verfremdet sind. Dazu rechne ich etwa Martin Scorseses „Die letzte Versuchung Christi“, Denys Arcands „Jesus von Montreal“, Luc Bessons „Maria und Joseph“ oder Herbert Achternbuschs „Das Gespenst“. Auch das berühmte und berüchtigte „Leben des Brian“ aus der Komikschmiede der britischen Monty Python Gang gehört hierher.

Der theologische Umgang mit diesen Produktionen fällt deswegen relativ leicht, weil die in ihnen filmisch umgesetzten Behauptungen deutlich erkennbar und deswegen mit den überlieferten Positionen gut ins Gespräch gebracht werden können. Deswegen entzündet sich an diesen Filmen auch stets zuerst und am nachhaltigsten die konservative Kritik der christlichen Kirchen und Gemeinden. So ist etwa Martin Scorseses Werk 1988 Gegenstand heftigster Auseinandersetzungen bis hin zu Brand- und Bombenanschlägen gewesen, weil es vermeintlich oder tatsächlich den empfindlichsten Nerv vieler frommer Zeitgenossen getroffen hatte: das Verhältnis Christi zu den Frauen um ihn herum und zur Sexualität. Dass es vor allem amerikanische Gemeinden waren, die sich militant gebärdeten, deutet an, dass die Kulturunterschiede zwischen den einzelnen Vorführungsländern einen erheblichen Beitrag zu dem liefern, was als Verfremdung erkannt und als noch erträglich erfahren wird.

5. Die Kirche als filmisches Thema

Eine Reihe von Filmen beschäftigt sich ausdrücklich mit kirchlichen Figuren und Fragen. So etwa der Klassiker aus den 50er-Jahren „In den Schuhen des Fischers“ und natürlich die vielen Episoden über „Don Camillo“. Dazu gehören aber auch eine Reihe modernerer Produktionen, beispielsweise die ein wenig romantisch geratene Würdigung des legendären Jesuitenstaates in Paraguay „Mission“, die sehr eindrückliche Schilderung eines homosexuellen Priesters in „Der Priester“ oder die abenteuerliche Reise eines Kartäusermönches nach Indonesien in „Broken Silence“. Solche Filme sind zunehmend vor allem für kirchliche Insider interessant, weil sie ein Vorwissen voraussetzen, das immer weniger Menschen gegeben ist. Auf der anderen Seite wird durch so eigenwillige Produktionen wie „Die große Stille“, einer endlos langen Begleitung eines Klosteralltags in einem französischen Kartäuserkloster, sichtbar, dass gerade die Fremdheit kirchlicher Lebensformen auch außerkirchliches Interesse auf sich zieht. Filme, die so ausdrücklich kirchlichen Lebensformen nachgehen, zeigen, dass die Kirche als Gemeinschaft der Glaubenden und stärker noch als die sakramentale Gestalt des Leibes Christi stets eine ungeheure Anziehungskraft auf die Kulturschaffenden hat. Stärker wird dies noch, wenn man sich anschaut, in welcher Form Kirche als gelegentlicher Gegenstand in den Filmen auftaucht.

Dabei gilt: Filmische Präsenz der Kirche ist fast immer identisch mit katholischer Kirche. Die gesamte liturgische und symbolische Ausstattung der römischen Tradition ist sinnenfällig; das sakramentale Verständnis der geschichtlichen Institution erlaubt es, Kirche, Gott und Religion als visuelle Größe fassbar zu machen. Man kann es sich am Tabernakel (Aufbewahrungsort des Allerheiligsten) und dem eucharistischen Gebet deutlich machen: wo die rote Kerze brennt, da ist Gott – nicht nur symbolisch, sondern wirklich, anfass- und damit auch anschaubar. Also ist die Kirche, die um das Tabernakel gebaut ist, selbst ein Wohnort Gottes und als dieses eine „ansehnliche", darstellbare Größe. In Ableitung dessen erklärt es sich leicht, dass die farbigen liturgischen Gewänder, der sicht- und riechbare Weihrauch, die prachtvollen Ausschmückungen der Kirchenräume, die Wallfahrten und Prozessionen, das ganze Inventar praktischer katholischer Frömmigkeit willkommene und hochgeschätzte Filmmotive sind. Was natürlich nicht heißt, dass sie deswegen von Haus aus geehrt oder befürwortet werden – oftmals ganz im Gegenteil. Aber als Filmgegenstand sind sie schier unverzichtbar, weil sie im christlichen Kulturraum Repräsentant der Religion schlechthin sind. Von dieser Mischung aus Attraktion und gleichzeitigem Verdacht nähren sich zahllose Spielfilme vom ersten „Exorzist" über behutsamere Darstellungen wie „Lourdes" bis hin zu den verschwurbelten Fantasien der „Illuminati" und dem „Da Vinci Code".

Vollkommen anders liegen die Dinge im Blick auf die evangelische Kirche. Die protestantischen Kirchen haben ihren cineastisch eindrücklichsten Auftritt vor allem im Western, und zwar in der Gestalt des einzelnen Pfarrers, der zwischen Gutmensch und Trunkenbold alle möglichen Schattierungen menschlichen Daseins widerspiegeln kann. Überhaupt sind es vermutlich vor allem die amerikanischen Produktionen, die den evangelischen Geistlichen in der Wahrnehmung behalten, weil es in erster Linie Protestanten waren, die das weiße Nordamerika geprägt haben. Die protestantischen Traditionen sind von Haus aus nicht so sinnenfällig, was visuelle Kommunikation angeht. Sie haben ihren Schwerpunkt auf dem Hören und zwar als gesprochenes und gesungenes Wort. Es ist bekannt, dass die eigentlichen Heiligen der deutschen evangelischen Kirche Johann Sebastian Bach, Heinrich Schütz und Paul Gerhardt sind. Die aber sind nicht zu sehen, sondern nur zu hören. Dem entsprechen auch die ästhetischen Leitideen beim Bau und der Ausgestaltung der protestantischen Gotteshäuser, die schlichten geistlichen Gewänder, die wenigen religiösen Gesten im Glaubensleben und das Fehlen von religiösen Massenveranstaltungen, von den in dieser Hinsicht kaum verwertbaren evangelischen Kirchentagen einmal abgesehen. Diese Konzentration auf das Wort macht die evangelische Kirche als Institution filmisch praktisch unbrauchbar, lediglich den einzelnen Pfarrer als Filmfigur interessant. Nicht umsonst ist die Fernsehserie „Oh Gott, Herr Pfarrer" von Felix Huby die einzige intensive filmische Darstellung eines evangelischen Pfarrers und seiner Familien- und Gemeindesituation gewesen (1988/1989). Just deswegen wird sie auch unter die für das allgemeine Kirchenbild maßgebenden Impulse der letzten Jahrzehnte gerechnet. Die Episode, in der der Pfarrer unmittelbar nach einer Beerdigung wieder zu seiner Frau ins eheliche Bett steigt, ist geradezu legendär und hat einer Unzahl von Fernsehzuschauern vermutlich erstmalig eröffnet, dass Pfarrer „ganz normale" Menschen sind.

Aber für die praktische Arbeit sind diese Darstellungen der Kirche unbezahlbar. An ihnen lässt sich erkennen, wie die Kirche derzeit gesehen und welches Bild folglich den Betrachtern vermittelt wird. Ich erinnere daran, dass immer weniger Menschen kirchliches Leben aus eigener Erfahrung kennen. Das ist im Übrigen ein wesentlicher Unterschied zu den Verhältnissen in den USA, wo immer noch über 60% der Menschen am Sonntagmorgen in einer Kirche sitzen und es zum selbstverständlichen Programm politischer Prominenz gehört, sich kirchlich und geistlich zu artikulieren.

6. Verarbeitungen

Mit Ausnahme von Splatter- und Pornofilmen, die sich darauf beschränken „shocking effects" zu erzielen, gibt es keine Produktion, die ohne das auskommt, was ich an dieser Stelle eine religiöse Grundierung nennen möchte. Denn wenn menschliches Leben dargestellt wird, müssen die religiösen Themen dargestellt werden – sei es offen, verfremdet, verdeckt, unbewusst. Es geht stets um ein relativ beschränktes Reservoir an Fragen und Problemen: Liebe, Vergänglichkeit, Macht, Aggression, die unsichtbare Welt, Generationenkonflikte, Angst usw. Genau diese Fragen und Probleme stehen auch im Zentrum aller religiösen Überlegungen und werden dort einer Lösung oder einer Bearbeitung zugeführt, die sich in den existierenden Kirchen und religiösen Gemeinschaften herauskristallisiert. Wenn also jeder Film auf den gleichen Fragen- und Problemkanon zugreift, wird er Lösungen und Bearbeitungsformen präsentieren, die mit dem religiösen Angebot ins Gespräch gebracht, verglichen und beurteilt werden können. Dies ist die Ausgangsthese, von der aus ich die Berechtigung auf der einen, aber auch die Nötigung auf der anderen Seite sehe, die Religion im Film namhaft, erkennbar und dialogfähig zu machen. Natürlich muss man nicht gerade die dümmsten Produktionen und die flachsten Inszenierungen zu diesem Gespräch wählen: Jean-Claude van Dammes oder Stephen Segals Gewaltakte sind zwar biblisch durchaus verkraftbar – immerhin hat auch die Heilige Schrift so eine schräge Figur wie den Schürzenjäger Simson als Richter des erwählten Volkes anzubieten, aber sie geben an inhaltlicher Substanz und Lösungsintelligenz nicht viel her. Dennoch: mit den oben genannten Ausnahmen lässt sich prinzipiell mit allen Filmen arbeiten.

Hier liegt denn auch der zentrale Unterschied zu den bisher behandelten Kategorien. In den anderen Abteilungen werden die religiösen und philosophischen Themen und Figuren direkt inszeniert, bilden also das offensichtliche Thema des Films. Sie lassen sich daher auch sofort aus einer religiösen Perspektive wahrnehmen und beurteilen. In dem Bereich, der hier „Verarbeitungen" genannt wird, bleibt dagegen das religiöse Thema im Hintergrund, ist nicht ausdrücklich genannt und wird auch nur selten dramaturgisch vorgestellt. Das kirchliche oder religiöse Gespräch entzündet sich hier entweder an den gelegentlichen offenkundigen Anspielungen an religiöse Zusammenhänge oder aber an der ethischen Problematik, die sich nicht selten mit den sattsam bekannten Freizügigkeitsdebatten verbindet.

Beispiel für die erste Variante ist der Gefängnisfilm „The Green Mile". Ein anderes Beispiel ist „The Sixth Sense", jene subtile Horrorgeschichte eines kleinen Jungen, der die übersinnliche Fähigkeit hat, die Toten sehen zu können, die sozusagen einen unvollendeten Tod gefunden haben. Abgehandelt wird dabei theologisch die Frage nach der Versöhnung und dem Gericht, übrigens sehr ähnlich zu dem vor allem als Video geradezu kultig gewordenen, aber schon etwas in die Jahre gekommenen Film „Flatliners" (1990), ein Film, der interessanterweise erst als Video richtig erfolgreich geworden ist.

Beispiel für die zweite Variante ist das Beziehungsdrama „Ein unmoralisches Angebot", das wegen der mehr oder minder deutlich empfundenen Kommerzialisierung der Institution Ehe kritisiert wurde. Aber dies sind schon die auffälligen religiösen Anspielungen. Interessanter für das zu führende Gespräch sind die anderen, unscheinbaren Impulse, die dem normalen Kinopublikum als Gefühl zwar präsent, aber als Erkenntnis nicht bewusst werden – allein die vergossenen Tränen in einem normalen Kinosaal nach „Schindlers Liste" oder „Brücken am Fluss" zeigen, wie viel emotionale Kraft in der Wahrnehmung der bewegten Bilder liegt. Die Trilogie „Glaube, Hoffnung, Liebe" von Michael Haneke hingegen bietet in kammerspielartiger Form eine direkte Auseinandersetzung mit den Kernthemen des Glaubens als praktischen Lebensfragen.

Zusammenfassung

Beim Thema „Religion im Film" geht es also nicht, wie man anfangs denken möchte, um die Ausgliederung einer bestimmten Art von Film und Inszenierung oder Segmentierung der Filmlandschaft, sondern um eine Interpretation des Filmschaffens überhaupt. Das setzt natürlich einen weiten Religionsbegriff voraus. Den möchte ich der Klarheit halber auch nennen: Religion ist in diesem Verständnis nicht mehr und nicht weniger als jener Aspekt des menschlichen Lebens, der sich mit einer Welt jenseits unserer empirischen Welt auseinandersetzt und aus dieser Auseinandersetzung die existenziellen Fragen menschlichen Lebens zu bearbeiten und zu beantworten sucht. Alle Bemühungen, das menschliche Leben als mehr und anderes zu verstehen denn als evolutionsgeschichtlichen Großversuch mit letztlich irrelevanter ethischer Ausstattung, sind in diesem bestimmten Sinne von Haus aus religiös.

„Religion im Film" hat folglich nichts gemein mit einer Abteilung „religiöser Film". Dies dürften meistens propagandistische Werke sein. Es ist vielmehr die Bemühung, im Leitmedium unserer Gesellschaft die Gegenwart der Religion in ihren offensichtlichen und verdeckten Formen aufzusuchen und ins Gespräch zu bringen. Das wiederum bedeutet zweierlei: Bewusstmachung und Gesprächshilfe.

Bewusstmachung ist in erster Linie Aufklärungsarbeit, weil sowohl die Glaubens- als auch die Bibel- und Kirchenkenntnis der Zuschauer nach den Traditionsabbrüchen der vergangenen Jahrzehnte auf ein Minimum zurückgegangen und daher nicht mehr in der Lage ist, die verborgenen Verarbeitungen religiöser Stoffe zu erkennen. Bisweilen werden selbst die offensichtlichsten Anspielungen nicht mehr verstanden.

Neben der Aufklärungsarbeit geht es in der Bewusstmachung aber noch um etwas anderes, nämlich um Hoffnung. Nach all den Abbrüchen und Niedergängen der kirchlichen Welt in Deutschland hat sich an manchen Stellen eine Bunkermentalität herausgebildet, die sich vor der vermeintlich unchristlicher und gottloser werdenden Welt zurück- und deren vermeintliche Protagonisten mit dem Verdacht überzieht, Agenten des Bösen zu sein. Filme und die in ihnen vorhandenen

Möglichkeiten zudringlicher Fiktion sind da besonderer Wachsamkeit ausgesetzt. Das führt etwa bei Filmbesprechungen in manchen evangelikalen Presseorganen zu bisweilen absurden Urteilen. Es werden Produkte, in denen eine Ehe gerettet wird, als empfehlenswert deklariert, und wo es um moralisch verwerfliche Vorgänge geht, wird der Daumen nach unten gerichtet, ohne dass die Gesamtgeschichte gewürdigt wird. Eine Art Symptomjagd wird veranstaltet, um sich gegen die anflutenden Mächte der Finsternis zu wehren.

Tatsächlich aber und leider wird damit das in der ganzen Breite der Filmproduktion angelegte Bemühen übersehen, dem modernen Leben einen lebenswerten Ausdruck zu verschaffen, sich in einer unübersichtlicher gewordenen Welt zurechtzufinden, neue Werteprioritäten zu schaffen und bessere Formen des Lebens auszukundschaften. Das berühmte Happy End aus der Hollywood-Fabrik ist ja keineswegs nur eine schnulzige und pomadige amerikanische Attitüde, die im modernen Popcorn-Kino befriedigt werden will, sondern dokumentiert das Verlangen des normalen Menschen, auch unter modernen Bedingungen in irgendeiner Form zur Erfüllung des Lebens zu kommen. Der weithin hochgelobte und ungeheuer konsequente Film „Funny games" von Michael Haneke, in dem zwei junge Männer eine harmlose Familie grausam quälen und am Ende töten, ohne irgendeinen Anflug von Happy End, ist nicht anschaubar. Er ist binnen zweier Wochen aus den Kinos verschwunden, weil diese Sicht der Dinge unerträglich ist. Das heißt im Umkehrschluss, dass in den zweifellos bisweilen geschmacklosen Produktionen der Filmindustrie vor allem eines am Werk ist: die Suche nach dem Guten, Wahren und Schönen, und zwar unter den Bedingungen der Neuzeit, die zwar dieSuche nach dem Guten, Wahren und Schönen als aussichtslos abgebrochen hat, mit dieser Auskunft aber auch nicht leben kann.

Gesprächshilfe will „Religion im Film" sein, um mit den durch die Bewusstmachung gewonnen Einsichten wieder in ein ernst zu nehmendes Gespräch mit dem Film, der Kinokultur und den Zuschauern einzutreten. Dabei sind wir sowohl Zuschauer als auch Interpretatoren.

Helmut Aßmann,
Superintendent, Hildesheim

Filme in der Jugendarbeit

Herausforderungen und Chancen

Filme erzählen Geschichten. Wenn es gute Filme sind, dann sind es Geschichten, die die Zuschauer ansprechen, berühren oder begeistern. Filme können es schaffen, dass wir für einige Zeit in ihre Welt eintauchen. Wir stehen an der Seite der Helden, fiebern mit, wenn es brenzlig wird, lachen oder weinen. Wir werden an andere Zeiten und Orte transportiert und erleben Abenteuer, ohne dabei den bequemen Sessel verlassen zu müssen.

„Ein Film ist wie ein Kuchen mit 700 Schichten“ hat es Regisseur Ridley Scott einmal treffend auf den Punkt gebracht. Als Zuschauer nehmen wir nur die oberen Schichten bewusst war. Was darunter liegt, erschließt sich oft nur auf den zweiten Blick. Unser Buch soll daher eine Brücke sein zwischen den Filmen, den Themen, die wir in der Bibel entdecken, und den Themen junger Menschen.

Dies stellt eine Herausforderung für alle dar, die Filme in der Jugendarbeit einsetzen. Wenn wir Filme und Verkündigung zusammenbringen, dann graben wir ein paar Schichten tiefer. Wir fragen nach Themen, die die Menschen ansprechen und bringen sie in einen Dialog mit der christlichen Botschaft. Dazu gehört, dass wir sowohl die Filme als auch die biblischen Texte und die Themen junger Menschen ernst nehmen. Dirk Blothner, seit 1997 Drehbuchanalytiker und -berater sowie als Stoffentwickler tätig, empfiehlt Drehbuchautoren in seinem Buch „Erlebniswelt Kino – Über die unbewusste Wirkung des Films“ wirksame Filmthemen und bedeutsame Inhalte, die ein breites Publikum ansprechen, z. B. den Wunsch nach Veränderung, die Suche nach neuen Grenzen, die Sehnsucht nach Verbindlichkeit oder das Interesse an starken Figuren.

Filme beinhalten die großen Themen, die die Menschen beschäftigen. Wir möchten dazu ermutigen, inhaltliche Tiefenbohrungen zu machen und sich diesen Themen zu stellen. Filme sind dabei nie Mittel zum Zweck. Die vielfältigen Formen, die wir in diesem Buch beschreiben, zeigen, dass es lohnend ist, sich intensiver mit den Filmen auseinanderzusetzen und danach zu fragen, wann man wie welchen Film einsetzen will.

Allein die Tatsache, dass wir in der Jugendarbeit mit Filmen arbeiten, garantiert allerdings nicht, dass mehr Jugendliche in unsere Gruppenangebote oder Jugendgottesdienste kommen. Formen der Jugendarbeit sind aber sehr gut dazu geeignet, dass wir durch die Filme die Themen der Jugendlichen mit den Anliegen, die wir vermitteln wollen, zusammenbringen.
Aber Achtung: „Ein Bild sagt mehr als tausend Worte!“ Bei Filmen haben wir es nicht nur mit einem Bild zu tun, sondern mit einer Vielzahl von Eindrücken, die den Zuschauer in ihre Welt mit hineinnehmen. Das Gesehene setzt sich besser fest als das gehörte Wort. Wenn wir mit Filmen arbeiten, dann sollten wir uns dessen immer bewusst sein.
„Film+Verkündigung“ führt deshalb auch einige Beispiele auf, wie Filme mit unterschiedlichen Aktionen, z. B. einem Gottesdienst, verbunden werden können. Dadurch können sich Jugendliche noch intensiver mit bestimmten Themen beschäftigen.

„Gute Filme beziehen sich auf die Alltagserfahrungen ihrer Besucher, die Sehnsüchte und Schwierigkeiten, die die Menschen betrüben und beglücken“, so Dirk Blothner in seinem Buch (Blothner, S. 10). Dieser Satz lässt sich mit Blick auf Verkündigung folgendermaßen formulieren: „Gute Verkündigung bezieht sich auf die Alltagserfahrungen der Menschen, die Sehnsüchte und Schwierigkeiten, die sie betrüben und beglücken.“

Wenn wir beides zusammenbringen, werden wir Teil der großen Geschichte von Gott und seinen Menschen. Eine Geschichte, die nie verstaubt, sondern immer wieder neu entdeckt und erzählt werden will.

Martin Burger
Landesjugendreferent für Jugendpolitik und Freiwilligendienste
im Ev. Jugendwerk in Württemberg, Stuttgart

Andachten

Die folgenden Andachten beziehen sich in der Regel nicht auf den ganzen Film, sondern auf einzelne Filmsequenzen. Sie sind zeitlich so gestaltet, dass man sie z. B. im Rahmen eines Gruppenprogramms oder auf einer Freizeit einsetzen kann.

Auch wenn die Filme in der Regel ab 6 oder 12 Jahren von der FSK freigegeben sind, empfehlen wir sie für die Arbeit mit Jugendlichen ab dem Konfirmandenalter.

Helden wie wir

Filmtitel	Batman Begins (2005)	**Material**
FSK	ab 12 Jahren	keines
Thema	das eigene Schicksal annehmen, Fähigkeiten, Lebenserfahrungen, Menschsein, Niederlagen	
Passende Bibelstelle	Matthäus 26,36-46	
Größe der Gruppe	keine Begrenzung	

Batman zählt zu den bekanntesten und beliebtesten Helden aus dem Comicuniversum. Doch nicht nur seine Bekanntheit lässt Batman aus der Riege vieler anderer Superhelden herausstechen. Es ist noch eine andere Besonderheit, die ihn ausmacht: Batman besitzt keine Superkräfte. Er kann nicht fliegen wie Superman, besitzt keinen magischen Hammer wie Thor und hat auch keine übernatürlichen Kräfte wie der Hulk. Batman ist ein Mensch. Und so wird er insbesondere in Batman Begins als ein zutiefst menschlicher Held gezeichnet: Der kleine Junge, der schon früh eine katastrophale Familientragödie erleben muss, als seine Eltern durch einen Straßenräuber mit nervösem Finger am Abzug getötet werden. Der junge Mann, der von Versagens- und Verlustängsten geplagt wird und orientierungslos nach dem Sinn und einer Aufgabe im Leben sucht. Und schließlich der erwachsene Mann, der immer wieder durch das Böse gebrochen und von Menschen enttäuscht wird; der sich immer wieder seiner Angst und seiner Vergangenheit stellen muss; der nahestehende Menschen verliert und immer wieder zu Boden fällt. Erfahrungen, die uns vielleicht auch bekannt vorkommen: Angst, Verlust, Enttäuschung, Niederlagen.

Wenn Batman aber so menschlich ist, was macht ihn zu einem Superhelden? Sein milliardenschweres Vermögen? Es finanziert zwar seine technischen Hilfsmittel, macht aber keinen Helden aus ihm. Seine Kraft? Die hat er gut trainiert, aber für einen richtigen Superhelden ist sie doch zu wenig. Seine Intelligenz? Die ist unbestreitbar vorhanden, seine Widersacher kann er allein damit aber nicht besiegen.

Wenn wir danach fragen, was Batman zu einem Helden macht, müssen wir einen Blick in seine Geschichte werfen. Dort finden wir eine entscheidende Begebenheit:

Filmsequenz „Begegnung mit den Fledermäusen“ (00:00:41 bis 00:01:38) zeigen.

Brutalerweise verwandelt sich dieser „symbolische“ Fall kurze Zeit später in einen ganz realen Schicksalsschlag:

Filmsequenz „Tod von Batmans Eltern“ (00:09:45 bis 00:14:01) zeigen.

Diese beiden Erfahrungen legen die Grundlage dafür, dass Batman zum Helden wird. Aber nur, weil sein Vater ihm einen entscheidenden Satz mit auf den Weg gibt: „Warum fallen wir? Damit wir lernen, uns wieder aufzurappeln!" Dieser Satz hilft Batman mit jedem „Fall" umzugehen. Daraus erwachsen die Entschlossenheit, sich für seine Heimatstadt Gotham einzusetzen, die Willensstärke, den Enttäuschungen zu trotzen, und die Fähigkeit, nach jedem Fall wieder aufzustehen. Diese Eigenschaften machen Batman letztlich zu dem Helden, der er ist. Eigenschaften, die ganz menschlich sind. Eigenschaften, die auch uns zur Verfügung stehen.

Diese Eigenschaften hatte auch ein ganz anderer Mensch. Einer, der viele Jahre vor uns gelebt und ganz ähnliche Lebenserfahrungen gemacht hat. Auch Jesus kannte Angst, als er im Garten Gethsemane allein war und betete. Auch er wurde von seinen Jüngern enttäuscht, die so oft ganz anders handelten, als er es von ihnen erhoffte. Auch er wurde von Menschen verlassen, verspottet und schließlich sogar gekreuzigt. Aber er ist nach jedem Fall wieder aufgestanden – und am dritten Tag sogar auferstanden.

Jesus war kein Superheld. Ihm haben keine besonderen Fähigkeiten geholfen, sein Leben zu meistern und keine Superkräfte haben ihn von den Toten auferweckt. Die Kraft, der Mut und die Liebe zu den Menschen kamen aus einer ganz anderen Quelle: aus seiner Verbindung zu Gott, seinem Vater. Weil er eins war mit ihm und weil er ihm ganz vertraute, konnte er den Weg gehen, den die Bibel nachzeichnet. Und wenn wir Jesus als Helden bezeichnen wollen, dann nur deshalb, weil er diesen Weg als Mensch gegangen ist. Und dazu will er uns auch heute einladen und ermutigen: Mensch zu sein. Unseren Weg zu gehen. Zu fallen, aber auch wieder aufzustehen. Er will uns die Kraft und den Mut dazu schenken. So werden auch wir zu Helden. Nicht zu Superhelden, aber zu Glaubens- und Lebenshelden.

Stefan Westhauser
Leiter des Bereichs Weiterbildung und der operativen Arbeit des Instituts für Erlebnispädagogik der CVJM-Hochschule, Kassel

Mit dem Herzen sehen

Filmtitel	Blind Side – Die große Chance (2009)	**Material** keines
FSK	ab 6 Jahren	
Thema	Liebe, Toleranz, Zugehörigkeit, Zuhause	
Passende Bibelstelle	1. Samuel 16,7; Lukas 19,1-10	
Größe der Gruppe	keine Begrenzung	

Was ist ein „Blind Side“? Der Begriff wird im Englischen, speziell im Football, gebraucht, um etwas zu beschreiben, das man nicht sieht. Man kann den Begriff wohl am besten mit dem deutschen Ausdruck „toter Winkel“ übersetzen. Im Football ist die Position des Blind Side die des linken Blocker vom Quarterback, er soll diesem die Seite freihalten.

Genau diese Spielposition nimmt „Big Mike“ im Film ein. Doch bevor er ein großer Spieler wird, passieren einige schmerzhafte Dinge in seinem Leben:

Michael ist allein

Filmsequenzen 00:03:30 bis 00:08:50 und 00:15:10 bis 00:17:50 zeigen.

In zwei Szenen am Anfang des Films kann man gut nachspüren, wie es Michael geht. Er ist ausgestoßen, hat eigentlich keine Chance, sein Leben in den Griff zu bekommen. Bis sich eines Tages sein Footballcoach seiner annimmt und für die Aufnahme an einer guten, christlichen Schule wirbt. Eigentlich möchte ihn keiner der Direktoren haben, doch sie nehmen ihn trotzdem auf. Aber noch ist nicht alles gut. Denn in einer zweiten Szene, kurze Zeit später, als Michael vom Tod seines Vaters erfährt, kann man mitfühlen, wie einsam dieser Junge sein muss, der kein Zuhause hat. Erst später wird er von Familie Touhy aufgenommen und die Geschichte bekommt ein Happy End.

Der Film erzählt eine wahre Geschichte, die wir aber in solch einer Dramatik hoffentlich noch nicht erlebt haben. Wie muss es sich anfühlen, wenn man niemanden hat, ausgestoßen ist und niemand etwas mit einem zu tun haben möchte?

In einer biblischen Geschichte wird von Zachäus berichtet, einem Zöllner in Jericho (Lk 19,1-10). Ihm ging es ähnlich wie Big Mike – nur war Zachäus klein und nicht groß. Zöllner waren in der damaligen Zeit bei der Bevölkerung äußerst unbeliebt, da sie mit der Besatzungsmacht, den Römern, zusammenarbeiteten und sich an anderen bereicherten. Keine gute Ausgangsposition, um ein frommer Jude zu werden und ein gutes, angesehenes Leben zu führen. Zachäus wurde von den anderen Menschen ausgeschlossen, als Jesus in die Stadt kam. Sie scherten sich nicht um ihn und hielten ihn von Jesus fern. Erst als Zachäus auf einen Baum kletterte, sah er Jesus und Jesus ihn. Jesus ging auf ihn zu, denn er beurteilte Zachäus nicht nach seinem Beruf oder schlechten Ruf. Stattdessen ging er mit Zachäus und aß bei ihm. Alle anderen waren empört und schockiert, sie verstanden nicht, wie Jesus zu einem „Sünder“ ins Haus gehen konnte.

Es gibt einen sehr bekannten Ausspruch von Antoine de Saint-Exupéry in „Der kleine Prinz“: „Man sieht nur mit dem Herzen gut. Das Wesentliche ist für die Augen unsichtbar.“ Und „Ein Mensch sieht, was vor Augen ist; der Herr aber sieht das Herz an“ steht in 1. Samuel 16,7 (Luther). Auch Jesus hat sich nicht von den Vorurteilen und dem schlechten Ruf des Zachäus leiten lassen. Er hat sich genau Zachäus ausgesucht, ihn mit seinem Herzen angeschaut und in sein Herz hinein geschaut.

Michael wird angenommen

Genau diesen Blick gewinnt auch die Familie Touhy, die Michael bei sich aufnimmt. Immer tiefer können sie in das Leben und das Herz des jungen Mannes schauen. Sie sehen dadurch nicht nur den dummen, großen, dicken, schwarzen Jungen, der aus einem schlechten sozialen Umfeld kommt, sondern einen liebenswerten, herzensguten Menschen. Sie verbringen Zeit mit ihm, vertrauen ihm und werden alle zusammen eine Familie. Besonders deutlich wird dieses Verhältnis in einer Szene in der Mitte des Filmes:

Filmsequenz 01:00:30 bis 01:05:38 zeigen.

Michael und S. J. geraten in einen Verkehrsunfall. Michael schützt seinen kleinen Bruder, indem er den Airbag umlenkt und so schwere Verletzungen von ihm abhält. Michael ist seine Familie wichtig und daher ist es ganz klar, dass er nur das Beste für S. J. möchte.
Auch in der biblischen Geschichte ist es so, dass Zachäus Gutes tun möchte, nachdem er merkt, wie er von Jesus angenommen und geliebt wird. Und er macht es auch.

Jesus hat das Leben von Zachäus verändert. So ist Zachäus selbst für andere zum Segen geworden. Familie Touhy hat das Leben von Michael verändert. So war es für ihn klar, S. J. zu beschützen. Die Blind Side beschützt den Quarterback im Football; nur so kann er punkten und alle haben gemeinsam als Mannschaft Erfolg.

Tobias Schröder
Jugendreferent im CVJM-Potsdam e.V., Nuthetal

Das Abenteuer des Lebens

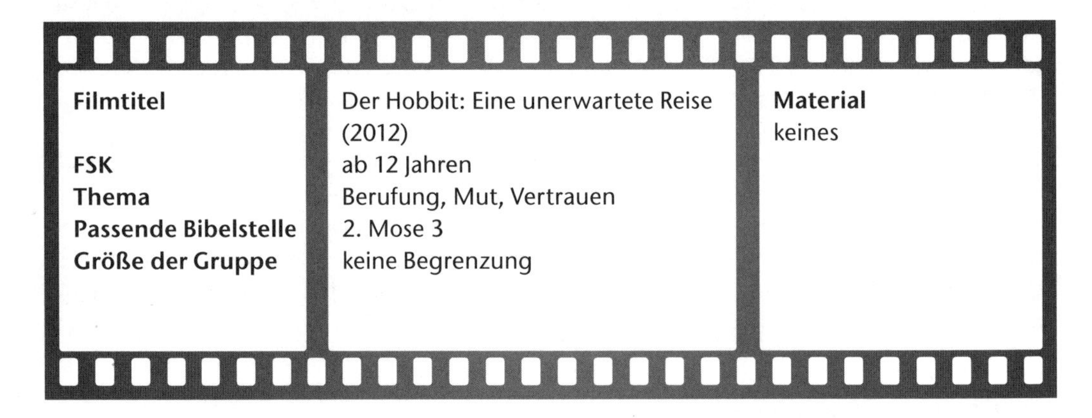

Filmtitel	Der Hobbit: Eine unerwartete Reise (2012)	**Material**
FSK	ab 12 Jahren	keines
Thema	Berufung, Mut, Vertrauen	
Passende Bibelstelle	2. Mose 3	
Größe der Gruppe	keine Begrenzung	

Filmsequenz 00:12:25 bis 00:15:36 zeigen.

Bilbo Beutlin, ein kleiner, unbedeutender Hobbit aus dem Auenland, wird eines Tages plötzlich in der Ruhe seines Alltags gestört. Jahrelang lebte er einfach so vor sich hin, entfernte sich nie weiter als nötig von seiner Wohnhöhle und aß und trank gern und reichlich. Doch eines bedeutsamen Tages taucht Zauberer Gandalf auf und stellt das Leben des Hobbits kräftig auf den Kopf. Bilbo wehrt sich zuerst nach Kräften, er sucht Ausflüchte und argumentiert eifrig: „Ich habe keine Verwendung für Abenteuer ... das gibt nur Ärger und Scherereien ... Ach, und da kommt man zu spät zum Essen ..." Er empfiehlt Gandalf sogar, doch einfach woanders nach einem passenderen Abenteurer zu suchen. Es wäre so viel leichter für Bilbo, einfach wie immer weiterzuleben. Doch Gandalf hat seine Wahl getroffen. Und so beginnt für Bilbo eine unerwartete Reise, die sein Leben komplett verändern wird. Gandalf macht ein Zeichen an Bilbos Tür. Er hat entschieden, dass Bilbo Beutlin zu seiner Truppe gehören soll und er glaubt an ihn – er hält an ihm fest. Egal, was andere über Bilbo sagen oder von ihm halten.

Weißt du eigentlich, dass Gott genauso von dir denkt? Dass Jesus dich ansieht und dich für geeignet befindet? Ganz egal, was du selbst über dich denkst oder wie klein du dir in deinem Leben auch manchmal vorkommen magst – Jesus hat seine Entscheidung für dich getroffen. Er will das Abenteuer deines Lebens mit dir erleben!

Wenn man vor einem Abenteuer steht, kann man schon erst einmal Angst bekommen. Es ist ja auch unsicher, was auf so einer „unerwarteten Reise" alles passieren kann.

In der Bibel wird von einen Mann berichtet, Mose, den Gott dazu ausgesucht hatte, sein Volk aus Ägypten aus der Sklaverei zu befreien. Nicht etwa, weil Mose besonders begabt war. Er war auch nicht besonders stark oder geeignet – im Gegenteil! Mose war eigentlich ein flüchtiger Mörder, der in der Wüste Schafe hütete, die nicht einmal seine eigenen waren. Zu allem Übel hatte er auch noch einen Sprachfehler! Und auch Mose versuchte sich zuerst aus der Sache herauszureden – er hatte Angst. Das ist nun wirklich kein Kerl, den man für große Abenteuer aussucht, oder?

Was sagt Gandalf dazu, warum er Bilbo ausgesucht hat?

Filmsequenz 01:37:31 bis 01:38:51 zeigen.

„Es sind die kleinen Dinge, die Böses auf Abstand halten. Gewöhnliche Menschen, die die Welt verändern können." Gandalf ist sich sicher, dass Bilbo genau der Richtige für die unerwartete Reise ist. Auch wenn alle anderen das immer wieder in Frage stellen und meinen, dass er zu klein ist und nichts kann, und sich fragen, was er überhaupt hier macht. Gandalf sieht mehr in diesem kleinen Hobbit als alle anderen und sogar mehr als Bilbo selbst in sich sieht.

So ist Gott. Er braucht keine starken Helden, er will nicht nur die „Thorin Eichenschilds" dieser Welt, sondern er gebraucht ganz normale Menschen wie dich und mich für seine Abenteuer. Fehlbare Menschen wie Mose. Wenn solche Menschen sich von Gott gebrauchen lassen, dann können ziemlich großartige Dinge passieren:

Filmsequenz 02:22:31 bis 02:27:33 zeigen.

Am Ende findet der kleine Bilbo Beutlin seinen großen Mut. Im Film hat sich Bilbo entschieden, die Reise mit Gandalf anzutreten und er bleibt tapfer dabei, obwohl die Reise immer wieder viel von ihm fordert. Die Beziehung zu Gandalf hat auf dem Weg seines Abenteuers mehr aus Bilbo gemacht, als er sich je zu träumen gewagt hätte. Das hat Bilbo nicht aus eigener Kraft geschafft oder weil er so begabt oder stark gewesen ist. Bilbo hat sich nur auf ein Abenteuer eingelassen und mit Gandalf Geschichte geschrieben.

Jesus macht heute sein „Zeichen" an die Tür deiner „Wohnhöhle", die dein Leben bedeutet. Sein Zeichen ist das Kreuz. Das Kreuz, an dem er dich befreit hat von der Macht der Sünde und das dich dazu freimacht, mit ihm das größte Abenteuer deines Lebens anzutreten. Er ruft dich heute aus deiner Bequemlichkeit! Er ruft dich heute aus deiner Angst und aus deinen Selbstzweifeln! Und wenn du dir einmal unsicher bist auf deiner unerwarteten Reise, dann ruft er dir zu: „Ich habe mich für dich entschieden! Du sollst zu meiner Truppe gehören! Schreib Geschichte mit mir! Ich liebe dich!"

Daniel Kern
Jugendreferent in CVJM-Steinheim, Steinheim

Eine Geschichte voll Hoffnung

Filmtitel	Die Kinder des Monsieur Mathieu (Le Choristes, 2004)	**Material** keines
FSK	ab 6 Jahren	
Thema	Geduld, Güte Gottes, Hoffnung, Liebe, Vertrauen	
Passende Bibelstelle	Psalm 98,1; Psalm 107,1	
Größe der Gruppe	keine Begrenzung	

Der erfolglose Musiker Clement Mathieu kommt als Lehrer und Betreuer an ein Internat für Jungen aus schwierigen Verhältnissen. Er ist entsetzt über die unfaire und oft brutale Erziehungsmethode des Direktors – das Prinzip „Aktion-Reaktion“: Auf das scheinbar reichlich vorhandene Fehlverhalten der Jungen folgt eine drakonische Strafe („Etwas anderes verstehen die nicht.“). Ansonsten besteht der Sinn der Anstalt darin, den Jungen das Nötigste an Bildung und Versorgung zu gewähren, sie aber ansonsten aus der Gesellschaft wegzusperren.

Geduldig und voller Güte

Auch die Jungen machen es dem neuen „Eierkopf“ nicht gerade einfach, aber Monsieur Mathieu sieht in ihnen mehr als nur widerspenstige Monster. Er erkennt ihre verschütteten Bedürfnisse und ihr verborgenes Potenzial. Er investiert in sie: Vertrauen, Zuwendung. Und er wagt das Experiment, einen Chor aufzubauen.

Nach anfänglichem Sträuben fangen die Jungen Feuer. Monsieur Mathieu gelingt es, mit ihrem Gesang ungeahnte Schönheit und Freude aus ihnen heraus zu zaubern. Wie hat er das geschafft? Indem er ihnen etwas zutraut und ihnen ihre Würde wiedergibt – selbst dem Jungen, der dermaßen falsch singt, dass er ihn lieber als „lebendigen Notenständer“ einsetzt.

Filmsequenz „Vorsingen“ / „Probe im Schlafraum“ (00:30:31 bis 00:34:33) zeigen.

Eine schöne Geschichte?!

In einem der Jungen entdeckt Monsieur Mathieu sogar ein riesiges Talent. Ein wunderbarer Jungensopran macht mit seinem Sologesang die Chormusik zu einem köstlichen Erlebnis. All das, diese neuen Erziehungsmethoden und die Musik, verändern peu à peu das Klima im Internat. Man sieht sogar den Direktor mit den Jungen Fußball spielen, was er vorher nie tat. Und man sieht ihn auf seinem Schreibtischstuhl, wie er Papierflieger durch sein Zimmer segeln lässt. Eine schöne Geschichte. Und wäre sie an dieser Stelle zu Ende gewesen, wäre es ein Film mit Happy End geworden.

Filmsequenz „Fußball“ (00:53:46 bis 00:56:05) oder
Filmsequenz „Chor mit Morhange“ (00:51:43 bis 00:53:19) zeigen.

Doch die Wirklichkeit holt auch diesen Film ein: der Direktor neidet den Erfolg. In Abwesenheit des Direktors brennt ein Teil des Heimes ab. Obwohl selbst unschuldig, wird Monsieur Mathieu verantwortlich gemacht und entlassen. Der Film endet damit, dass wir unseren Helden mit seinem Koffer zum Bus gehen sehen. Aus einem offenen Fenster segeln Papierflieger mit Abschiedsworten der Schüler. Einen persönlichen Abschied hat der Direktor verboten. Im Fenster sieht man winkende Hände. Die Flieger sind der Abschiedsgruß und Dank für einen, der mit diesen Kindern ein neues Lied singen wollte, ein Lied mit den Worten Vertrauen, Sinn für Schönheit, Sehnsucht nach dem Guten, Zusammenhalt, Liebe.

Filmsequenz „Abschied“ (00:84:10 bis 00:85:10) zeigen.

Geduldig und voller Güte

Wenn ich mir Gott vorstellen soll, dann am ehesten so wie diesen Monsieur Mathieu. Freundlich, geduldig und von großer Güte. So jedenfalls wollten die Weisen in Israel Gott verstanden wissen. Sie erinnern an das gütige und freundliche Gesicht unseres Gottes. Eines Gottes, der in Jesus noch einmal neu mit uns Menschen anfangen will und der die Spirale von Gewalt und Gegengewalt durchbrechen möchte. Gott ist sicher größer als alle Bilder, Definitionen oder gedanklichen Bemühungen über ihn. Und doch geht mir dieser Monsieur Mathieu nicht aus dem Sinn, der mit seiner Freundlichkeit und Güte das Psalmwort lebendig macht: „Danket dem Herrn, denn er ist freundlich, und seine Güte währet ewiglich“ (Psalm 107,1 Luther).

Filmsequenz „Ende“ (00:87:07 bis 00:88:30) zeigen.

Monsieur Mathieu kam aus dem Nichts. Der Film zeigt weder wo er herkam noch wohin sein weiterer Weg führt. Seine pädagogischen Bemühungen sind gescheitert. Aber er hat eine Segensspur hinterlassen, im Film und auch in den Zuschauern des Films: die Ahnung eines menschenfreundlichen und gütigen Gottes, der mit uns Menschen sein neues Lied anstimmen will – durch und mit diesem Monsieur Mathieu.

Katrin Müller
Diakonin, Referentin für den CVJM-Landesverband Hannover
im Haus kirchlicher Dienste der evangelisch-lutherischen
Landeskirche Hannovers, Hannover

Auf der Suche nach Heimat

Filmtitel	Rambo (First Blood, 1982)	**Material**
FSK	ab 16 Jahren	keines
Thema	Heimat, Sehnsucht, Zugehörigkeit	
Passende Bibelstelle	Hebräer 13,14	
Größe der Gruppe	keine Begrenzung	

Hinweis: Zu dieser Andacht gibt es keine spezielle Filmszene.

„Ja, Landstreicherei! Das würde gut auf einem Grabstein des Heldenfriedhofs aussehen: ‚Hier ruht John Rambo, ausgezeichnet mit der Ehrenmedaille, Überlebender von zahlreichen Einsätzen hinter feindlichen Linien ... getötet wegen Landstreicherei in Jaguatta, USA.'" Das sagt Rambos Ausbilder und Freund, Colonel Trautman, im Film zu Menschen, die Rambo gerade nachstellen.

Der wortkarge Vietnamkriegsveteran und Medal-of-Honor-Träger John Rambo kommt in das US-amerikanische Dorf Hope, um etwas zu essen zu bekommen. Doch in Hope ist er nicht willkommen. Der engstirnige Sheriff verhaftet ihn als Landstreicher. Im Gefängnis wird Rambo misshandelt, was ihn an seine Zeit als vietnamesischer Kriegsgefangener erinnert. Angesichts der schrecklichen Erinnerungen und Bilder in seinem Kopf verliert er die Nerven. Er bricht gewaltsam aus und flieht vor dem Sheriff und seinen Männern in die Berge. Diese geben Rambo fälschlicherweise die Schuld am Tod eines Hilfssheriffs. Eine Hetzjagd beginnt.

Als Elitesoldat beherrscht Rambo verschiedene Guerillataktiken. Obwohl inzwischen die Nationalgarde gegen Rambo ausrückt, ist er im Busch der Überlegene. Er bietet seinen Gegnern an, den Kampf zu beenden und wendet sich an den Sheriff: „Ich hätte alle töten können. Ich könnte auch dich töten. In der Stadt hast du die Macht, nicht hier." Doch der Sheriff ist davon besessen, Rambo niederzustrecken. Die Lage eskaliert, schließlich entert Rambo ein Militärfahrzeug. Er fährt damit zurück in die Stadt und hinterlässt schlimme Verwüstungen. Schließlich gelingt es Rambos Ausbilder und Freund, Colonel Trautman, zu Rambo durchzudringen. Rambo bricht in Tränen aus und berichtet vom Tod seines Freundes im Krieg: „Plötzlich war da ein Kind, ein Junge, der zu uns kam. Und er hatte so einen Schuhputzkasten, und er sagte: ‚Schuhe putzen. Schuhe putzen. Schuhe putzen, Mister!' Ich wollte das nicht, aber Joe, Joe hat ‚Ja' gesagt. Und ich, ich war ein paar Bier holen, und ... und dieser Kasten hatte Drähte und Joe macht das Ding auf, es explodiert und Joe fliegt quer über den Platz. [...] Ich versuchte ihn zusammenzuhalten, aber ... aber es ging nicht. [...] Niemand wollte uns helfen! Joe hat geweint, er sagte: ‚Ich will nach Hause, ich will nach Hause!' Er hat es immer wieder gesagt: ‚Ich will nach Hause, ich will meinen Chevy fahren!' [...]"

Hier endet der Film mit einem Lied von Dan Hill: It's a long road – es ist ein langer Weg, wenn du allein bist. Jede neue Stadt bringt dich nur weiter runter. Wo die Straße endet, da ist ein Platz für mich, da bin ich frei.

Zu Unrecht sieht der Volksmund in Rambo einen unsensiblen, muskelbepackten und gewalttätigen Rohling. Im Gegenteil: Der John Rambo des Films ist ein einsamer, sensibler Mann auf der Suche nach Heimat.

Der Film handelt von einem Mann, der noch nach Jahren im eigenen Heimatland nicht über die Traumata des Krieges hinwegkommt. Er ist wieder zu Hause, doch er findet keine Heimat. Als Veteran und sogar Medaillenträger hätte er, wenn es nach seinen vertrauten militärischen Maßstäben ginge, Achtung und Anerkennung verdient. Stattdessen wird er verkannt und ausgestoßen. Er gehört nicht dazu. Er wird mit seiner Vergangenheit und seinen schlimmen Erinnerungen alleingelassen.
Was John Rambo mit den meisten Zivilisten teilt, ist, dass er sich nach einem Ort sehnt, an dem er angenommen und akzeptiert ist. Das Bedürfnis nach Zuwendung, nach Zugehörigkeit und nach Heimat gehört zu sozialen Lebewesen. Heimat ist der Ort, an dem ein Mensch sich willkommen fühlt, ein Ort, an dem er sein darf. Heimat ist da, wo jemand hingehört und wo er sich geborgen fühlt. Die Sehnsucht nach Heimat scheint im Menschen zu wohnen. Wo Heimat und Geborgenheit fehlen, da streben Menschen oft danach, sie zu finden. Es ist, als sei in ihrem Herz ein Loch, das gefüllt werden muss. Dieses Loch scheint natürlicherweise da zu sein, als hätte Gott den Menschen damit geschaffen.

Mehr als einmal lesen wir in der Bibel, dass Gott uns Heimat anbietet. Eine dieser verheißungsvollen Stellen finden wir in Hebräer 13,14 (Luther): „Denn wir haben hier keine bleibende Stadt, sondern die zukünftige suchen wir." Bei Gott dürfen wir sein, da gehören wir hin.
In der Bibel gibt es allerdings einen Unterschied zwischen der Heimat bei Gott, auf die wir zugehen, und der Heimat bei Gott, die schon jetzt da ist. Um in der zukünftigen Heimat anzukommen, müssen wir erst durch den Tod hindurchgehen. Dort werden wir dann endgültig einen Ort für uns finden, an dem alles gut ist. Doch daneben gibt es noch eine andere Heimat, die uns bereits jetzt zur Verfügung steht. Als Christen leben wir mit Gott. Wir glauben, dass Gott bei uns ist und uns durch Schönes und Schweres in unserem Leben begleitet. Dadurch eröffnet sich um uns ein Raum, der für die Augen nicht sichtbar ist – und dem wir doch nachspüren können. In diesem Raum können wir Freiräume finden und uns neue Handlungsräume erschließen. In diesem Raum ist Gott, da gehören wir hin. Da können wir uns sicher und geborgen fühlen.

Der Film „Rambo, First Blood" erinnert mich wieder daran, dass ich eine Heimat bei Gott habe. Meine Augen sehen sie zwar nicht und manchmal verliere ich sie auch im übertragenen Sinne aus den Augen, aber sie ist dennoch real.

Anna E. Greve
Pfarrerin der Friedenskirche Oberaichen, Oberaichen

Mit Leidenschaft dabei

Filmtitel	Sherlock Holmes – Spiel im Schatten (2011)	**Material** keines
FSK	ab 12 Jahren	
Thema	Gottes Treue, Lebensweg, Leidenschaft	
Passende Bibelstelle	2. Timotheus 1,6.7	
Größe der Gruppe	keine Begrenzung	

Sherlock Holmes, das Genie

Filmsequenz 00:11:00 bis 00:16:46 zeigen..

Sherlock Holmes: Brite, ewiger Junggeselle, Verwandlungskünstler, legendärer Detektiv, Genie. Wenn es darum geht, die Wahrheit herauszufinden, macht ihm keiner etwas vor. Er erkennt die Zusammenhänge, ihm fällt auf, was alle anderen übersehen. Er legt den ganz Großen das Handwerk. Gerade ist er dabei, die Machenschaften von Professor James Moriarty aufzudecken. Und dabei hat sich das Genie ziemlich verrannt. Er kommt nicht weiter. Miss Hudson, die Amme, und Watson, sein ehemaliger Kollege und bester Freund, machen sich Sorgen um Holmes‘ Gesundheit.

Was bringt Sherlock Holmes dazu, sich dermaßen in einen Fall hineinzusteigern? So sehr, dass er nichts mehr isst und sogar den Junggesellenabschied seines besten Freundes vergisst? Er hat keinen Druck, keinen Auftrag. Erwartet er Anerkennung für seine Arbeit? Geht es ihm darum, dass das Gute siegt? Nein, es ist etwas anderes: Für ihn ist es ein Spiel, das ihm Spaß macht. Detektivsein ist für ihn mehr als ein Beruf, es ist eine Leidenschaft. Seine Motivation kommt von ganz innen. Einfach gesagt: Er liebt es. Und diese Liebe bringt ihn so weit, dass alles andere um ihn herum unwichtig wird.

Dein Stil: Holmes oder Watson?

Filmsequenz 00:39:34 bis 00:45:18 zeigen.

Es wird gefährlich. Watson und seine Frau geraten auf ihrer Hochzeitsreise in die Schusslinie zwischen Moriarty und Holmes. Und obwohl Watson „alte Gewohnheiten“ zugibt und sich wie in alten Zeiten auch sehr gut zu verteidigen weiß, ist ihm diese Unterbrechung gar nicht recht. Die beiden sind eben unterschiedlich. Während Holmes total leidenschaftlich alles dafür tut, das Spiel gegen Moriarty zu gewinnen, sehnt sich Watson nach einem sicheren, normalen Leben mit seiner Frau.

Wie sieht es mit dir aus? Bist du im Team Sherlock Holmes? Dann weißt du genau, was du von deinem Leben erwartest und hast ganz klare Vorstellungen davon, was du gern machst. Du hast eine Leidenschaft, vielleicht eine besondere Begabung oder die Liebe zu deinen Freunden, deiner Familie, zur Natur, zu leckerem Essen oder auch etwas ganz anderes. Oder gehörst du eher zum Team Watson? Dann hast du Lust auf viele Sachen, liebst deine Familie und auch das Alleinsein, genießt deine Heimat und würdest auch mal gern durch Australien trampen, findest schnelle Autos atemberaubend und liebst dein Praktikum in der Kita. Du bist auf dem Weg und machst dein Ding, Schritt für Schritt.

Hauptsache glücklich?

Filmsequenz 01:12:46 bis 01:13:34 zeigen.

„Hauptsache, du bist glücklich dabei." Diesen Satz hört und liest man oft. Holmes ist offensichtlich glücklich und genießt das Spiel mit Moriarty. Und Watson? Was denkst du, würde er antworten? „Na klar, alles easy." oder „Ich habe eigentlich keine Lust mehr auf das alles."? Vielleicht weiß er gerade gar keine Antwort auf die Frage.

Eine ähnliche Situation, 1.800 Jahre früher: Timotheus hat gerade angefangen, eine neue Begabung zu entdecken: Er berichtet in seiner Gemeinde vom Leben und von der Botschaft Jesu. Da schreibt ihm sein Vorbild Paulus aus dem Gefängnis. Er wurde für seine große Leidenschaft, von Jesus zu reden, gefangen genommen. Jetzt fühlt sich Timotheus vielleicht gar nicht mehr so wohl bei der Sache. Die neu gewonnene Freude am Predigen bröckelt, vielleicht bekommt er Angst. Wie glücklich ist Timotheus jetzt?
Paulus schreibt ihm aus dieser unsicheren Situation heraus: „Denn der Geist, den Gott uns geschenkt hat, lässt uns nicht verzagen. Vielmehr weckt er in uns Kraft, Liebe und Besonnenheit" (2. Tim 1,7 BasisBibel). Er ermutigt Timotheus: „Fürchte dich nicht, denn deine Angst schränkt dich ein. Sei mutig und trau dich, deinen Weg weiterzugehen! Gott verspricht, bei dir zu sein und dir von seiner Kraft, seiner Liebe und seiner Bedachtsamkeit etwas abzugeben."

Wenn du heute genau weißt, wo dein Weg langgeht, oder wenn du lieber noch einmal nach links und rechts schaust, oder wenn dein Weg gerade einfach ist oder eher anstrengend: in allen Situationen verspricht dir Gott heute genau dasselbe. Er ist bei dir und stärkt dir den Rücken da, wo du gehst. Gott unterstützt dich in deiner Leidenschaft. Hauptsache, du bist glücklich? Da geht noch mehr: Hauptsache, du weißt dich gehalten!

Maria Deutscher
Studentin der Religionspädagogik und Sozialen Arbeit an der Evangelischen Hochschule Ludwigsburg, Ludwigsburg

Die Sehnsucht nach mehr

Filmtitel	Slumdog Millionär (2008)	**Material**
FSK	ab 12 Jahren	keines
Thema	Lebensweg, Liebe, Sehnsucht, Zuhause	
Passende Bibelstelle	2. Korinther 5,1	
Größe der Gruppe	keine Begrenzung	

Suche nach mehr

Filmsequenz 00:00:12 bis 00:00:53 zeigen.

„Slumdog Millionär" erzählt von dem Tag im Leben des 18-jährigen Inders Jamal Malik, an dem er den Hauptpreis – 20 Millionen indische Rupien – in der indischen Version der Sendung „Wer wird Millionär" gewinnt. Wie ein roter Faden ziehen sich Jamals Erinnerungen an sein bisheriges Leben und den Erwerb seines Wissens in Form von Rückblenden durch den Film. So erfährt der Zuschauer von der Lebensgeschichte Jamals und seines Bruders Salim im modernen Indien. Jede Quizfrage steht für einen bestimmten Lebensabschnitt. Und so erklärt es sich auch, dass es Jamal nicht um das zu gewinnende Geld geht. Vielmehr geht es ihm darum, durch den Fernsehauftritt seine Liebe Latika wiederzufinden, die er vorher mehrfach getroffen und wieder verloren hat. Zu Beginn des Films wird die sich allen stellende Frage wie in einem Fernsehquiz eingeblendet: Ist es das Schicksal oder treibt Jamal die Sehnsucht an, seine große Liebe Latika wiederzufinden?

Chance auf etwas Neues

Filmsequenz 01:16:00 bis 01:16:13 zeigen.
Jamal: „Warum lieben alle diese Sendung?" Latika: „Es ist eine Chance, ein neues Leben zu beginnen."

Vor dem Hintergrund der Erfahrungen von Latika und Jamal kann man den Wunsch nach einem besseren Leben sehr gut verstehen. Die Sendung bietet für sie die Möglichkeit, ein neues Leben zu beginnen; den ganzen Schmutz, die Sorgen und das Leid des Alltags hinter sich zu lassen. Sie wissen: wer es in diese Sendung schafft und gewinnt, hat es wirklich geschafft. Wer träumt nicht davon? Die Sorgen von Latika und Jamal sind nicht unsere. Wir wachsen in der Regel in guten Verhältnissen auf. Wir wohnen in komfortablen Wohnungen oder Häusern, haben ein sauberes Bett und regelmäßig etwas zu essen. Und dennoch können wir die Sehnsucht der beiden gut nachvollziehen. Wir kennen auch selbst die Sehnsucht nach einem Ort, an dem alles besser ist;

nach einem Ort, an dem wir keine Sorgen mehr haben, wo es keine Krankheit und kein Leid mehr gibt; nach einem Ort, an dem wir verstanden und angenommen werden.

Genau diese Sehnsucht nach einem neuen Zuhause nimmt die Bibel folgendermaßen auf: „Und dann bekommen wir von Gott eine neue Bleibe – ein Haus im Himmel, das für immer bleibt und nicht von Menschenhand gemacht ist“ (2. Kor 5,1 BasisBibel). In dem Ausdruck von Sehnsucht spiegelt sich das Bild wider, dass im Himmel bei Gott ein Zuhause auf dich wartet. Kein Zuhause, das aus Stein und Holz ist, sondern eine ewige Bleibe hält Gott für dich bereit. Wohin du auch gehst, wohin dich das Leben auch treiben wird: Du bleibst ein Suchender nach dem, der dich hält. Zum Schluss wirst du erkennen, dass du dich in dieser Welt von allem verabschieden und alles loslassen musst, außer Jesus Christus.

Ganz zu Hause sein

Filmsequenz 01:37:28 bis 01:46:52 zeigen.
Latika: „Ich habe geglaubt, ich sehe dich im Himmel erst wieder.“

Was glaubst du? Glaubst du an eine ewige Heimat, auf ein Wiedersehen im Himmel? Dein ewiges Zuhause ist für dich vorbereitet. Gott wartet dort auf dich, er will mit dir in einer WG zusammenleben. Und auch den Weg ins himmlische Zuhause musst du nicht allein gehen. Der menschgewordene Gott will dein Wegbegleiter sein. Er hat eine Sehnsucht danach, den Weg deines Lebens mit dir gemeinsam zu gehen, er sucht dich! Lässt du dich von ihm finden?

Zu Hause zu sein, wo man nichts verbergen und nichts verstecken muss. Zu Hause zu sein, wo jemand ein offenes Ohr hat, eine Hand und ein Herz. Zu Hause zu sein, wo die eigene Sehnsucht gestillt wird und man im Mittelpunkt steht und herzlich willkommen ist. Das ist Ankommen bei Gott.

Auf der Suche nach mehr, mehr Leben, mehr Schönheit, mehr Geld kannst du etwas ganz Neues finden. Jemanden, der die Suche nach all den Dingen überflüssig macht, weil er dir alles gibt, was du suchst. Jesus Christus geht mit dir mit und teilt das Leben mit dir – bis ihr bei ihm in seiner ewigen Bleibe ankommt. Suchst du noch oder lebst du schon?

Tobias Kenntner
Landesjugendreferent für proteens Jugendliche und Vernetzung Jugend- und Konfi-Arbeit im Ev. Jugendwerk in Württemberg, Stuttgart

Wer zuletzt lacht, lacht am besten

Filmtitel	Sonnenallee (1999)	**Material**
FSK	ab 12 Jahren	Stifte, Papier
Thema	Entscheidung, Freiheit, Identität, Veränderung, Vertrauen	
Passende Bibelstelle	keine	
Größe der Gruppe	keine Begrenzung	

Hintergrund

In „Sonnenallee“ wird auf humoristische Weise das Leben Jugendlicher in Ost-Berlin im Jahr 1973 geschildert. Dabei ist der Film nicht immer geschichtstreu und überzeichnet zum Teil bewusst typische Probleme der DDR-Bürger, um einen Film zu schaffen, den jeder versteht, ohne vorher ein Geschichtsbuch gelesen haben zu müssen, wie Regisseur Leander Haußmann anmerkte.

Der Entwurf nimmt die Jugendlichen in die Welt des Films hinein und regt an, sich mit der eigenen Identität auseinanderzusetzen.

2011 jährte sich der Mauerbau zum fünfzigsten Mal. Dass 1989 die Mauer gefallen ist und damit der Weg zur deutschen Wiedervereinigung geebnet wurde, ist ein ebenso historisches Datum wie 1961, als sie errichtet wurde. Was hinter der Mauer geschehen ist, wie sich das Leben in der ehemaligen DDR abspielte, das wissen die Menschen aus den „neuen Bundesländern“ am besten, die die Zeit selbst erlebt haben. Die „Wessis“ kennen es von Besuchen, familiären Kontakten oder aus Berichten in den Medien. Seit der Wiedervereinigung gibt es immer wieder Filme, die sich mit dem Leben „drüben“ auseinandersetzen – mal auf ernste Art und Weise wie z. B. „Das Leben der Anderen“, mal auf lustige wie „Sonnenallee“. „Sonnenallee“ war überaus erfolgreich, weil der Film Fantasie und Wirklichkeit vermischt und weil er aus realistischen und fantastischen Elementen eine Geschichte erfindet, in der nicht „die“ DDR, sondern konkrete Menschen in der DDR – in diesem Fall eine Clique siebzehnjähriger Schüler – im Mittelpunkt stehen. Deshalb bietet der Film etlichen Jugendlichen aus Ost und West viele Gemeinsamkeiten, wenn man ihn so nimmt, wie er sich in erster Linie präsentiert: als einen Unterhaltungsfilm für ein jugendliches Publikum. Gerade aus diesem Grund eignet er sich in guter Weise dafür, in der Jugendarbeit gezeigt zu werden.

Einstieg: Tagebuch

Micha schreibt Tagebücher, um Miriam sein Leben zu Füßen zu legen. Tagebücher sind eine gute Möglichkeit aufzuschreiben, was man erlebt hat, was man denkt und wie man das Leben wahrnimmt.

Aufgabe an die Teilnehmenden: Stellt euch vor, ihr müsstet wie Micha ein Tagebuch neu erfinden! Was würdet ihr hineinschreiben? Nehmt euch 2-3 Situationen vor und beschreibt, was euch dabei wichtig ist. Das können ein besonderes Ereignis, eine Entscheidung, die ihr getroffen habt, oder ganz alltägliche Dinge sein.

Alternative: Wer nicht schreiben will, kann auch ein Bild mit verschiedenen Situationen malen. Die Ergebnisse werden in Kleingruppen vorgestellt.

Andacht

Micha und seine Clique sind „ganz normale" Jugendliche – auf der Suche nach ihrem Platz im Leben. Sie probieren einiges aus, widersetzen sich den Zwängen des Alltags, wollen ausbrechen. Dabei spielen Mädchen und Musik eine wichtige Rolle. Es ist schwierig, den eigenen Platz in der Gesellschaft zu bestimmen – aber das brauchen sie eigentlich auch noch nicht. Denn gerade in dem Alter muss man sich noch nicht festlegen. Aber man spürt auch, dass diese Zeit zu Ende gehen wird. Denn die sozialistische Gesellschaft erwartet von den Jugendlichen, dass sie sich für einen bestimmten Weg entscheiden und fordert sie auf, klar Stellung zu beziehen.

Deshalb gab es in der DDR die FDJ – die „Freie Deutsche Jugend". Hier wurden Kinder und Jugendliche auf Linie getrimmt. Da wurde eingetrichtert, was gut und böse ist, wer Freund und Feind ist, was der Staat von einem erwartet und wie man sich in der DDR zu verhalten hat. Besonders deutlich wird dies auch in den Liedern, die bei der FDJ beliebt waren. Ein besonderer Hit war das Lied „Sag mir, wo du stehst" von Hartmut König (1967). Ein Lied, das deutlich macht, dass die Entscheidung für eine Seite unumgänglich ist. Ein Lied, das dazu auffordert, den richtigen Weg, den Weg der Partei zu gehen. Doch nicht alle wollten diesen Weg gehen. Sie haben nach eigenen Wegen gesucht, nach einem eigenen Standpunkt. Sie haben andere Lieder gesungen. Dieser eigene Weg war nicht bequem. Er führte dazu, dass ihnen die Zukunftschancen verbaut wurden. Er führte zu Bespitzelung und Überwachung. Er führte für viele, die sich nicht mit dem Unrechtsregime abfinden wollten, in die Gefängnisse der DDR.

Auch Micha wird herausgefordert. Spätestens als er vor die Entscheidung gestellt wird, ob er drei Jahre zur Armee gehen will, spürt er, dass er sich entscheiden und für diese Entscheidung Verantwortung übernehmen muss. Die Tagebücher sind für ihn eine wichtige Hilfe – obwohl er alles erfindet, schreibt er doch von sich. Von seinen Träumen, von seinen Wünschen, von dem, was ihm wichtig ist. Dies gibt ihm die Kraft, sich gegen die Armee zu entscheiden, auch wenn dies zum Bruch mit seinem besten Freund führt. Es ist nicht leicht, sich zu entscheiden. Vor allem, wenn man die Konsequenzen nicht absehen kann oder die Folgen fürchten muss wie Micha. Der Film endet wie in einem Traum und nimmt das vorweg, was ein paar Jahre später Wirklichkeit geworden ist: in ihrer Begeisterung und ihrer Sehnsucht nach Freiheit überwinden die Menschen die Mauer.

1989, noch vor dem Fall der Mauer, ist anlässlich einer Hochzeit das Lied „Vertraut den neuen Wegen" entstanden, das den Nerv der Zeit getroffen und die Hoffnung von vielen Menschen und ihr Vertrauen in eine neue Zeit ausgedrückt hat: „Vertraut den neuen Wegen, auf die der Herr uns weist, weil Leben heißt: sich regen, weil Leben wandern heißt. Seit leuchtend Gottes Bogen am hohen Himmel stand, sind Menschen ausgezogen in das gelobte Land. Vertraut den neuen Wegen und wandert in die Zeit! Gott will, dass ihr ein Segen für seine Erde seid. Der uns in frühen Zeiten das Leben eingehaucht, der wird uns dahin leiten, wo er uns will und braucht. Vertraut den neuen Wegen, auf die uns Gott gesandt! Er selbst kommt uns entgegen. Die Zukunft ist sein Land. Wer aufbricht, der kann hoffen in Zeit und Ewigkeit. Die Tore stehen offen. Das Land ist hell und weit." (Text: Klaus Peter Hertzsch, 1989, Rechte beim Urheber, Abdruck mit freunlicher Genehmigung)

Wo Menschen voll Hoffnung aufbrechen, da gehen am Ende verschlossene Fenster und Türen auf und Mauern stürzen ein. Da tritt die Welt aus dem Dunkel. Die Zukunft beginnt. „Vertraut den neuen Wegen" – dieses Lied nimmt etwas von all den Erfahrungen und Erwartungen auf, die Menschen immer wieder aufs Neue ein Leben lang bewegen, wenn sie eine Schwelle überschreiten. Das Lied wird im Film „Sonnenallee" nicht gesungen. Es drückt aber das aus, was auch die Jugendlichen dort beschäftigt: ihre Sehnsucht nach Leben, ihre Hoffnung auf Freiheit. Für uns Christen haben diese Sehnsucht und diese Hoffnung einen Ort: Jesus Christus. Aus dieser Hoffnung heraus entstand das Lied „Vertraut den neuen Wegen". Wir wissen nicht, was das Leben uns bringen wird, welche Entscheidungen anstehen. Bei allen Entscheidungen, die du treffen musst, bei allen offenen Fragen, die vielleicht noch lange nicht beantwortet sind, geht Gott mit. Das Vertrauen in Gott gibt uns die Kraft, in Freiheit neue Wege zu gehen.

Martin Burger
Landesjugendreferent für Jugendpolitik und Freiwilligendienste
im Ev. Jugendwerk in Württemberg, Stuttgart

Lebensentscheidungen

Filmtitel	Vaya con dios (2002)	**Material**
FSK	ab 6 Jahren	Filmprotokoll
Thema	Entscheidung, Veränderung, Vertrauen	(siehe Seite 45), Hintergrundmusik
Passende Bibelstelle	keine	
Größe der Gruppe	keine Begrenzung	

Hinweis: Der Film wird in Ausschnitten gezeigt. Im Filmprotokoll ab Seite 45 wird detailliert aufgeführt, welche Szenen gezeigt und welche erzählt werden. Die Andacht wird am Schluss des Films gehalten. Grundsätzlich ist es sinnvoll, dass vor dem Impuls Instrumentalmusik gespielt wird, damit die Zuschauer Gelegenheit haben, aus dem Film herauszutreten.

„Vaya con dios" beginnt damit, dass sich drei Mönche auf den Weg machen. Raus aus ihrer klösterlichen Abgeschiedenheit treffen sie auf die bunte, schnelllebige, laute, moderne Welt. Sie tun dies notgedrungen: ihr Kloster ist pleite, jahrelange Misswirtschaft fordert ihren Preis. Lebenswelten treffen aufeinander, die kaum unterschiedlicher sein könnten. Doch der Film bewertet nicht: weder die Moderne ist besser mit ihrem Abwechslungsreichtum und ihren Möglichkeiten noch die Abgeschiedenheit des Klosters, in der man durch die Musik zu reinem Gotteslob vordringen kann. Der springende Punkt des Films liegt dort, wo die Mönche anfangen, von der einen Lebenswelt in die andere hinüberzugehen, wo sie Veränderung suchen und ihr Leben neu versuchen, ausprobieren, verwandeln, experimentieren.

Wir müssen uns immer wieder neu ausprobieren, um klarer zu sehen, wer wir sind, wozu wir da sind, was unser Selbstverständnis ist und wer oder was der eigentliche Grund unseres Daseins ist. Wer immer nur in seiner Alltagswelt bleibt und nichts Neues ausprobiert, nichts dazulernt und keine Grenzen überschreitet, der nimmt sich die Chance auf Weiterentwicklung, religiöse Erfahrung und Vergewisserung! In der Reibung zwischen unterschiedlichen Lebenswelten stellt sich das bis dahin selbstverständliche Leben infrage. Diese Erfahrung machen die Mönche in dieser Komödie, als sie die Rasanz moderner Intercitys dramatisch und gefährlich erleben; als sie zum ersten Mal moderne Popmusik irritiert und fasziniert aus dem Kassettendeck des Cabrios hören; als sie erleben, wie Alkohol auf der ersten Szene-Party ihres Lebens böse enden kann.

Aber: Die drei Mönche experimentieren! Mit dem Leben! Mit sich selbst! Sie probieren aus. Sie versuchen das Leben neu und sind bereit, die Versuchung zu riskieren. Der Film macht Lust, das Leben zu wagen: sich zu verändern, neue Wege zu gehen, sich sogar auf Irrwege einzulassen. Tassilo und Benno führen die Irrwege wieder zurück zu den Cantorianern. Für Arbo, den Jüngsten, der als Baby ins Kloster kam, also ohne eigene Entscheidung, wird die Irrfahrt zur Entdeckung eines neuen, eigenen, selbst gewählten Lebens: in der Begegnung mit der hübschen Chiara wird ihm klar, dass das keusche Leben im Kloster in Zukunft seine Sache nicht mehr ist. Er verabschiedet sich von den anderen, von seinem bisherigen Leben. In und an seiner Person wird deutlich: erst durch Versuchungen und Entscheidungen werden wir, was wir sind. In der Herausforderung werden wir mit uns selbst konfrontiert. Wir müssen uns entscheiden. Und das muss eine eigene Entscheidung sein. Das ist das geheime Thema des Films: die notwendige Situation der eigenen Entscheidung. Chiara muss sich entscheiden, Arbo muss sich entscheiden, Benno muss sich entscheiden, Tassilo muss sich entscheiden – von der ersten bis zur letzten Szene. Der Film wertet dabei nicht. Es gibt keine richtige oder falsche Entscheidung.

Eltern, Kirche, Lehrer, Gesellschaft ... – niemand kann einem vorgeben, wer oder was man zu sein hat. Das müssen wir selbst erkennen und wählen. Wenn einer weiß, wohin sein Weg führt, wenn einer sich entschieden hat, was er in seinem Leben sein will, wenn einer weiß, dass er das auch kann, dann wird er sich selbst treu bleiben müssen. Der Film bringt schlicht und einfach die menschliche Situation auf den Punkt: Bleibt Tassilo zu Hause oder nicht? Kehrt Chiara um oder nicht? Bleibt Benno in der Kirche sitzen oder kommt er mit? Folgt Arbo am Ende dem Ruf der Stimmgabel oder nicht? Es wäre alles möglich gewesen, der Film belässt es aber bei der Problemanzeige und schildert, wie die Menschen sich entscheiden und welche Konsequenzen sich daraus ergeben.

Der Weg des Experimentierens kann voller Orientierungsnot und Verwirrung sein. Das wird im Film besonders für Arbo deutlich: „Vaya con dios" – „Geh mit Gott": der Weg der Selbstfindung muss von jedem gegangen werden. Das bündelt der Film am schönsten und prägnantesten mit der siebten Strophe des Chorals „Wer nur den lieben Gott lässt walten". Dort heißt es: „Sing, bet und geh auf Gottes Wegen, verricht das Deine nur getreu und trau des Himmels reichem Segen, so wird er bei dir werden neu; denn welcher seine Zuversicht auf Gott setzt, den verlässt er nicht." (Text: Georg Neumark, 1657)

Man kann es auch so formulieren: „Wenn du gehst und dich entscheidest, dann geht Gott mit dir." Es kommt nicht so sehr darauf an, welchen Weg wir einschlagen, sondern darauf, dass wir uns auf den Weg machen und vor Entscheidungen nicht zurückschrecken. Gott geht die Wege mit – inner- oder außerhalb des Klosters. Die Lebensformen sind es nicht, die unser Verhältnis zu Gott ausmachen, sondern das Vertrauen auf die Gegenwart Gottes.

Martin Burger
Landesjugendreferent für Jugendpolitik und Freiwilligendienste
im Ev. Jugendwerk in Württemberg, Stuttgart

Filmprotokoll zu „Vaya con dios“

Filmsequenz	zeigen (Z) erzählen (E)	Zusammenfassung des Inhalts
Kapitel 1 00:00:00 bis 00:02:37	(E)	Vorspann – Gesang – Bild im Zeitraffer Mönch in seiner Zelle, Arbo schneidet dem Mitbruder die Haare
Kapitel 2 00:02:38 bis 00:07:19	(Z)	Leben im Kloster – die Bedeutung des Buches für die Cantorianer wird erklärt.
Kapitel 3 00:07:20 bis 00:14:15	(Z)	Die Mönche erfahren, dass das Kloster geschlossen werden muss. Der Abt gibt ihnen kurz vor seinem Tod den Auftrag, das Buch der Cantorianer nach Italien in ein Kloster zu bringen.
Kapitel 4 00:14:16 bis 00:20:02	(Z)	Die Mönche verlassen das Kloster und lernen unterwegs eine junge Frau kennen, Chiara.
Kapitel 5 00:20:03 bis 00:24:25	(E)	Die Mönche sitzen mit Chiara im Auto. Sie bietet ihnen an, sie bis nach Stuttgart mitzunehmen.
Kapitel 6 00:24:26 bis 00:29:20	(E)	Das Auto bleibt mit leerem Tank liegen. Im Wald versammeln sich die Mönche zum gemeinsamen Gesang. Chiara hört die Stimmen, sie ist fasziniert und tief berührt.
Kapitel 7 00:29:20 bis 00:34:23	(E)	Benno und Tassilo brechen auf, um Benzin zu holen. Tassilo zeigt Benno eine moderne Straßenkarte, die er in der Tankstelle hat mitgehen lassen. Er stellt fest, dass er in der Nähe von seinem Geburtstort ist.
Kapitel 8 00:34:24 bis 00:42:05	(Z)	In Tassilos Dorf. Sie besuchen seine Mutter.
	(Z)	Benno und Arbo im Garten, sie reden über das Verliebtsein. Die Mutter freut sich, dass Tassilo wieder daheim ist. Tassilo würde gern noch eine Weile bleiben, doch Benno erinnert ihn an sein Gelübde.
	(E)	Chiara fährt mit Benno und Arbo weiter. Sie kommen in Stuttgart am Hauptbahnhof an.

Kapitel 9 00:42:06 bis 00:46:37	(E)	Chiara hat Fahrkarten besorgt. Sie verabschiedet sich von den Mönchen mit dem Hinweis, dass sich Arbo ja einmal bei ihr melden kann.
Kapitel 10 00:46:38 bis 00:52:41	(E)	Sie fahren aus Versehen nach Karlsruhe. Dort treffen sie auf Claudius, einen ehemaligen Studienkollegen von Benno, der in einem Jesuitenkonvent arbeitet. Die beiden gehen mit ihm. Arbo wird bei den Schülern untergebracht und Benno bekommt das Angebot, in der Bibliothek zu arbeiten, um Kirchenlieder zu sichten. Benno ist begeistert von dem Archiv.
Kapitel 11 00:52:42 bis 00:57:55	(E)	Arbo ist irritiert vom Leben bei den Jesuiten. Verwundert stellt er fest, dass Benno seinen Auftrag immer mehr vergisst und sich ganz der Arbeit in der Bibliothek hingibt. Außerdem erfährt er, dass Claudius hinter dem Buch der Cantorianer her ist, da er es für eine Irrlehre hält.
Kapitel 12 00:57:56 bis 01:04:42	(Z)	Szenenwechsel zwischen dem Hof von Tassilo und Arbo in der Kirche: Arbo streitet sich mit Benno. Er will wieder weg, doch Benno bleibt lieber bei den Jesuiten. – Die Mutter von Tassilo spürt, wie unglücklich er ist. – Arbo will das Jesuitenkonvent verlassen.
Kapitel 13 01:04:43 bis 01:10:21	(Z)	Arbo klettert nachts über das Eingangstor. Er hat das Buch der Cantorianer mitgenommen. Er versucht Chiara mit einem Handy zu erreichen, das er von ein paar jungen Leuten ausleiht. Diese nehmen ihn mit auf eine Party. Er trinkt zu viel Alkohol und stürzt ab. Er wacht in einem Bett der Bahnhofsmission auf. Chiara und Tassilo sind bei ihm.
Kapitel 14 01:10:22 bis 01:15:34	(E)	Chiara und Arbo kommen sich näher, küssen sich – Liebesszene. Gemeinsam mit Tassilo beschließen sie, Benno aus dem Jesuitenkonvent zu holen.
Kapitel 15 01:15:35 bis 01:22:20	(Z)	In der Messe stimmen Tassilo und Arbo „Wer nun den lieben Gott lässt walten" an. Benno stimmt in das Lied mit ein.
Kapitel 16 01:22:21 bis 01:25:19	(Z)	Benno verlässt mit Arbo und Tassilo die Kirche. Da Chiara erkannt hat, wie wichtig Arbo das Buch und der Orden sind, fährt sie ohne die drei weg.

Kapitel 17 01:25:20 bis 01:29:22	(E)	Tassilo in der Straßenbahn, er wird von den Männern des Konvents verfolgt und läuft davon. Benno und Arbo rennen hinterher. Sie steigen in den leeren Mercedes des Konvents. Tassilo setzt sich ans Steuer, sie suchen in der Betriebsanleitung. Der Wagen fährt los. Ein Telefon klingelt. Es ist Claudius, der seine Mitarbeiter sprechen will. Sie fahren zum Bahnhof, steigen in einen Zug ein und fahren ab.
Kapitel 18 01:29:23 bis 01:33:02	(E)	Tassilo, Benno und Arbo kommen am Kloster in Italien an.
Kapitel 18 01:33:03 bis 01:36:20	(Z)	Die Mönche kommen zusammen. Tassilo ist in der Küche, Benno zusammen mit dem Abt. Es klopft an der Klostertür. Ein Bote bringt Arbo eine Stimmgabel, die er Chiara geschenkt hatte. Arbo entscheidet sich zu gehen.
Kapitel 19 01:36:21 bis 01:39:02	(Z)	Arbo verlässt das Kloster. Die Mönche singen weiter. Die Klostertür schließt sich. Arbo schaut sich draußen um. Sieht aber nur einen Postboten. Chiara ist nicht da – sie wollte ihn nicht in seiner Entscheidungsfreiheit beeinflussen. Die Mönche singen, Arbo läuft die Straße entlang und steigt in einen Bus. Er lächelt. Er schaut in eine ungewisse Zukunft. Der Bus fährt weg, er verschwindet hinter einer Kurve. Die Musik endet – Ausblendung – STOPP – Bild einfrieren

Gottesdienste

In der Regel werden (Jugend-)Gottesdienste von einem Team vorbereitet. Die folgenden Einheiten können als Grundlage der eigenen Vorbereitungen verwendet werden. Die Einheiten beinhalten teilweise konkrete Abläufe und teilweise einzelne Bausteine, die frei kombinierbar sind. Es handelt sich immer um Ideen, die Teilnehmenden durch Aktionen einzubeziehen und ins Nachdenken zu bringen. Die Predigtideen sind in der Regel nicht ausformuliert. Sie helfen stattdessen dabei, sich selbst Gedanken zu machen und eigene Worte zu finden.

Je nach Entwurf sollte man 1 bis 1,5 Stunden für die Gottesdienste einplanen. Wir empfehlen diese Form von Gottesdiensten ab dem Konfirmandenalter.

So sein wie Gott

Filmtitel	Bruce allmächtig (2003)
FSK	ab 6 Jahren
Thema	Gott, Güte Gottes, Verantwortung, Zweifel
Passende Bibelstelle	Johannes 1,14; Johannes 3,16
Größe der Gruppe	keine Begrenzung

Material
Haftnotizzettel, Stifte

Hinweis: Während des Gottesdienstes werden drei Filmsequenzen gezeigt. Es schließt sich jeweils eine Aktion an. Zum besseren Verständnis des Films wird es notwendig sein, vor den Szenen zu erzählen, was bisher passiert ist. Die Szenen nehmen Grundthemen auf, die sich im Film finden. Diese werden durch die Aktionen auf unterschiedliche Weise vertieft. Im Anschluss an den Gottesdienst kann man den ganzen Film gemeinsam anschauen.

Ablauf des Gottesdienstes

Einstieg

Im Raum ist es halbdunkel.
Die Moderation klatscht in die Hände und es wird Licht (in Anlehnung an „Bruce allmächtig").

Begrüßung und Hinführung zum Film

Liedvorschläge
One of us
Lay my burdens down
Meine Zuflucht und Stärke

Hinführung zu Szene 1

Der Film wird kurz erzählt.

Filmsequenz „Hadern mit Gott" (00:18:32 bis 00:23:13) zeigen.

Aktion 1: Interview mit drei Personen

In der Vorbereitungsphase des Gottesdienstes sollten unterschiedliche Personen gefunden werden, die bereit sind, sich zum Thema befragen zu lassen.

Mögliche Fragen können sein:

- Kennst du Situationen, in denen du Gott angeklagt und an ihm gezweifelt hast?
- Was hat dir geholfen, mit deinen Zweifeln umzugehen?
- Wie bewertest du diese Erfahrungen im Nachhinein?

Musik zur Überleitung

Hinführung zu Szene 2

Der Film wird weitererzählt.

Filmsequenz „Sein wie Gott“ (00:30:47 bis 00:36:00) zeigen.

Bruce begegnet Gott, ihm wird die Macht übertragen. Er kann jetzt all das tun, was Gott auch kann.

Aktion 2: Was würdest du tun, wenn du allmächtig wärst?

Die Teilnehmenden schreiben ihre Einfälle auf Haftnotizzettel. Diese werden gesammelt und einige davon vorgelesen.
Vorschlag: Die Haftnotizzettel können auf einen Gottesdienstmitarbeiter geklebt werden.

Musik zur Überleitung

Hinführung zu Szene 3

Der Film wird weitererzählt.

Filmsequenz „Verantwortung übernehmen“ (01:13:47 – 01:16:14) zeigen.

„Die Menschen wollen, dass ich immer alles für sie erledige ... Sei selbst das Wunder!“

Aktion 3: Szenen aus dem Alltag

Diese werden in Form eines Kurzanspiels vorgetragen. Das Vorbereitungsteam sollte sich ein paar Situationen überlegen, wie wir Verantwortung übernehmen und wie sich „kleine Wunder“ ereignen können (z. B. in der Familie, Schule, im Freundeskreis).

Musik zur Überleitung

Zusammenfassung, Kurzansprache: „So ist Gott"

Dabei kann die Szene aufgenommen werden, in der sich Gott von Bruce verabschiedet und die Leiter hochklettert. Dabei sollte der Widerspruch zum Film aufgezeigt werden: Gott verabschiedet sich nicht von uns. Er überlässt uns nicht unserem Schicksal. Er „steigt die Leiter runter" und lebt mitten unter uns.

Liedvorschläge
Ich verlass dich nicht
Bist zu uns wie ein Vater

Gebet – Vaterunser
Abkündigungen
Segen

Martin Burger
Landesjugendreferent für Jugendpolitik und Freiwilligendienste
im Ev. Jugendwerk in Württemberg, Stuttgart

Das Wertvolle der Identität

Filmtitel	Die Bourne Identität (1. Teil der Trilogie, 2002)	**Material** je nach Baustein, siehe unten
FSK	ab 12 Jahren	
Thema	Identität, Menschsein, Wert	
Passende Bibelstelle	1. Mose 1,26-27; Psalm 8; Psalm 139	
Größe der Gruppe	keine Begrenzung	

Material
Baustein 1: Preise
Baustein 2: weißes Papier, Stifte
Baustein 3: Plakate von verschiedenen Menschen
Baustein 4: Beamer, Leinwand, Computer, Textdokument oder facebook-Seite
Baustein 5: Bibeln, Kopien oder Beamerfolie von Psalm 139, weißes Papier, Stifte
Bautsein 6: Fragebögen, Stifte, Videos

Hinweis: Die in den Bausteinen aufgeworfenen Fragen sollten in der Predigt aufgegriffen werden.

Baustein 1: Wer ist Jason Bourne?

Hinweis: Diese Aktion schließt an die Vorführung der Filmsequenz an, kann aber nur dann umgesetzt werden, wenn der Film den Teilnehmenden nicht bekannt ist. Da „Die Bourne Identität" mittlerweile über zehn Jahre alt ist, ist die Wahrscheinlichkeit aber groß, dass die Jugendlichen ihn nicht kennen.

Filmsequenz 00:01:03 bis 00:05:34 zeigen.

„Wer ist Jason Bourne?" Diese Frage wird den Teilnehmenden gestellt. Sie wissen bis dahin nur, dass er ein ohnmächtig im Wasser treibender Mensch ist, der angeschossen wurde und eine Art Laserpointer unter der Haut trug. Die Teilnehmenden sollen sich daher allein oder in Gruppen – das können sie selbst frei entscheiden – kreativ darüber Gedanken machen, welche Identität hinter Jason Bourne steckt. Freiwillige können anschließend ihre Antwort vorstellen.
Optional: Eine Jury oder alle Teilnehmenden bewerten per „Applaus-O-Meter" die Antworten, Preise werden vergeben.

Baustein 2: Unbeschriebene Blätter

Kein Mensch ist ein „unbeschriebenes Blatt“. Über jeden Menschen kann etwas ausgesagt werden. Und je mehr ein Mensch sich mit sich selbst auseinandersetzt, desto mehr kann er auch über sich selbst sagen.

Es liegen weiße Zettel und Stifte aus. Vielleicht steht die zentrale Frage des Gottesdienstes als Überschrift oben auf den Zetteln: „Wer bist du, weißt du es?“ Die Teilnehmenden werden aufgefordert, diese Frage – jede und jeder für sich – auf dem Zettel zu beantworten. In der Erläuterung sollten einige Beispiele enthalten sein, was die Identität eines Menschen ausmacht, z. B. Ursprungsfamilie, Leidenschaften, angestrebter Schulabschluss, Freunde, Hobbies, Temperament, Gefühle ...

Baustein 3: Ausstellung

Im Gottesdienstraum hängen eine Menge Plakate mit Gesichtern verschiedener Menschen. Das können prominente und nicht prominente Menschen sein; das können den Jugendlichen bekannte Leute aus dem Mitarbeiterteam, von vor Ort oder Jugendliche selbst sein ... Die Plakate geben kurz Auskunft über die Identität der abgebildeten Menschen. Jedes Plakat sollte eine Besonderheit der Identität des abgebildeten Menschen preisgeben.

Der Gottesdienst wird an einer bestimmter Stelle „angehalten“. Die Teilnehmenden bekommen ausreichend Zeit, sich diese Ausstellung anzuschauen. Sie werden mit einer Frage losgeschickt: „Was macht das Wertvolle einer menschlichen Identität aus?“

Baustein 4: Öffentliche schweigende Diskussion

Ein für alle Teilnehmenden zugänglicher Computer, der an einen Beamer angeschlossen ist, der auf eine zentral einsehbare Leinwand projiziert, ist während der im vorigen Baustein beschriebenen Ausstellung für alle zugänglich. Ein einfaches Textdokument oder eine facebook-Seite, die zum Kommentieren zugänglich ist (z. B. die Seite des Gottesdienstes, die mit der Frage des Abends präpariert ist), ist auf der Leinwand sichtbar. Nach und nach können die Teilnehmenden am Computer vorbeigehen und ihre Antwort ins Textdokument oder auf die offene facebook-Seite tippen, die gleichzeitig auf der Leinwand erscheint und für alle sichtbar ist.

Baustein 5: Psalm 139 sprechen lassen

„Was macht das Wertvolle einer menschlichen Identität aus?“ Psalm 139 soll dazu befragt werden. Eine kurze hermeneutische Einführung in den Text kann hilfreich sein. Diese sollte darauf hinweisen, dass die Bibel kein „Orakel“ ist, das man irgendwo aufschlägt, um aus einem beliebigen Vers eine Antwort auf eine Frage zu erhalten.

Psalm 139 wird von der Moderation vorgelesen. Vers für Vers, langsam. Zum Nachverfolgen können den Teilnehmenden Bibeln, Kopien oder eine Einblendung über die Leinwand angeboten werden. Sie werden aufgefordert, auf einem Zettel Aussagen zu notieren, die sie aus dem Psalm überzeugen. Dies sollte mit einigen Beispielen erläutert werden.

Baustein 6: Dein Bild, mein Bild

Den Teilnehmenden werden Fragebögen ausgeteilt. Drei ihnen fremde Personen sind darauf zu sehen und zu jeder Person ist von den Teilnehmenden ein kurzer Fragebogen jeweils mit denselben Fragen auszufüllen. Die Fragen sollten das Grundmotiv, „Was denkst du, wer ich bin?" enthalten, z. B. durch die Fragen „Aus was für einem Elternhaus komme ich?", „Bin ich jemand, der gut lieben kann?", „Was ist wertvoll an mir?" usw.

Nachdem die Teilnehmenden ausreichend Zeit hatten, die Fragebögen auszufüllen, werden drei Videos eingespielt, die zuvor mit den drei Personen produziert wurden, die auf den Fragebögen zu sehen sind. Jede Person hat in dem Video ein bis zwei Minuten Zeit, sich selbst zu beschreiben und die Fragen vom Fragebogen zu beantworten.

Mit dieser Aktion kann man sich den Hauptaussagen des Gottesdienstes nähern:

- Wer oder was macht die Identität eines Menschen aus? Das, was er über sich selbst aussagt und glaubt, oder das, was andere über ihn aussagen und glauben?
- Wie entscheidend sind die Bilder, die andere von einem haben, wenn das eigene Bild einmal feststeht?
- Welchen Einfluss hat das Bild, das Gott von seinen Menschen hat, auf das Denken eines Individuums? Was kann es für einen Menschen bedeuten, dass Gott seine Identität gestiftet hat, auch wenn er dies nicht glauben kann?
- Welche Auswirkung hat es für einen Menschen, wenn er glauben kann, dass seine Identität in Gott gegründet ist? (Vgl. z. B. 1. Mose 1,26-27 als Aussage über den Menschen und in Relation dazu Psalm 8 als Glaubensantwort eines Menschen über seine Identität.)

Martin Scott
Referent bei Wunderwerke e.V., Essen

Von der Ausgrenzung zur Umarmung

Filmtitel	Invictus (2010)	**Material**
FSK	ab 6 Jahren	Fahrradketten, Ketten, Stahlseile, Vorhängeschlösser mit passenden Schlüsseln
Thema	Gemeinschaft, Liebe, Nächstenliebe, Toleranz	
Passende Bibelstelle	Johannes 13,34-35	
Größe der Gruppe	mindestens 8	

Vorbereitung
Zwei wirre Haufen aus Schlössern, Stahlseilen und Fahrradketten herstellen. Alle Fahrradketten, Seile und Schlösser müssen in Gebrauch sein und in endlosen Verwirrungen in zwei getrennten Knoten schon zu Beginn des Gottesdienstes sichtbar im Raum angebracht sein.

Beim Eintreffen der Teilnehmenden läuft im Hintergrund passende Musik.

Ablauf des Gottesdienstes

Begrüßung

Heute ist ein besonderer Gottesdienst – es geht um „Invictus", einen Film über das Südafrika zu Beginn der Präsidentschaft von Nelson Mandela. Mandela verbrachte 30 Jahre in Gefangenschaft auf der Insel Robben Island, weil er mit Gewalt gegen das Apartheidssystem kämpfte, das es in Südafrika der weißen Bevölkerung ermöglichte, die schwarze Bevölkerung zu unterdrücken. Nach seiner Freilassung und den ersten demokratischen Wahlen war es seine Aufgabe, ein Land zu vereinen, das viele Jahrzehnte getrennt war. Dazu brauchte er viel Mut und musste ungewöhnliche Wege gehen.

Szene 1 und Kleingruppen

Filmsequenz 00:27:10 bis 00:35:14 zeigen.

Mandelas Leibwächter fordern Verstärkung an, weil sie ihn allein nicht mehr ausreichend schützen können. Womit sie nicht rechnen: Mandela schickt ihnen erfahrene, weiße Kollegen. Das sorgt für ...

Einteilung der Teilnehmenden in Kleingruppen zu je 4-8 Personen.
Sie tauschen sich zu folgenden Fragen aus:

- Was genau ist das Problem in dieser Szene?
- Wie ist die Körpersprache der Schwarzen? Wie die der Weißen?
- Wie sieht die Zusammenarbeit aus?
- Was vereint? Was trennt?
- Kennt ihr aus den Medien / aus anderen Filmen ähnliche Szenen?
- Welche realen Situationen aus eurem Alltag fallen euch ein, die ähnlich sind?
- Sollte man mit dem Feind / den Feinden zusammenarbeiten?
- Was bringt die Männer am Ende zusammen?

Lied
als Abschluss der Kleingruppen

Szene 2 und Gruppenarbeit

Filmsequenz 00:27:10 bis 00:35:14 zeigen.

Einteilung der Teilnehmenden in zwei größere Gruppen.
Ihr Auftrag: Löst die Knoten der Ketten! Das ist eine unmögliche Aufgabe, da die Schlüssel fehlen! Es gibt eine kurze Versuchsphase, sie kann ruhig chaotisch sein.

Die Teilnehmenden tauschen sich dann entweder in den vorherigen Kleingruppen oder in den zwei Gruppen über folgende Fragen aus:

- Inwieweit ist die Situation der beiden Gruppen und die Situation Mandelas ähnlich?
- Inwieweit ist sie unterschiedlich?
- Warum ist Mandela zu dem Treffen gefahren?
- Wie ist das Treffen ausgegangen? Welches Ergebnis gibt es? (Diskussion)
- Ist es möglich, dass aus dem kniffligen Knoten ein Kreis wird?
- Wenn ihr an Konfliktsituationen in eurem Leben denkt: Was war nötig, damit sie „entwirrt"/ gelöst werden konnten?

Lied
Mighty to save

Kurzandacht

Während oder nach der Andacht werden die Schlüssel an die Teilnehmenden verteilt.

Liebe zum Anderen ist der Schlüssel zur Einheit. Ich weiß nicht, wie es Mandela in diesem Moment ging – vermutlich war er ziemlich erschöpft, weil er gehofft hatte, dass es einfacher sei, zwei Völker zu vereinen. Es gab so viel, das Schwarz und Weiß trennte, und nur so wenig Vereinendes. Für Mandela war der Sport wie ein Schlüssel zu den Herzen seiner Mitbürger – egal, ob weiß oder schwarz. Die Leidenschaft und Liebe, die die Menschen für ihr Land – Südafrika – empfanden, vereinte sie und wurde damit zu dem Schlüssel, der die Schlösser vor den Herzen aufschließen konnte. Bei Gott gibt es auch einen solchen Schlüssel und er heißt „Liebe untereinander". Aus und in Liebe können Menschen Eins werden, die alle unterschiedlich denken und handeln. Und das ist ein mächtiges Zeichen, dass hier Gott am Werk ist.

Die Teilnehmenden entwirren nun die Ketten, Seile und Schlösser mithilfe der Schlüssel. Die Ketten mit den geöffneten Schlössern werden in die Mitte gebracht.

Szene 3 und Abschluss

Filmsequenz 01:59:00 bis 02:05:10 zeigen.

Zwei bis drei Leute schließen die offenen Ketten zu einem großen Kreis zusammen, in den zum Abschluss alle hineinsteigen als sichtbares Zeichen, wie aus getrennten, verschlossenen, verwirrten Knoten ein schöner Kreis wird.

Wenn die Gruppe sich schon kennt, können sich die Teilnehmenden auch gegenseitig umarmen.

Segen
Herr, ich komme zu dir als Ich
und bitte dich,
dass du mich
zum Wir machst.
Ich brauche dich.
Ich brauche dich im Anderen.
Ich brauche den Anderen,
weil ich dich erkennen will.
Danke, dass du mir
immer wieder auf dem Gesicht des Anderen
erscheinst.
Mach uns zu einer Einheit
in Liebe,
damit auch die Anderen an unseren Gesichtern erkennen,
wer du bist.
Amen.

Björn Wagner
Referent des Generalsekretärs beim CVJM-Gesamtverband
in Deutschland, Marburg

Auf dem Weg mit Gott

Filmtitel	Luther (2003)	**Material**
FSK	ab 12 Jahren	Stifte, Papier, Reißnägel o. Ä., Hintergrundmusik
Thema	Christsein, Glaube, Kirche, Vertrauen, Zweifel	
Passende Bibelstelle	keine	
Größe der Gruppe	keine Begrenzung	

Vorbereitung

In diesem Gottesdienstentwurf geht es nicht um eine kritische Auseinandersetzung mit der inhaltlichen Konzeption des Films oder den historischen Fakten. Vielmehr soll der Film so wahrgenommen werden, wie er sich dem Zuschauerauge bietet. Drei inhaltliche Aspekte werden anhand unterschiedlicher Methoden (Interview, Thesen-Aktion, Szenen) vertieft. Martin Luther soll mit seinem Glauben, seinen Überzeugungen und seinen Zweifeln wahrgenommen und Bezüge zur eigenen Lebenssituation sollen hergestellt werden.

Das Thema eignet sich dazu, den Gottesdienst mit einer Konfirmandengruppe oder Firmgruppe vorzubereiten (diese kann z. B. eigene Interviewfragen oder Alltagsszenen entwickeln). Es empfiehlt sich, dass der Film nach dem Gottesdienst ganz gezeigt wird.

Einen wichtigen Teil des Gottesdienstes machen die „Hinführungen" aus. Hier wird nicht Gesehenes kurz zusammengefasst und inhaltlich zu den verschiedenen Aktionen hingeführt.
Die angegebenen Texte stellen eine Hilfestellung für die eigene Erarbeitung dar.

Ablauf des Gottesdienstes

Begrüßung

Lieder

Ich werfe meine Fragen hinüber
Wo ich auch stehe
Zweifeln und Staunen

Einführung in den Gottesdienst und in den Film

Luthers Zweifel – Film und Interview

Filmsequenz „Gewitter, Gespräch mit Staupiz" (0:01:17 bis 0:07:40) zeigen.

Ein dramatisches Erlebnis bringt Luther dazu, Gott ein Versprechen zu geben: „Wenn du mir hilfst, dann werde ich Mönch." Es ist kein einfacher Weg, den er einschlägt. Er ist sich unsicher. Er leidet, hat Zweifel, ob er den richtigen Weg eingeschlagen hat. Er zweifelt an der Liebe Gottes. Er leidet unter der Vorstellung, dass Gott ein zorniger Gott ist. Er hasst sich selbst und er hasst Gott. Obwohl er weiß, dass es Gott gibt, ist da keine Hoffnung und keine Zuversicht.
In unserem Leben gibt es viele erfreuliche Erfahrungen. Es gibt aber auch die dunklen Seiten – das Leid, den Schmerz, die Fragen, die wir stellen und auf die wir keine Antworten bekommen. Wir wollen drei Personen fragen, wie sie in ihrem Leben damit umgehen. Ob sie das, was Luther erlebt, aus eigener Erfahrung kennen.

Interview mit drei Personen

Die folgenden Fragen sind als Impuls gedacht. Am besten ist es, wenn eigene Fragen aus der Vorbereitung heraus entwickelt werden. Die Interviews sollten keine Spontaninterviews sein, sondern die Personen vorher gut informiert werden.

- Luther hat unter der Vorstellung eines unbarmherzigen, zornigen Gottes gelitten – es waren dunkle Bilder. Wie beschreibt ihr für euch Gott? Welche Bilder fallen euch ein? Wer ist Gott für euch?
- Luther zweifelt an Gott, er geht durch ein dunkles Tal. Kennt ihr solche Situationen aus eurem Leben? Wie bringt ihr euren Glauben an Gott mit all dem Leid zusammen, das in der Welt geschieht?
- Der väterliche Freund von Luther spricht von der Barmherzigkeit und der Liebe Gottes, die man erfahren kann. Wo wird für euch die Liebe Gottes im Leben deutlich?

Lied

Aus der Tiefe rufe ich zu dir
Deine Barmherzigkeit
Wohin sonst

Luthers Protest – Film und Aktion

Der Film wird weitererzählt: Überleitung zu Filmsequenz 2

Der Film nimmt uns weiter mit hinein in das Leben von Martin Luther. Ein eindringliches Erlebnis hat er bei einer Pilgerreise nach Rom. Hier bekommt er große Zweifel an den Praktiken der Kirche: Mönche, die sich mit Prostituierten einlassen; Händler, die in ihren Bauchläden Heilige für alle Lebenslagen anbieten; Ablassbriefe, die für Verstorbene verkauft werden. Die Kirche betreibt ein gutes Geschäft, das auf Angst beruht. Angst vor dem Teufel und Angst vor den Höllenqualen. Verstärkt wird dies alles durch das Auftreten des Ablasspredigers Tetzel. Er wurde beauftragt, so viel Geld wie möglich für den Bau des Petersdoms in Rom aufzutreiben. Er sorgt dafür, dass das Geld kräftig im Kasten klingelt, damit die Seele aus dem Fegefeuer springt. In Luther wächst die

Gewissheit, dass das Heil nicht in der Kirche zu finden ist, sondern allein in Jesus Christus. Dass nicht Angst vor Gott und Teufel im Vordergrund steht, sondern dass es darauf ankommt, auf Gottes Liebe zu vertrauen. Als Reaktion auf Tetzels Auftreten schlägt Luther einen Zettel gegen den Ablass an die Kirchentür. Es sind die sogenannten „95 Thesen".

Filmsequenz „Mutter und Ablassbrief, Gesicht Tetzel" (0:36:42 bis 0:39:33) zeigen.

Das Gesehene wird aufgenommen: Hinführung zur Aktion
Luther hat erkannt, welche Missstände es in der Kirche gibt. Er will die Kirche nicht abschaffen, aber verändern. Er hängt seine Thesen an die Kirchentür. Das Hämmern durchdringt die Kirche wie ein Weckruf.

Es fällt uns oft schwer, in Worte zu fassen, was wir verändern wollen. Oft ärgern wir uns über Dinge, wissen aber nicht, wie wir es anders machen sollen. Vielleicht geht es euch mit der Kirche auch so. Vielleicht gibt es dort Dinge, die euch nicht passen, die ihr anders machen würdet. Ihr habt jetzt die Möglichkeit, diese Dinge aufzuschreiben und eure eigenen „Thesen" zu veröffentlichen. Was stört euch, was soll sich verändern in Bezug auf Kirche, Gottesdienst und alles, was dazugehört? Wenn ihr fertig seid, werden wir eure Thesen an die Kirchentür heften und vorlesen. (Alternativ: Nicht nur das Thema Kirche, sondern auch „Gesellschaft" mit einbeziehen.)

Aktion „Thesenanschlag"
Während der Schreibphase läuft im Hintergrund Instrumentalmusik.
Die Zettel werden an die Türe geheftet und einige davon vorgelesen.

Lied
Anker in der Zeit
Gott gab uns Atem

Standhalten in Gefahr – Film und Spielszenen

Der Film wird weitererzählt. Überleitung zu Filmsequenz 3.
Die Schriften Luthers verbreiten sich in Windeseile. Zunehmend wird er für die Kirche zum Stein des Anstoßes. Luthers Erfolg führt zu einer Gegenreaktion. Sein Leben wird bedroht, seine Schriften werden auf Befehl des Papstes verbrannt. Er soll gezwungen werden zu widerrufen, was er gegen die Kirche und den Papst gesagt und geschrieben hat. Dies soll er beim Reichstag in Worms tun. Hier sind der Kaiser und die Kurfürsten Deutschlands sowie Vertreter des Papstes versammelt. Bei seinem ersten Auftritt ist er zunächst noch unsicher, er bittet um einen Tag Bedenkzeit. Er weiß genau, was von seiner Antwort abhängt – Tod oder Leben.

Filmsequenz „Reichstag in Worms – Gott helfe mir" (1:08:15 – 1:16:08) zeigen.

Das Gesehene wird aufgenommen: Hinführung zu den Szenen
„Ich kann nicht und ich werde nicht widerrufen. Hier stehe ich und kann nicht anders. Gott helfe mir." Diese Sätze kommen Luther nicht einfach von den Lippen. Er hat darum gekämpft. Er ist sich

aber gewiss, dass er das, was ihn bewegt und woran er glaubt, nicht widerrufen kann. Obwohl er weiß, dass dies schlimme Konsequenzen für ihn haben wird. Er betet: „Ich bin dein, erlöse mich." Er vertraut sich Gott an, er weiß, dass Gott ihn begleiten wird. Luther steht für das ein, wovon er überzeugt ist. Es ist faszinierend, dass er sich nicht umstimmen lässt.
In unserem Alltag zeigt es sich, dass es nicht einfach ist, zu dem zu stehen, was wir glauben und wovon wir überzeugt sind. Wenn alle der gleichen Meinung sind, fällt es uns leicht. Aber wenn wir Gegenwind bekommen, wenn andere uns dafür auslachen, dann wird es schon schwieriger. Die folgenden Szenen zeigen auf, was es heißen kann, für seine Meinung einzustehen.

Szenen

Das Team spielt verschiedene Szenen vor. Die folgenden Szenen sind Beispiele, es können auch eigene und andere gespielt werden.

Szene 1: Szene auf dem Schulhof. Ein Clique steht herum und lästert über einen „Outsider" (Streber, Kleider, andere Ansichten). Eine Schülerin, ein Schüler setzt sich für ihn ein und lässt sich nicht unterkriegen.

Szene 2: Zwei Freunde unterhalten sich ein paar Wochen nach einem Fußballspiel über eine Foulszene. Der eine trägt dem Gegenspieler das Foul noch nach und schimpft über ihn. Der Freund versucht ihn davon überzeugen, dass dies im Spiel geschehen ist, dass er es seinem Gegenspieler nicht immer nachtragen soll. Sein Freund beschimpft ihn deswegen.

Szene 3: Zwei Jungs reden über Mädchen. Dem einen ist es wichtig, so schnell wie möglich die Mädchen abzuchecken und mit ihnen ins Bett zu gehen. Sein Freund hat andere Ansichten über Freundschaft und Partnerschaft und wird deshalb als „uncool" abgestempelt.

Szene 4: Eine Jugendliche kann nicht mit auf ein Konzert gehen, weil sie eine Jungschargruppe leitet. Sie lässt sich von ihren Freunden nicht überreden, obwohl es in deren Augen blöd ist, sich in der Kirche zu engagieren.

Lied

Befreit durch deine Gnade
Lass uns den Weg der Gerechtigkeit gehen

Abschluss und Impuls

Der weitere Verlauf des Films wird kurz zusammengefasst.

Der Film über Luther zeigt uns einen Menschen, der in seinem Leben viel bewirkt hat. Es war für Luther aber kein leichter Weg. Immer wieder wird er uns mit seinem Zweifel, seiner Angst, seiner Unsicherheit vor Augen geführt. Luther kämpft immer wieder – mit sich selbst, mit anderen Menschen und mit Gott. Aus diesen Fragen und Zweifeln heraus wächst aber die Zuversicht und die Gewissheit, dass Gott ein barmherziger, ein liebender Gott ist, dem er sich wie ein Kind anvertrauen kann. Dies gibt ihm die Kraft, seinen Weg zu gehen, an seinem Glauben und seinen Überzeugungen festzuhalten.

Fragen, Angst, Zweifel, Liebe, Glaube und Zuversicht – all das gehört zu unserem Leben dazu. Die Gewissheit, dass alles in Gottes Hand liegt, hat Luther Kraft gegeben und macht auch uns heute Mut, eigene Schritte und Wege mit Gott zu gehen.

Lied
Anker in der Zeit
Lege deine Sorgen nieder

Fürbitte
Die Fürbitten folgen der inneren Struktur des Gottesdienstes:
- Bitten gegen Verunsicherung und Zweifel
- Bitten für die Kirche
- Bitten für Einstehen für Glauben und Überzeugungen

Vaterunser
Ansagen
Segen

Lied
Geh unter der Gnade
Sei behütet

Martin Burger
Landesjugendreferent für Jugendpolitik und Freiwilligendienste
im Ev. Jugendwerk in Württemberg, Stuttgart

Und er trägt doch!

Filmtitel	Patch Adams (1998)	**Material**
FSK	ab 6 Jahren	Luftballons, Schnüre, Helium, Eddings; Blüten aus Papier, Stifte, Wasserbecken; Rose von Jericho, heißes Wasser, Bild eines Schmetterlings
Thema	Glaube, Hoffnung, Selbstwert, Sorgen, Vertrauen, Wert	
Passende Bibelstelle	Jesaja 40,31	
Größe der Gruppe	keine Begrenzung	

Hinweis: Im Anschluss an die Aktionen im Gottesdienst folgen kurze Impulse, die den Inhalt aufgreifen. Man kann die Filmsequenz mit unterschiedlichen Aspekten auslegen. Man sollte sich daher vorher Gedanken machen, welche Hauptaussage den Gottesdienst prägen soll und entsprechend einen Schwerpunkt herausgreifen.

Hauptaussagen können sein:
- Was schwer war, wird leicht: Gott trägt auch dann, wenn du nicht mehr zu können glaubst!
- Wem vertraust du: Dir selbst oder Gott?
- Vertraust du darauf, dass Gott es gut machen wird?
- Wer hat dich zu dem gemacht, der du bist, mit all deinen Stärken und Schwächen?
- Worauf setzt du deine Hoffnung? Was trägt dann, wenn nichts mehr zu tragen scheint?
- Gibt es ein Leben nach dem Tod?

Filmsequenz „Patch auf dem Berg“ (01:29:45 bis 01:32:27) zeigen.

Der Film „Patch Adams“ handelt von dem etwas abgedrehten Medizinstudenten Patch Adams, der nicht die Krankheit, sondern den Menschen an sich in den Vordergrund seines ärztlichen Handelns stellt.

In der Filmsequenz steht Patch auf einem Berg am Rande des Abgrundes, vor sich die Gegend, in der er mit seinen Freunden eine kleine Klinik aufgebaut hat. Dabei wurde seine Freundin Karen von einem Patienten umgebracht. Patch steht vor dem Nichts und eröffnet nun einen Dialog mit Gott.

Diese Szene endet mit Patchs Worten zu Gott: „Du bist es nicht wert.“ Patch resigniert und wendet sich ab. Dabei sieht er einen Schmetterling – er gibt ihm Hoffnung, neues Vertrauen und Motivation für die Weiterarbeit an seinem Herzensanliegen, trotz dieses Schicksalsschlages.

Aktion: Was schwer war, wird leicht

Die Teilnehmenden erhalten Luftballons, die mit Helium gefüllt und mit einer Schnur versehen sind. Sie haben in Kleingruppen von ca. 15 Personen die Möglichkeit, Dinge, die sie belasten, auf die Ballons zu schreiben, darüber zu diskutieren und sie anschließend in den Himmel steigen zu lassen. Wer möchte, kann seinen Luftballon auch allein beschriften. Die Möglichkeit des Gesprächs sollte aber auf alle Fälle gegeben sein.

Impuls: Bei Gott sind deine Sorgen gut aufgehoben; lass sie los; spür, wie es leichter wird ums Herz.

Lied
Lege deine Sorgen nieder

Patch sagt zu Gott: „Du bist es nicht wert!“ Und Gott signalisiert Patch mit dem Symbol des Schmetterlings: „Du bist in meinen Augen wertvoll!“

Murmelgruppen: Du bist etwas wert

Die Teilnehmenden gehen in kleine Murmelgruppen zu ca. fünf Personen zusammen – so, wie sie sitzen/stehen – und besprechen, welche (charakterlichen) Stärken und Gaben sie an den anderen Murmelgruppenmitgliedern schätzen. Das können auch äußerliche Merkmale sein, wenn sie sich wenig kennen. Diese Stärken/Gaben werden in vorbereitete Blüten geschrieben. Die Blütenblätter werden anschließend zusammengeklappt und in ein großes Wasserbecken (z. B. Kinderplanschbecken) in der Mitte des Raumes gesetzt. Nach und nach entfalten sich die Blüten und die Gaben und Talente werden sichtbar.

Impuls: Gott sieht deinen Wert; er hat dich einmalig gemacht und besonders geschaffen.
Die aufgeschriebenen Gaben und Stärken sollten aufgegriffen werden.

Lied
Ich bin bei dir

Patch sagt: „Wie geht's jetzt weiter? Was willst du von mir?“ Und Gott schickt Patch einen Schmetterling als Antwort. Der Schmetterling steht für die Hoffnung. Eine Hoffnung, die über den irdischen Tod hinausgeht, denn aus einer kleinen, unscheinbaren, fast leblosen Hülle entpuppt sich doch ein wunderschönes neues Leben.

Bild: Rose von Jericho oder Schmetterling

Option „Rose von Jericho“: Durch eine „Rose von Jericho“ wird der Auferstehungseffekt verdeutlicht. Diese Pflanze sieht im trockenen Zustand aus wie ein brauner, vertrockneter und lebloser Knäuel. Durch die Zugabe von Wasser faltet sie sich auseinander und zeigt ihr grünes Inneres.

Im Normalfall braucht die Rose mehrere Tage Wasser, um sich zu entfallen. Diesen Prozess kann man aber beschleunigen, indem man heißes Wasser nutzt.

Option „Schmetterling“: Das Bild des Schmetterlings wird aufgegriffen. Aus etwas Unscheinbarem – der kleinen Raupe – wird etwas Einzigartiges, Lebendiges – ein wunderschöner Schmetterling. Immer wieder findet sich der Schmetterling als Symbol der Wiedergeburt.

Impuls: Hoffnung über den Tod hinaus; die Blickrichtung geht zur „Ewigkeit“.

Lied
Unterwegs mit Gott

Sarah Gottschall
Schulsozialarbeiterin in Oberstenfeld, Kirchheim am Neckar

Am Anfang steht das Ende

Filmtitel	Skyfall – James Bond 007 (2012)	**Material**
FSK	ab 12 Jahren	je nach Schwerpunkt, siehe unten
Thema	Begleitung, Krise, Neubeginn, Sorgen, Veränderung	
Passende Bibelstelle	**Schwerpunkt 1:** Psalm 130; Psalm 13 **Schwerpunkt 2:** 2. Korinther 5,14-17 **Schwerpunkt 3:** Epheser 6,10-18	
Größe der Gruppe	ab ca. 10 Personen	

Material

Schwerpunkt 1: großes Tuch oder Plane, Stifte, Haftnotizzettel, großes Holzkreuz

Schwerpunkt 2: Luftballons gefüllt mit Zetteln (z. B. Segenskarten), Stifte (die auf dem Ballon schreiben!)

Schwerpunkt 3: Kugelschreiber (z. B. Werbegeschenke; müssen sich aufschrauben lassen!), Zettel, Zettel mit Bibeltext

Hinweis: Die folgenden Abläufe stellen drei Gottesdienste mit unterschiedlichen inhaltlichen Schwerpunkten vor. Diese können alternativ ausgewählt oder auch miteinander kombiniert werden.

Schwerpunkt 1: Himmelssturz – Krisenzeiten

Musikalisches Vorspiel (Trailer mit Titelsong), Begrüßung

Filmsequenz „Brückensturz" (00:11:00 bis 00:12:30) zeigen.

Psalm 130,1-4 lesen. Statements: „Persönliche Abstürze im Leben"

Filmsequenz „Untergetaucht" (00:21:00 bis 00:23:26) zeigen.

Psalm 130,5-8 lesen. Statements: „Wo wir in der Unzufriedenheit verharren"

Filmsequenz „Leistungstest" (00:28:11 bis 00:30:02) zeigen.

Statements: „Wo wir uns überfordert fühlen"

Lied

Predigt zu Psalm 130
„Wenn mir die Decke auf den Kopf fällt."
Während oder nach der Predigt wird die folgende Aktion durchgeführt:

Aktion
Während der Predigt sollen die Teilnehmenden das beklemmende und bedrückende Gefühl erleben, wenn einem die Decke auf den Kopf fällt. Hierzu wird über den Köpfen der Teilnehmenden ein großes Stofftuch oder eine dünne Bauplane ausgebreitet. Am idealsten ist es, wenn das Tuch oder die Plane von oben, zum Bespiel einer Empore, auf die Teilnehmenden herabgelassen werden kann. Das Tuch oder die Plane kann ansonsten von Mitarbeitenden über die Teilnehmenden gezogen werden. Die Teilnehmenden sollen nun auf Haftnotizzettel, die an den Plätzen ausliegen, notieren, was sie bedrückt, warum ihnen die Decke auf den Kopf fällt. Die Zettel kleben sie dann über dem Kopf an das Tuch oder die Plane. Anschließend wird ein großes Holzkreuz in die Mitte des Raumes getragen und unter dem Tuch oder der Plane so aufgestellt, dass ein Zelt entsteht und sich das Tuch oder die Plane hebt. Wichtig ist dabei, dass die Außenkanten des Tuchs oder der Plane von Mitarbeitenden gehalten werden.

Glaubensbekenntnis
Lied
Fürbitten, Gebet
Lied
Segen

Liedvorschläge
Zwischen Himmel und Erde
Wie lange noch
Jesus, Erlöser der Welt
Wer nur den lieben Gott lässt walten

Schwerpunkt 2: James Bond will Return – Neubeginn

Musikalisches Vorspiel (Trailer mit Titelsong), Begrüßung
Lied

Filmsequenz „Sykfall = Ende" (00:30:04 bis 00:31:21) zeigen.

2. Korinther 5,14-17 lesen.

Predigt 1. Teil
„Im Ende liegt ein Neuanfang" – Hier soll aufgezeigt werden, dass bei einem Neubeginn mit Jesus etwas Vorangegangenes endet.

Filmsequenz „Hobby Auferstehung“ (01:10:16 bis 01:11:12) zeigen.

Predigt 2. Teil
„Lebensinhalt Auferstehung“ – Die Auferstehung ist für einen Christen nicht nur ein Hobby, sondern täglicher Lebensinhalt und Lebensziel. Auf den Punkt bringen dies die Worte von Dietrich Bonhoeffer, die er vor seiner Hinrichtung gesagt haben soll: „Dies ist das Ende, für mich der Beginn des Lebens.“

Filmsequenz „Psychologischer Test“ (01:13:30 bis 01:14:12) zeigen.

Aktion 1. Teil: Luftballons beschriften
Der 1. Teil der Aktion wird durch die Filmsequenz „Psychologischer Test“ eingeleitet. Von der Moderation wird zusammengefasst, dass in dieser Sequenz deutlich wird, dass Bond viele Probleme hat, die ihn belasten und einen Neuanfang unmöglich machen. Besonders seine Kindheitserfahrungen belasten ihn. Im Laufe des Filmes begreift Bond, dass er sich ihnen stellen muss, um frei für einen Neuanfang zu sein. Die Teilnehmenden werden aufgefordert, die Luftballons, die sie an ihrem Platz finden, aufzublasen und dann mit den ausliegenden Stiften darauf zu schreiben, von was sie sich vor einem Neubeginn verabschieden wollen und/oder müssen.

Filmsequenz „Explosion“ (01:58:30 bis 01:59:50) zeigen.

Aktion 2. Teil: Luftballons platzen lassen
Der 2. Teil der Aktion beginnt mit der Filmsequenz „Explosion“. Die Moderation erklärt, wie wichtig es ist, sich vor dem Neubeginn radikal von etwas zu trennen. Hier können Beispiele gegeben werden. Die Teilnehmenden werden aufgefordert, die Luftballons platzen zu lassen. Aus den Luftballons fallen dann Zettel, auf denen z. B. Segensworte stehen.

Glaubensbekenntnis
Lied
Fürbitten, Gebet
Lied
Segen

Liedvorschläge
Eindeutig ja
Gelobt sei Gott im höchsten Thron
Von guten Mächten
Vertraut den neuen Wegen

Schwerpunkt 3: Agentenausrüstung – Gaben
Am Eingang bekommen alle Teilnehmenden einen Kugelschreiber und einen Zettel.

Musikalisches Vorspiel (Trailer mit Titelsong), Begrüßung

Lied

Filmsequenz „Quartiermeister im Museum“ (00:37:10 bis 00:39:44) zeigen.

Aktion 1. Teil: Meine Wünsche
Nachdem die Filmsequenz gezeigt wurde, werden die Teilnehmenden gebeten aufzuschreiben, welche Ausrüstung sie sich von Gott für ihre „Mission“, für ihr Leben wünschen.

Predigt 1. Teil
„Wenn wir enttäuscht von Gott sind.“ Hier wird auf unerfüllte Wünsche eingegangen, die wir an Gott haben. Es können die von den Teilnehmenden notierten Wünsche aufgegriffen werden.

Aktion 2. Teil: Überraschung im Kugelschreiber
Im zweiten Teil der Aktion wird auf den explodierenden Kugelschreiber verwiesen, der in der Filmsequenz erwähnt wurde und der aus alten Bondfilmen bekannt ist. Die Teilnehmenden werden aufgefordert, ihren Kugelschreiber genauer zu untersuchen, ob er nicht ebenfalls eine versteckte Überraschung verbirgt. Im Inneren des Kugelschreibers finden sie einen Zettel mit dem Bibeltext aus Epheser 6,10-18.

Epheser 6,10-18 lesen.

Predigt 2. Teil
„Waffenrüstung Gottes“ – In der Predigt wird auf die Waffenrüstung Gottes eingegangen. Zum Abschluss der Predigt kann die Filmsequenz „Sender“ gezeigt und die Zusage Gottes bestärkt werden, dass er uns stets begleiten möchte und wir im Gebet zu ihm rufen können.

Filmsequenz „Sender“ (01:17:22 bis 01:17:55) zeigen.

Glaubensbekenntnis
Lied
Fürbitten, Gebet
Lied
Segen

Liedvorschläge
Unser Vater
Bittet, so wird euch gegeben
Ins Wasser fällt ein Stein

Ingmar Everding
Diakon der Evangelisch-Lutherischen
Kirchengemeinde Bad Eilsen, Luhden

Weck den Spider-Man in dir

Filmtitel	Spider-Man (2002)	**Material**
FSK	ab 12 Jahren	vorbereitete Texte, Zettelchen mit Fähigkeiten, leere Zettelchen, Wäscheleine, Wäscheklammern, Stifte, Papier (DIN A4), Klebstoff
Thema	Fähigkeiten, Gaben, Identität, Veränderung	
Passende Bibelstelle	Psalm 139,14	
Größe der Gruppe	keine Begrenzung	

Hinweis: Während des Gottesdienstes werden drei Filmszenen gezeigt. Es schließt sich jeweils eine Aktion an. Zum besseren Verständnis des Films wird es notwendig sein, vor den Szenen zu erzählen, was bisher im Film passiert ist. Die Szenen nehmen Grundthemen auf, die sich im Film finden. Diese werden durch die Aktionen auf unterschiedliche Weise vertieft. Im Anschluss an den Gottesdienst kann man den ganzen Film gemeinsam anschauen.

Ablauf des Gottesdienstes

Begrüßung – Thema aufnehmen

Lieder
Vergiss es nie
Keiner ist wie du

Einführung ins Thema – erzählende Hinführung zur ersten Szene:

Filmsequenz „Peter läuft dem Bus hinter" (00:03:00 bis 00:04:54) zeigen.

Aktion „Dem Leben hinterherrennen"

Hier soll die Erfahrung von Peter Parker aufgenommen werden, draußen zu sein, nicht dazu zu gehören.

In der Vorbereitung wird nach passenden Texten gesucht oder es werden eigene Texte von Jugendlichen verfasst, die diese Erfahrung widerspiegeln. Am besten sind einzelne, kurze Aussagen. Die Texte werden im Gottesdienst von verschiedenen Personen vorgelesen.

Der Film wird weitererzählt – erzählende Hinführung zur zweiten Szene:

Filmsequenz „Deine Begabungen entdecken“ (00:24:38 bis 00:26:45) zeigen.

Peter geht die Wand hoch, er entdeckt seine neuen Fähigkeiten. Er erfährt, wie es ist, etwas auszuprobieren, zu scheitern, Erfahrungen zu machen, Fehler zu machen und daraus zu lernen.

Aktion „Gabentest“

An einer Wäscheleine hängen viele Zettelchen, auf denen unterschiedliche Fähigkeiten stehen – die Teilnehmenden suchen sich die Zettel aus, die zu ihnen passen und kleben sie auf ein Blatt Papier (z. B. Ich kann ein Instrument spielen. Ich kann gut zuhören. Ich bin gern mit anderen zusammen.). Die Fähigkeiten sollten mehrfach vorkommen. Es werden auch leere Zettelchen aufgehängt, auf die die Teilnehmenden selbst etwas schreiben können. Die Blätter können am Ende mit nach Hause genommen werden.

Der Film wird weitererzählt – erzählende Hinführung zur dritten Szene:

Filmsequenz „Gespräch grüner Kobold und Spider-Man“ (01:12:42 – 01:14:21) zeigen.

Wie setze ich meine Gaben ein ? Zum Guten oder zum Schlechten? Nehme ich die Verantwortung wahr oder schaue ich nur auf mich selbst?

Aktion 3: Interview mit drei Personen

Die Personen sollen aus ihrem Leben berichten, wie sie ihre Begabungen einsetzen (hier ist praktisch alles möglich, von Musik bis freiwilliges Arbeiten mit Behinderten – die Vielfalt darf sichtbar werden). Die Personen werden im Vorfeld gesucht.

Folgende Fragen können gestellt werden:
- Welche Begabungen hast du an dir entdeckt?
- Wie kannst du diese am besten einsetzen?
- Wie kannst du deine Begabungen weiterentwickeln?
- Konntest du sie immer einsetzen?

Überleitung zur letzten Szene durch Erzählung der weiteren Handlung:

Filmsequenz „Ich bin Spider-Man“ (01:50:15 – 01:50:36) zeigen.

Impuls

Bei dem Impuls wird der Verlauf der Szenen und der Aktionen aufgenommen (dem Leben hinterherrennen; Gaben entdecken, ausprobieren und einsetzen; entdecken, wer ich bin, was mich ausmacht). Kernpunkt des Impulses ist die Hinführung zu Psalm 139,14: „Ich danke dir dafür, dass ich wunderbar gemacht bin.“

Beispiele zur Ausgestaltung:
- Bei Gott muss ich nicht hinterrennen. Er kennt mich, er ist da, ich bin ihm wichtig.
- Gott hat mich wunderbar gemacht. Er hat mir viele Begabungen geschenkt, die ich noch gar nicht alle entdeckt habe (hier kann auch der Bezug zu den Zettelchen hergestellt werden).
- Ich kann meine Begabungen einsetzen und Gutes tun.

Lieder
Danke!
Du bist, der du bist

Fürbitte
Lied
Abkündigungen
Segen

Martin Burger
Landesjugendreferent für Jugendpolitik und Freiwilligendienste
im Ev. Jugendwerk in Württemberg, Stuttgart

Beziehungswaise

Filmtitel	Walk the Line (2005)	**Material**
FSK	ab 6 Jahren	Mutmachkärtchen, Bibelvers-/Segenskarten; Lebensporträts für die Stationen, Plakate oder Zettel mit Fragen; Zettel, Stifte, evtl. Postkarten mit Briefmarken
Thema	Beziehung, Vergebung, Verletzung, Vertrauen	
Passende Bibelstelle	2. Thessalonicher 2,16-17	
Größe der Gruppe	keine Begrenzung	

Ablauf des Gottesdienstes

Der Beginn des Gottesdienstes sollte durch Musik aus der Anfangsszene des Films gestaltet werden, alternativ mit einem zum Thema passenden Lied. Die Begrüßung kann schon einen kleinen Vorgeschmack auf den Predigtteil geben. Dies kann durch den Liedtext eines Johnny-Cash-Songs sicher am besten geschehen.

Die Songs „Personal Jesus" oder „Walk the line" enthalten gute Passagen und Aufhänger. Es sind zwei Beispiele mit verschiedenen Ansatzpunkten:

- Im Song „Personal Jesus" geht es darum, wie die Beziehung zwischen Mensch und Gott aussehen kann und was sie ausmacht. Der Song ist eine Einladung, auf Gott zu vertrauen und es mit ihm zu probieren – eine persönliche Bindung mit ihm einzugehen.
- Der Song „Walk the line" widmet sich der Beschreibung einer zwischenmenschlichen Beziehung. Es geht um liebevolle Gefühle, um Gewissheit und Sicherheit.

Um die Teilnehmenden abzuholen, kann hier auch auf den Gottesdiensttitel kurz eingegangen werden, indem das Wortspiel „Beziehungswaise" erklärt wird: „Beziehungsweise" ist eigentlich ein oft genutztes Füllwort, um etwas konkreter oder anders zu beschreiben. Die Schreibweise mit „ai" deutet auf einen bindungsarmen oder sogar bindungslosen Zustand hin. Das Wort „Waise" weckt etwas in uns – Angst, Mitleid, Nachdenken, Emotionen, Erinnerungen oder Ähnliches.

Die Gedanken können durch Fragen weitergeleitet werden: Was macht eine Beziehung aus? Gibt es das überhaupt: Beziehungslosigkeit? Bindungsarmut? Bei all den Kommunikationsmöglichkeiten durch Handy, Computer und Internet?

Die Moderation macht deutlich, dass der Gottesdienst dem auf den Grund gehen will und lädt die Teilnehmenden ein, mit zu forschen.

Die Predigt ist in drei Abschnitte eingeteilt, die immer auch eine Aktion enthalten. Der Gottesdienst soll so nicht zu statisch wirken – das Thema Beziehung hat auch etwas mit Bewegung zu tun.

Die Abschnitte beginnen immer mit einem Lied. Dann startet die Filmsequenz, die anschließend in Form eines kurzen Inputs behandelt wird. Abgeschlossen wird dann jeweils mit einer Aktion. Diese wird einladend erklärt und mit leiser Hintergrundmusik und entsprechender Atmosphäre begleitet.

Als Lieder eignen sich Titel, die sich mit der Beziehung zwischen Mensch und Gott befassen, z. B. „Vater, deine Liebe“, „Bist zu uns wie ein Vater“, „Vater, unser Vater“, sowie Mut machende Lieder.

Abschnitt 1: Gott lässt mich nicht hängen

Filmsequenz „Abschied“ (00:10:09 bis 00:11:55) zeigen.

Input

Der erste Teil der Predigt befasst sich damit, ein paar grundsätzliche Inhalte einer Beziehung aufzugreifen. Wenn es zum Gottesdienstrahmen vor Ort passt, kann die Frage auch an die Teilnehmenden gestellt werden. Beispiele: Beziehungspartner, eine Ebene der Kommunikation, Verantwortung, Vertrauen, gemeinsame Zeiten, getrennte Zeiten, Abschiede, Ankünfte ... In jeder Beziehung ist man auch ein Stück weit Gestalter. Wie drückt sich meine Beziehung zu einem Menschen oder zu Gott aus? Wie würde ich diese Beziehung beschreiben? Eher als wild und dynamisch oder vielleicht als im Moment statisch?

Die Filmsequenz zeigt einen traurigen Moment. Ein Moment oder besser gesagt eine Stimmung kann sich durch ein ganzes Leben ziehen. Positiv wie eine tolle Freundschaft mit unvergesslichen Momenten – aber auch negativ wie eine Enttäuschung oder ein Vorwurf.

Gott ist da anders. Er kennt zwar alles von uns, macht aber einen Schlussstrich möglich. Wir nennen das Vergebung. Es muss nichts so bleiben wie es ist oder war. Das ist eine wahnsinnige Chance, die aber auch manchmal schwer zu begreifen ist.

Aktion „Du bist etwas Besonderes, du bist wertvoll“

Die Teilnehmenden können sich auf den Weg durch den Raum machen und an verschiedenen Orten Mutmachkärtchen finden und mitnehmen. Zusätzlich stehen Mitarbeitende bereit, die für die Teilnehmenden beten und einen Zuspruch oder ein Segenswort weitergeben.

Abschnitt 2: Ich bin Gott wichtig

Filmsequenz „Hörst du nicht den Unterschied?“ (00:18:57 bis 00:21:30) zeigen.

Input

In Beziehungen läuft nicht alles glatt. Nicht immer fühlt man sich verstanden. Ob es nun ein Hobby oder Lebenstraum ist wie im Film oder eine ganz alltägliche Situation: Menschen sind unterschiedlich und gehen unterschiedliche Wege. Gott hat sich das scheinbar genau so ausgedacht. Was mache ich aus dem, was mir anvertraut ist? Wie gehe ich mit den Menschen um, die mir begegnen? Welchen Blick habe ich auf sie?

Aktion „Gott schreibt mit dir Geschichte“

Die Besucher können an drei verschiedenen Stationen Porträts von Menschen lesen, anschauen, erkennen und sich inspirieren lassen. Dabei geht es um Menschen mit außergewöhnlichen Lebenswegen und besonderen Geschichten, beispielsweise Sportler oder andere Personen des öffentlichen Lebens. Aber auch Interviewvideos von Menschen aus dem Ort oder Glaubenszeugnisse von Gemeindemitgliedern und/oder Personen im Alter der Teilnehmenden bieten hier eine tolle Möglichkeit.

Es soll deutlich werden, dass Gott mit Menschen Geschichte schreibt und dabei alles in Bewegung setzen kann. Die Menschen sind ihm wichtig.

Es kann durch Plakate oder Zettel zum Nachdenken angeregt werden.
Zwei Beispielfragen:
- Wo habe ich etwas erlebt und wurde nicht verstanden? Wo habe ich mir mehr Verständnis und Hilfe gewünscht?
- Wo habe ich verpasst, Dingen nachzugehen, etwas zu erkennen oder den Impuls verdrängt, aktiv zu werden?

Abschnitt 3: Gott macht mir Mut

Filmsequenz „Thanksgiving“ (01:37:07 bis 01:43:47) zeigen.

Input

Beziehung bedeutet Einsatz. Das wird bei dieser Szene deutlich. Ein Freund, der mit mir durch dick und dünn geht, ist ein guter Freund. Diese Form der Begleitung kann hart sein und uns Schweres abverlangen. Jeder, der schon einmal jemanden aus einer Situation retten musste oder über einen kurzen oder längeren Zeitraum begleitet hat, kann hier mitfühlen. Eine Beziehung kann das aushalten, wenn sie auf gutem Fundament gebaut ist.

Gott ist uns auch hier vorangegangen. Für das, was wir falsch gemacht haben, was wir versäumt haben oder wo wir verletzt haben, ist er mit seinem Sohn bis ans Äußerste gegangen. Das macht demütig, dankbar und auch Mut. Vielleicht auch Mut zu einem Neuanfang. Mit einem Menschen oder mit Gott.

Aktion „Danke“

Die Teilnehmenden haben die Möglichkeit aufzuschreiben, wo sie in ihrem Leben Begleitung erfahren haben, wofür sie Gott danken möchten und wem sie konkret Danke sagen wollen. Dafür liegen Zettel und Stifte bereit, vielleicht sogar passende Postkarten, schon beklebt mit einer Briefmarke. So kann man das „Danke“ auch verschicken und es macht deutlich, dass man in Beziehung auch investieren kann.

Marcel Bretschneider
Gemeindepädagoge im Christlichen Kinder- und Jugendwerk e.V. „Die Arche“, Meißen

Predigten

Die Predigten sind so gestaltet, dass sie innerhalb eines Gottesdienstes eingesetzt werden können. Bei einigen werden nur kurze Filmsequenzen gezeigt, andere (z. B. „Das Streben nach Glück“) sind eine Mischung aus Szenen, Filmerzählung und Impulsen.

Filmpredigten dauern meistens etwas länger, dies sollte man bei der Zeitplanung beachten. In der Regel sind die Texte ausformuliert. Wichtig ist aber trotzdem, dass jeder seine eigenen Worte findet.

Wir empfehlen den Einsatz ab dem Konfirmandenalter.

Ein Mensch des Friedens

Filmtitel	Avatar – Aufbruch nach Pandora (2009)	**Material** keines
FSK	ab 12 Jahren	
Thema	Berührungsängste, Fremde(s), interkulturell leben, Toleranz, Verständnis	
Passende Bibelstelle	Matthäus 5,9; Matthäus 26,36-46	
Größe der Gruppe	keine Begrenzung	

„Gleiches gesellt sich gern mit Gleichem“, sagt der Volksmund. Das Andere und Fremde kann uns schnell bedrohlich werden – als eine Speerspitze der Angst. Berührungsangst. Und nicht weit davon entfernt warten Unlust, Ärger, Aggression in Bezug auf Fremde, Andere. So haben sich Jugendliche in einer Studie aus dem Jahr 2012 (Calmbach/Thomas/Borchard/Flaig: Wie ticken Jugendliche? Lebenswelten von Jugendlichen im Alter von 14-17 Jahren in Deutschland, Verlag Haus Altenberg, Düsseldorf, 2012) von fremden, anderen Jugendlichen abgegrenzt und sie zum Beispiel als „Sozialschmarotzer“, „Dauerhartzer“, „Bonzen“, „Reihenhausbesitzer“, „Prolls“, „Obercoole“ usw. abqualifiziert. Es lebe das Vorurteil! Und doch: Was wären deine Worte für diejenigen, mit denen du besser nichts zu tun haben willst oder die du eben einfach „nur blöd“ findest?

Pause lassen, stummer Blickkontakt!

Wie schnell mauern wir uns dadurch in ein kulturelles Ghetto ein und drehen uns nur um uns selbst? Nur das ist uns willkommen, was uns unmittelbar anspricht, unmittelbar Spaß macht, durch und durch bestätigt. Deshalb wünschen wir uns das WLAN im Türkei-Urlaub und freuen uns über den McDonalds in Norwegen. Das sind Heimatgefühle, ein Zuhause – selbst in der Fremde. Und das fremde Andere, das uns hinterfragt und herausfordert, sperren wir aus, schütteln es ab – wie Dreck an den Sohlen.

Clash of Cultures: fremdes feindliches Pandora

Pandora ist nicht die Türkei, nicht Norwegen und nicht Israel: Aber „Pandora“ ist auch so eine Welt, die dem Menschen durch und durch fremd ist, mit der man besser nichts zu tun haben will. Ein fremder, bewaldeter Mond mit feindlichen atmosphärischen Eigenschaften: Menschen können im Freien nur mit einer Sauerstoffmaske überleben. Als neue Söldnertruppen dort eingeflogen werden, begrüßt sie der Sicherheitschef und militärische Leiter der menschlichen Base, Colonel Miles Quaritch, mit den Worten: „Wenn es eine Hölle gibt, würden Sie nach dem Aufenthalt auf Pandora dort wahrscheinlich Urlaub machen wollen.“ Zu fremd, zu gefährlich ist dem Menschen die hiesige Pflanzen- und Tierwelt.

Damit aber nicht genug: Auf Pandora leben auch menschenähnliche Wesen, Na'vi genannt, die der Anwesenheit der Menschen in ihrer Welt nichts Gutes abgewinnen können, denn diese zerstören aggressiv die Wälder der Na'vi. Zu unterschiedlich zeigen sich die Kulturen: Für die Na'vi ist der Wald voller Leben, für den Menschen wartet dort nur der Tod. Die Na'vi leben im Dialog mit ihrer Umwelt, der Mensch ist vor Ort, um sich der Natur zu bemächtigen und ihre kostbaren Rohstoffe abzubauen. Ein Clash of Cultures, ein Zusammenprall der Kulturen und der Interessen – es sind fremde Welten, feindselige Welten.

Bevor es aber zum offenen Krieg oder gar Völkermord kommt, versuchen die Menschen, Kontakt zu den Ureinwohnern herzustellen: Einem Wissenschaftlerteam um Dr. Grace Augustine gelang es hierzu, Na'vi-Körper künstlich zu züchten, sogenannte Avatare, die mithilfe von Gedankenübertragung gesteuert werden und kommunizieren können. Sie sollen das Volk der Na'vi überzeugen, den Widerstand gegen den Abbau der Rohstoffe aufzugeben und ein Ja zur Umsiedlung zu finden. Ist der Name der Wissenschaftlerin Programm? – „Grace" = „Gnade" – vor Gewalt?

Der frühere US-Marine-Soldat Jake Sully, durch einen früheren Kampfeinsatz von der Hüfte abwärts gelähmt, ersetzt aufgrund der genetischen Übereinstimmung seinen inzwischen verstorbenen Zwillingsbruder in diesem Programm. Gerade auf Pandora angekommen und mit seinem Avatar, durch den er „seine Beine zurückbekommt", vertraut gemacht, verirrt er sich bei einer Expedition im dichten Dschungel und bleibt allein zurück. Die Na'vi Neytiri stößt auf ihn und rettet ihm vor den Bestien des Waldes das Leben. Dennoch bleiben sie einander fremde Welten, feindselige Welten.

Filmsequenz „Erstbegegnung mit Na'vi Neytiri, Jake Sully als Lichtgestalt" (00:35:55 bis 00:40:17) zeigen.

„Avatar" zeigt deutlich: Wenn unterschiedliche Welten aufeinander treffen, ist die Fremdheit gewaltig! Fremde Lebensformen, fremde Farben, fremde Sprachen, fremde Bedeutungen. Solche Fremdheit führt zu Missverständnissen, Blockaden, sogar zur Feindschaft. Kann man zwischen diesen Schluchten unterschiedlicher Welten und Kulturen Brücken bauen? Wie geht das? Wie kann man ein Mensch des Friedens werden?

Ein Herz des Friedens oder die Kunst, sich angewiesen zu zeigen

Es verwundert nicht, dass die Begegnung der beiden nicht gesucht und nicht geplant war: Jake Sully hatte kein Date mit dem fremden Geschöpf Neytiri – er war in Not. Jetzt macht er die Erfahrung, dass sich Brücken ergeben, wenn man sein Angewiesensein auf andere nicht versteckt: „Ich brauche deine Hilfe." Er muss sich sagen lassen, er sei ein „Baby, dumm und unwissend wie ein Kind" – und ahnt wohl, dass Neytiri Recht hat. Jedenfalls verdankt er sein Leben ihrer Hilfe.

Unser Alltag spricht eine ganz andere Sprache: Wir lieben es, Herren zu sein. Inszenieren wir uns nicht alle dauernd – siehe Facebook – als souveräne Helden? Wir zeigen: Nicht ich bin angewiesen, nein, ich bin okay. Aber die anderen haben wirklich ein Problem ... Wir begegnen anderen allenfalls, um sie umzukrempeln, umzusiedeln und Teil unserer Welt zu werden.

Angewiesensein, Bedürftigkeit und Not sind die weit besseren und leistungsfähigeren Brückenbauelemente hin zu Begegnungen mit anderen Menschen und fremden Welten. Nicht so sehr unser Können, unser Witz, unsere Kompetenzen sind gefragt; friedensdienlich ist die Kunst, sich angewiesen zu wissen und es zu zeigen. „Um ein Mensch des Friedens zu werden, braucht man ein Herz des Friedens, das sagt: ‚Ich brauche deine Hilfe.'" Ehrliches Angewiesensein, ehrliches Einlassen. Wie ein neugieriges Kind noch zu suchen, zu fragen, zu entdecken, zu lernen. Schlägt ein solches Herz in dir? Kannst du dir vor dir selbst (und dann auch vor anderen) eingestehen, dass du bei diesem oder jenem Hilfe nötig hast, auf sie angewiesen bist? Mache selbst den Test: Bitte einen Vertreter einer Gruppe, deren Nähe du nicht automatisch suchst, dir etwas zu zeigen, was du selbst nicht kannst – Beziehungstüren werden aufspringen.

Wird Jake Sully am Ende der Szene, die wir gerade gesehen haben, durch die „Saat des heiligen Baumes" zur Lichtgestalt, weil in ihm dieses Herz des Friedens schlägt – oder wie Neytiri sagt, sich eine „besonders reine Seele" in ihm zeigt? Tatsächlich erhält er als Vertreter des „Stammes der Ledernacken" erstmals Zugang zum Volk und zur Kultur der Na'vis. Von den Herrscher-Menschen werden diese nur als profitstörende „blaue Affen" diffamiert.

Filmsequenz „Umsiedlung, Eywa und das Band Tsaheylu" (00:47:23 bis 00:51:15) zeigen.

„Sully, Sie müssen rausfinden, was diese blauen Affen wollen. Wir bieten ihnen Medikamente an und Bildung und Straßen. Aber nein: Die leben gern im Dreck. Und das würde mich auch nicht weiter stören, aber ihr bescheuertes Dorf befindet sich nunmal zufällig über dem größten Unobtanium-Vorkommen ..." Das ist die Sprache der Herrschenden, der Mächtigen, der Über-Menschen. Es ist nicht die Sprache des Friedens. Und die Lebenslogik dahinter ist die des Besitzens und Besiegens. Schließlich geht es ums Geschäft, um viel Geld. Notfalls geht der Herrscher-Mensch über Leichen ...

Die Schule des Friedens oder lernen heißt begegnen

Die Schule des Friedens durchläuft Jake Sully: Er sieht und fühlt sich in all das ein, was die Na'vi wertschätzen und lieben. Hier wird das Leben gelernt, indem es geschmeckt und nicht bloß darüber informiert oder doziert wird. Ein weiser Kopf sagt: „Lehren heißt zeigen, was man liebt." In der Schule der Na'vi wird dies für Jake Sully fassbar: Er lernt in Berührungen, auf Augenhöhe, im Miteinander. Wenn es stimmt, dass wir die entscheidenden Dinge des Lebens von und mit anderen Menschen lernen, dann ist die unmittelbare Beziehung zwischen Personen der entscheidende Lernfaktor: ein lernendes Leben in unmittelbarer Begegnung, im Dialog, ohne das Gelernte gleich als gut oder schlecht zu beurteilen. Du willst andere besser verstehen? Die Schule des Friedens lädt dich ein: Setz dich mit ihnen an einen Tisch oder erlebe etwas gemeinsam mit ihnen! Der Tafelanschrieb oder die Powerpointpräsentation bringen nicht wirklich weiter.

Leben in Verbundenheit

Jake Sully lernt: Die Tür zum Leben ist für die Na'vi auf Pandora die fühlbare Verbundenheit mit allem Lebendigen, getragen von der Gottheit „Eywa", der Lebensenergie in allem Lebendigen. Das Band dieser gegenseitigen Fühlung ist „Tsaheylu". Die Na'vi bedauern jedes Tier, das sie töten müssen, um ihnen als Nahrung zu dienen. Faszinierend: Mit dieser Lebenshaltung kann man zwar nicht die Welt erobern, aber absolut den Frieden fördern!

In der Bibel finden wir Aussagen, die diesem Na'vi-Lebensgefühl nahe stehen. Sie sind nicht identisch mit dem Glauben der Na'vi – Christus ist nicht Eywa! -, dennoch gilt: sie helfen Brücken zu bauen. Gottes Fußspuren scheinen allgegenwärtig, wenn es heißt: „Die Erde Güte des Herrn erfüllt die Welt" (Ps 33,5 BasisBibel) oder „Durch ihn leben wir doch, bewegen wir uns und haben wir unser Dasein" (Apg 17,28 BasisBibel) oder „Denn durch seine Gegenwart wurde alles geschaffen, im Himmel und auf der Erde ... Alles wurde durch ihn geschaffen, und alles hat in ihm sein Ziel. Er ist vor allem da, und durch seine Gegenwart hat alles Bestand" (Kol 1,16.17 BasisBibel). Allem Lebendigen ist Gott nahe als leidenschaftlich liebender Schöpfer.

Aber können wir vertrauend glauben, dass Gott keinem Ort, keinem Lebewesen wirklich fern ist? Seine Spuren mögen verwischt sein, aber sie sind zu entdecken, sodass wir Fremde(s) nicht nur als „dumm" oder gar „gottlos" abqualifizieren müssen. Wir können lieben lernen und tiefer blicken, wie Jesus gegenüber dem von sich so überzeugten reichen Jüngling (Mk 10,21). So hilft der Glaube, so hilft Gott, von der feindseligen Aus- und Abgrenzung hin zur Umarmung zu kommen, vom Aburteilen und Kopfschütteln hin zum Verstehen und Wertschätzen. Wir werden zum Brückenbauer, weil wir die bereits gebauten Brücken Gottes entdecken. Wir gehen hinüber, weil er schon vorausgegangen ist. Das verändert Ängste und manches angstgeleitete Verhalten. Die Stimme der „Gnade" (Grace) sagt an einer späteren Stelle des Films, um was es in der Schule des Friedens geht: „Es geht hier nicht nur um Auge-Hand-Koordination ... Versuchen Sie, den Wald durch ihre (Anm.: der Na'vi) Augen zu sehen." Lernen wir, durch Gottes Augen die Fremden und Anderen zu sehen, dann glänzt etwas vom Evangelium auf und wir werden „unter der Hand" zu einem Menschen des Friedens.

Filmsequenz „Toruk, die letzte Chance und die endgültige Aufnahme im Volk" (01:13:36 bis 01:18:10) zeigen.

Jake Sully wurde mit der Lebensweise, Geschichte, Kultur und den Hoffnungen der Na'vi vertraut. Er begann sogar, die Häuptlingstochter Neytiri ins Herz zu schließen und sie zu lieben. Nun ist er ganz einer der ihren. Doch gehört er wirklich zu ihnen?

Sully hat viel gelernt, dennoch lebt er auf der Grenze: Ist er Freund oder feindlicher Spion? Und für wen ist er was? Ist er das eine für die Menschen, das andere für die Na'vi? Oder ist er beiden beides zugleich? Seine weitere Geschichte wird zeigen: für beide ist er ein Verräter, ein Judas.

Der Mensch des Friedens im Zwiespalt

Ein Mensch des Friedens zu sein, ist nicht nur romantisch schön. Wer sich dafür entscheidet, kommt in einen Zwiespalt, gerät zwischen die Fronten, wird erst einmal heimatlos. Mit dem tieferen verständnisvollen Blick hinter die jeweiligen Fassaden und Vorurteile der Parteien gehört man selbst ganz schnell nicht mehr dazu, wird den eigenen Leuten fremd und kann sich selbst verirren. Sully wird zu einem Mensch des Friedens im Zwiespalt und muss den Schmerz der Verstoßung und Verachtung bisheriger Weggefährten akzeptieren. Er muss sich fragen, mit welchen

Beinen er durchs Leben „gehen“ möchte: mit den eigenen oder mit denen des Avatars? Und: Durch welches Leben? Dazugehören ja, aber wozu? Für was möchte er stehen? Mit welchem Rückgrat? Welcher Lebenslogik folgen: der des Besitzens und Beherrschens oder der der Verbundenheit im Dialog? Haben oder Sein?

Betender Mut

Dem ehemaligen Marine wird klar, dass die Na'vi niemals ihre Heimat aufgeben werden: „Es gibt nichts, was sie von uns haben wollen. Sie verlassen den Heimatbaum nie.“ Und damit ist der militärische Konflikt zwischen den gierigen menschlichen Interessen und dem Lebensgefühl der Na'vi unvermeidlich. Jake Sully hat sich entschieden, denn erfahrene Verbundenheit kann man nicht rückgängig machen, kann man nicht einfach vergessen wie Schulwissen. Er wird die Na'vi unterstützen.

Ein Mensch des Friedens braucht Mut – zu sich selbst und für neue, ungewohnte Wege. Die alten Pfade führen direkt in die Sackgasse. Mit seinem Mut und seiner Entschlossenheit bändigt Jake Sully den mächtigen Riesenvogel Toruk und erweckt so einen alten Mythos zu neuem Leben. Jetzt kann er alle Stämme der Na'vi für die eine Aufgabe vereinen: Sie alle haben den kriegerischen Schlag der Menschen ins Herz der Na'vi, den „Baum der Seelen“, zu verhindern.

Am Vorabend der Schlacht, durchtränkt von seelischer Schwere und echtem Zweifel am Erfolg des Unterfangens, klagt er Eywa am Baum der Seelen seine Angst – erneut ein ungewohnter Weg: „Wenn es dich gibt, dann muss ich dich unbedingt warnen. Sieh dir die Welt an, aus der wir kommen, dort gibt es kein Grün, sie haben ihre Mutter getötet. Und sie werden dasselbe hier tun.“ Die Szene erinnert sehr an Jesu Klagen im Garten Gethsemane (Matthäus 26,36-46). Mut und Gebet schließen sich für den Menschen des Friedens nicht aus, im Gegenteil: sie brauchen einander. In dieser Verschränkung fühlt Sully als einer, der die Endlichkeit schmeckt und den Tod im Nacken hat, eine Art Auserwähltsein.

Filmsequenz „Mobilisierung zum Kampf, Gebet bei Eywa, Helikopter-Abflug“ (01:59:30 bis 02:04:55) zeigen.

Das Finale des Films zeigt, ob und wie Jake Sullys Gethsemane-Gebet erhört wird. Manches Unbequeme stellt sich da noch in den Weg – mindestens so unbequem wie die Fragen, die der Film „Avatar“ uns nun gestellt hat. Welcher Mensch willst du sein? Willst du sein wie alle Welt, ab- und ausgrenzend? Oder willst du die Grenzen und Gräben der Fremdheit überbrücken und als Mensch des Friedens das Umarmen lernen?

Mit Jesus ein Mensch des Friedens werden

Jesus selbst zeigt sich als ein Weltenbummler und konnte Brücken zu ganz unterschiedlichen Menschen aus dem Volk Israel bauen: zum armen Blinden, zum reichen Jüngling, zum verwegenen Zöllner und zum religiös Etablierten. Mit allen war er im Gespräch – ein Mensch des Friedens, der im Evangelium sagt: „Glückselig sind, die Frieden stiften. Denn sie werden Gottes Kinder heißen“ (Mt 5,9 BasisBibel).

Willst du dieser Mensch des Friedens sein und damit Gotteskind? Achte auf das angewiesene Herz, auf die Schule der Begegnung, auf die bereits stehenden, verbindenden Brücken Gottes, auf betenden Mut und mutiges Beten. Du wirst mit Sicherheit Kopfschütteln ernten, du wirst aber auch erfahren, das Gott seine Welt und ihre vielfältigen Kulturen liebevoll umarmt, bevor du die Arme zur Umarmung öffnest.

Optional zum Abschluss: Filmsequenz „Finale und Neugeburt" (02:26:20 bis 02:28:45) zeigen.

Steffen Kaupp
Projektreferent für Milieusensible Jugendarbeit und Alternative Gottesdienste im Ev. Jugendwerk in Württemberg, Stuttgart

Jeder hat einen Auftrag

Filmtitel	Blues Brothers (1980)	**Material**
FSK	ab 12 Jahren	keines
Thema	Berufung, Lebensweg, Nachfolge	
Passende Bibelstellen	Amos 5,21-24; Lukas 1,5-25	
Größe der Gruppe	keine Begrenzung	

Hinweis: Diese Predigt kann einen Einstieg in das große Thema „Nachfolge“ bieten. In der nächsten Predigt kann es um das Thema „Berufung – Der Einstieg in die Nachfolge“ gehen: Wie haben die Menschen in der Bibel den Ruf Gottes gehört? Wie kann ich ihn heute hören?

Dieser Film ist alt. Er ist so unglaublich alt, dass von diesem „neuen Computerding“ gesprochen wird: Ein Gerät, das denen sagt, was du für Scheiße an den Hacken hast.

Filmsequenz 00:23:00 bis 00:26:40 zeigen.

Bis zu dieser Filmsequenz aus „Blues Brothers“ ist bereits Folgendes passiert: Der Dicke, Jake, ist aus dem Knast gekommen und mit seinem Bruder Elwood in ihr altes Waisenhaus gefahren. Dort wird ihnen erzählt, dass das Haus schließen muss, wenn nicht bald Geld auftaucht, mit dem die Schulden bezahlt werden können. Während eines Gottesdienstes bekommt Jake einen göttlichen Auftrag, wie sie die Schließung abwenden können, ohne das Geld zu stehlen: Sie müssen ihre alte Band wieder zusammenbringen und das Geld von den Auftritten nehmen.

Auch in der Bibel wird immer wieder von Menschen berichtet, die einen Auftrag bekommen haben, um für sich und andere etwas zu erreichen. Einer davon war Johannes der Täufer. Er hatte schon von Geburt an einen Auftrag: Er sollte sein Leben lang auf alkoholische Getränke verzichten, andere Menschen zu Gott zurückführen und ein Bote für Jesus sein (Lk 1,15-17). Da seine Eltern und er sich an die Anweisungen des Engels gehalten haben, der ihnen den Auftrag von Gott überbracht hat, ist das auch so gekommen. Johannes ist ein ziemlicher Außenseiter geworden, der in der Wüste gelebt hat. Er hatte keine Leute, mit denen er rumhängen und sich austauschen konnte. Auf seinen Auftrag bereitete er sich ganz allein vor (Lk 1,80). Johannes hat ein radikales Leben geführt und sich nicht an den Meinungen der Menschen orientiert. Er hat auf Gott gehört und sich viel mit den Fragen des Lebens beschäftigt. So hat er auch den Menschen, die zu ihm gekommen sind, gesagt, wie sie ihr Leben ändern sollten, damit sie ein Leben führen würden, wie es Gott gefällt (Lk 3,10-14). Unser Auftrag muss natürlich nicht immer in die Einsamkeit führen – es geht vielmehr darum, sich der grundsätzlichen Konsequenzen bewusst zu werden.

Als ich Christ geworden bin, habe auch ich Aufträge bekommen. Ein Leben mit Jesus hat Konsequenzen. Es kann nicht mehr so weitergehen wie bisher. Was ich neu entdecke, das lässt mich umdenken. Somit mache ich vielleicht Dinge, die meine Klassenkameraden nicht kennen oder verstehen. (Hier ist Platz für ein persönliches Beispiel.) Nicht alle Aufträge sind einem von Anfang klar, manche entdeckt man auch erst mit der Zeit.

Wie können diese Konsequenzen aussehen? Hat Gott dir schon gesagt, was du in deinem Leben ändern sollst? Es geht dabei selten um Äußerliches. Jesus will keine Leute, die alles richtig machen (Mt 26,31-35), sondern Leute, die ihm nachfolgen (Mt 4,18-22; Mt 9,9; Joh 1,43). Er hat nicht gesagt: „Wasch dir vorher die Füße und lern die richtigen Worte zu verwenden." Er sagte nur: „Folge mir nach!"

Dabei will Jesus dich. So wie du bist. Du musst nicht erst lernen, wie man „richtig" betet. Jesus nimmt dich so, wie du bist. Darauf kannst du dich verlassen. Er wird mit dir durchs Leben gehen und dir zeigen, was er von dir möchte. Dein Auftrag kann sich immer wieder ändern. Vielleicht will er an einem Tag von dir, dass du einem Klassenkameraden bei den Hausaufgaben hilfst. Ein längeres Projekt könnte sein, einem Freund zu vergeben, der dich ganz mies hintergangen hat. Er überfordert dich nicht. Jesus lässt dir Zeit. Wenn du noch nicht bereit bist, dann wird es länger dauern. Und er gibt dir, was du brauchst, um deinen Auftrag zu erfüllen.

Jesus braucht keine braven Leute. Er will Nachfolger. Menschen, die sein Wort hören und es auch befolgen. Und dann wirst du Abenteuer erleben, ein aufregendes Leben führen wie die Blues Brothers. Der letzte Satz der Filmsequenz war: „Die werden uns nicht kriegen. Wir sind im Auftrag des Herrn unterwegs." Jake und Elwood haben viel erlebt und auch Rückschläge einstecken müssen. Am Ende allerdings wurde das Waisenhaus gerettet und konnte weiter bestehen bleiben. So kann es sein, dass auch du einmal einen Auftrag von Jesus bekommst, der anderen Menschen hilft; dass du unterwegs bist, um Menschen zurück zu Gott zu führen. Auch du bist „unterwegs im Auftrag des Herrn".

Sebastian Gerhardt
Referent im CVJM-Sachsen e.V., Neukirchen (Erz)

Was ist das Leben

Filmtitel	Das Beste kommt zum Schluss (2007)	**Material** Zettel, Stifte
FSK	ab 0 Jahren	
Thema	Leben, Lebensweg, Sehnsucht, Lebenssinn, Tod, Worauf es im Leben ankommt	
Passende Bibelstelle	Psalm 90,12; Johannes 10,10	
Größe der Gruppe	keine Begrenzung	

Sehnsucht nach Leben

Sehnsucht nach Leben: Damit sind wir mitten in einem Thema, das alle Generationen bewegt. Dichter, Philosophen, die Bibel – alle mühten und mühen sich um diese Frage und ihre Beantwortung: Was ist das Leben? Ist das Leben Dienen, Pflicht, Selbstaufopferung, am Leben oder im Leben Sein?

Ein schöner Film greift diese Frage auf: Das Beste kommt zum Schluss. Dieser Film ist ein Versuch, die Frage nach echtem Leben zu beantworten.

Zwischen dem Großunternehmer und Milliardär Edward Cole und dem Mechaniker Carter Chambers liegen Welten. Am Scheideweg ihres Lebens teilen sie sich jedoch zufällig dasselbe Zimmer im Krankenhaus und entdecken dabei, dass sie zwei Dinge gemeinsam haben:

Filmsequenzen 00:05:53 bis 00:09:33 und 00:28:15 bis 00:32:10 zeigen.

Gemeinsam machen sie sich auf den Weg, ihre Lebensfreude wiederzuentdecken. Dabei entwickelt sich nicht nur eine Freundschaft, sondern sie lernen auch, das Leben in vollen Zügen zu genießen – mit Einsicht und Humor. Und jedes neue Abenteuer bedeutet einen weiteren Haken auf ihrer To-do-Liste. Denn das Beste kommt ja bekanntlich zum Schluss.

Filmsequenz 00:37:14 bis 00:44:03 zeigen.

Edward und Carter erleben viele außergewöhnliche Dinge: sie ziehen durch die Steppen Afrikas, besuchen die Pyramiden in Ägypten, fliegen nach Indien. Doch das größte Abenteuer wartet noch. Wieder zu Hause eingetroffen, gibt es zwischen den beiden Freunden einen heftigen Streit. Carter versucht, seinen Freund auf den wichtigsten Punkt hinzuweisen, der noch nicht abgehakt ist: Edward soll sich mit seiner Tochter versöhnen. Doch das geht Edward zu weit. Störrisch weigert er sich, seiner Tochter zu begegnen. Doch dann verschlechtert sich Carters Gesundheitszustand so sehr, dass er seinem Freund nur noch einen Brief hinterlassen kann. Ein Brief, der für den störrischen Edward das größte Abenteuer bereit hält.

Filmsequenz 01:23:20 bis 01:28:30 zeigen.

Das Interessante an dem Film ist, dass sich angesichts des nahenden Todes die Frage nach dem Leben stellt. Worauf kommt es wirklich an? Welche Wünsche und Sehnsüchte sind im Laufe des Lebens auf der Strecke geblieben? Wir werden an die biblische Aussage des Psalms 90,12 (nach Luther) erinnert: „Lehre uns bedenken, dass wir sterben müssen, auf dass wir klug werden." „Memento mori" (lateinischer Mahnruf) – Bedenke, dass du sterben musst!

Ja, klar, du bist noch sehr jung. Du bist das blühende Leben. Aber es gibt auch junge Menschen, die lebensbedrohlich erkranken und genauso nach dem Sinn fragen, fragen müssen! Gut, wer früh damit beginnt.

Diese zwei Männer fangen an, sich noch einmal dem Leben entgegen zu werfen. Das größte Abenteuer allerdings ist, dass der Milliardär Edward Cole sich mit seiner Tochter versöhnen kann und die schönste Frau der Welt küssen darf – nämlich die eigene Enkeltochter!
Hier bekommt der Film ganz zarte Züge. Das Leben ist mehr als Rausch und Reichtum. „Er hat mich das Leben gelehrt", sagt Edward Cole über seinen Freund.

Leben ist mehr als Erleben

Die Antwort, die der Film auf unsere Frage gibt, lautet: Such das außergewöhnliche Erlebnis! Neudeutsch: Schau, dass du beim nächsten Event dabei bist! Alles hat Erlebnischarakter: wir leben in einer Erlebnisgesellschaft. Und der Erlebnishunger breitet sich aus. Wir jagen von einem Event zum nächsten.

Doch das Leben ist mehr als Erleben, mehr als ein Event nach dem anderen! Der Theologe Christian Möller äußert sich kritisch: „Könnte es sein, dass gerade um der Erlebnisgesellschaft willen Grenzüberschreitungen zu einem Leben gesucht werden müssen, nach dem sich die Gesellschaft im Tiefsten sehnt ...? Die Grenze vom Erleben zum Leben!" (Christian Möller, Der heilsame Riss, S. 158-159, Calwer Verlag 2003)

„Ich bin gekommen, um den Schafen das Leben zu bringen – das Leben in seiner ganzen Fülle" (Joh 10,10 BasisBibel). Mit diesen Worten umschreibt Jesus seinen Dienst an der Welt. Beachtet man den Kontext, so finden sich diese Worte mitten im Hirtenkapitel: „Ich bin der gute Hirte. Der gute Hirte ist bereit, für die Schafe zu sterben" (Joh 10,11 BasisBibel).

Damit wird deutlich, dass das Leben immer ein begleitetes, behütetes Leben ist. Wäre ich allein auf den Weg gestellt, so würde ich mich verlaufen, verängstigt nach dem Weg fragen, auf mich allein zurückfallen. Jesus weist mit seinem Wort auf sich zurück: „Schaut mich an!" Dabei erhebt er nicht die Hand als der Lehr-Meister, der alles besser weiß, rigide Verhaltensregeln aufstellt und kluge Ratschläge gibt. Nein, hier spricht der Lebe-Meister, der sein ganzes Ja zu uns spricht und uns hineinnimmt ins Leben als geliebte Kinder Gottes. Als Lebe-Meister, der uns den offenen Himmel schauen lässt und uns die Güte Gottes vor Augen malt. Wohl dem, der sich auf diesen Lebe-Meister einlässt!

Im Film erweist sich der einfache Automechaniker Carter dem Milliardär als überlegen. Warum?
Weil er ein Glaubender ist. Er weiß um Gott und vertraut ihm. Und dies ließ Edward nicht unberührt. In der Traueransprache bekennt er: „Er hat mich das Leben gelehrt! Er hat mich die Freude finden lassen." So wurde Carter für ihn ein Lebe-Meister auf der letzten Etappe seines Lebens.

Leben leben

Der Originaltitel des Films lautet „The bucket-List" – was so viel heißt wie „Die Löffel-Liste".

Carter: „Mein Philosophieprofessor stellte uns im 1. Semester eine Aufgabe. Er nannte sie die ‚Löffel-Liste'. Wir sollten eine Liste von allem schreiben, was wir in unserem Leben tun wollten, bevor ..."
Edward: „... bevor wir den Löffel abgeben."
Carter: „Ja."
Edward: „Sehr drollig."
Carter: „Und jetzt nutzlos."
Edward: „Wir könnten es tun. Wir sollten es tun!"

Wichtige Dinge schreibe ich auf, damit ich sie nicht vergesse und erledigen kann. Ich finde es einen durchaus guten Gedanken, sich selbst einmal darüber klar zu werden, was ich eigentlich als wichtig und sinnvoll in meinem Leben erachte. Welche Sehnsucht, welcher Wunsch schlummert in mir? Wie oft ertappe ich mich dabei, diese Dinge beiseite zu legen und zu verdrängen, weil sie doch scheinbar gar nicht in meinen Alltag hinpassen. Die Alltagspflicht ruft – das andere kann warten!

Der Film regt an, rechtzeitig das Wesentliche vom Unwesentlichen zu unterscheiden – klug zu werden, wie es der Psalmist sagt. Was wünschst du dir? Was würdest du gern erleben? Was sind Momente, die dich glücklich machen? Geben wir diesem Gedanken Raum, kann er zu einer inneren Energiequelle werden. Vorfreude ist die schönste Freude, so sagt ein Sprichwort. Und Gott ist nicht klein kariert, dass er uns bei solchen Regungen sofort unterbricht. Nein, denn so ein Gedanke ist auch Ausdruck von positiver Erwartung an das Leben. Und es müssen ja gar nicht die spektakulären Events sein: die kleinen Dinge, die stillen Momente können es sein, die mich leben lassen. Wie sagte Carter? „Finde die Freude in deinem Leben!" Es geht dabei nicht darum, noch mehr Aufgaben zu haben. Es geht darum, das für mich Wichtige nicht aus dem Blick zu verlieren. Und damit kann man nicht früh genug anfangen!

Aktion Bucket List

Nimm doch selbst einmal einen Zettel zur Hand. Schreibe die für dich wichtigen Dinge auf!
Zettel und Stifte verteilen.

Nicht Frist, sondern Ewigkeit!

„Wer die Ewigkeit nicht kennt, für den wird das Leben zur Frist.“ (Peter Groß, Soziologe)

Das Leben wird zur Hetze, wenn wir es als Frist sehen. Es wäre nur Rest-Zeit, die uns bleibt! Dann fühlen wir uns schnell getrieben, weil danach alles aus ist. Wenn wir so das Leben sehen, dann denke ich an Schlussverkauf. Dann verkommt das Leben zu einem Wühltisch letzter Angebote. Dann ist es ein Rennen und Haschen nach Wind.

Jesus, unser Lebe-Meister, stellt uns stattdessen in die Weite der Ewigkeit. Das Ende ist nur ein Durchgangstor in eine neue Wirklichkeit. Österliche Klänge locken uns, weiterzusehen. Das Beste kommt zum Schluss – ja, tatsächlich, es wartet noch mehr auf dich und mich! Mit dieser Perspektive lass uns mutig wagen und tröstlich voranschreiten. Es lässt sich leben – jetzt – und dann erst recht!

Franz Röber
Landesjugendreferent der Schülerinnen und Schülerarbeit
im Ev. Jugendwerk in Württemberg, Stuttgart

In der Tiefe hoch leben

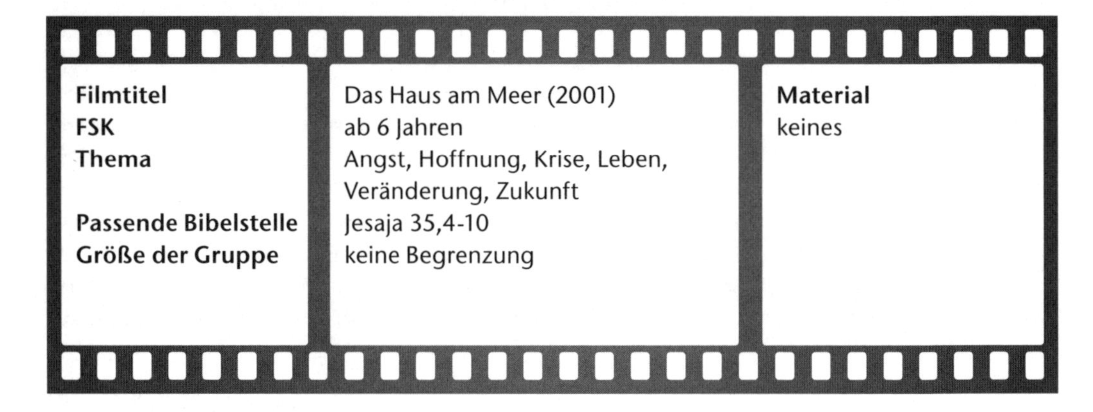

Filmtitel	Das Haus am Meer (2001)	**Material**
FSK	ab 6 Jahren	keines
Thema	Angst, Hoffnung, Krise, Leben, Veränderung, Zukunft	
Passende Bibelstelle	Jesaja 35,4-10	
Größe der Gruppe	keine Begrenzung	

Filmsequenz 00:16:52 bis 00:21:37 zeigen.

Georg, ...

... ein Mann, der kein Ehemann mehr ist, weil seine Ehe zerbrochen ist.
... ein Mann, der kein Vater mehr ist, weil sein Sohn Sam nichts mehr von ihm wissen will.
... ein Mann, der keine Arbeitsstelle mehr hat, weil sein Chef ihn gefeuert hat.
... ein Mann, der erfahren hat, dass er sterben muss.
... ein Mann, der keine Zärtlichkeit mehr kennt, kein Gefühl der Gemeinschaft spürt, keine Geborgenheit erfährt, keine Anerkennung bekommt, keine Familie bzw. Heimat mehr besitzt.
... ein Mann, der momentan weder Freude noch Hoffnung empfindet.

Jael, ...

... eine Frau, die ihre Heimat verloren hat.
... eine Frau, die in der Verbannung in Babylonien lebt.
... eine Frau, die ihre Umgebung und Gewohnheiten von jetzt auf gleich verloren hat.
... eine Frau, die nicht mehr in der Nähe ihres Tempels wohnt.
... eine Frau, die nicht mehr den Berg Zion sehen kann.
... eine Frau, die an ihrem Glauben zweifelt.
... eine Frau, die sich die Frage stellt, ob die Götter der Babylonier größer sind als ihr Gott.
... eine Frau, die immer wieder hört „Gott hat uns bestraft, weil wir nicht nach seinen Gesetzen gelebt haben.“
... eine Frau, die ihre Frömmigkeit verloren hat.
... eine Frau, die zur Zeit Jesaja lebt.

Jesaja, ...

... ein Prophet, der in der Zeit der Verbannung ermutigt und tröstet zugleich.
... ein Prophet, der Gottes Botschaft verkündigt: „Seid getrost, fürchtet euch nicht! Seht, da ist euer Gott! Er kommt zur Rache; Gott, der da vergilt, kommt und wird euch helfen“ (Jes 35,4 Luther).
... ein Prophet, der ein wunderbares Gemälde der Zukunft aufzeichnet: „(...) Denn es werden Wasser in der Wüste hervorbrechen und Ströme im dürren Lande. Und wo es zuvor trocken gewesen ist, sollen Teiche stehen, und wo es dürre gewesen ist, sollen Brunnquellen sein (...). Es wird kein Löwe sein und kein reißendes Tier darauf gehen; sie sind dort nicht zu finden, sondern die Erlösten werden dort gehen“ (Jes 35,5-9 Luther).
... ein Prophet, der die Hoffnung verkündigt: „Die Erlösten des Herrn werden wiederkommen und nach Zion kommen mit Jauchzen; ewige Freude wird über ihrem Haupte sein; Freude und Wonne werden sie ergreifen, und Schmerz und Seufzen wird entfliehen“ (Jes 35,10 Luther).

Georg und Jael, zwei unterschiedliche Menschen in unterschiedliche Zeiten mit unterschiedlichen Umgebungen – und doch haben sie etwas gemeinsam: Sie stecken beide in einer Krise. In einer Krise, in der Gefühle wie Trauer, Angst, Einsamkeit und mangelnder Selbstwert dominieren. In einer Krise, in der die Hoffnung und die Freude winzig klein sind. In der das Lachen weniger vorkommt als das Weinen. In der bei einem Regenbogen eher der Regen als die Sonne sichtbar ist.

Und ganz ehrlich: Können wir uns da nicht auch einreihen?

Thomas, ...

... ein junger Mann, der seinen besten Freund beneidet, weil der eine so wunderbare Familie besitzt.
... ein junger Mann, der Lotta und Erwin bewundert für ihr geschwisterliches Verhältnis.
... ein junger Mann, der auch Situationen kennt, wo eher der Selbstwertmangel als die Selbstwertstärke dominiert.

Wir alle stecken immer mal wieder in kleineren, mittleren oder größeren Krisen. Und alle Krisen haben etwas gemeinsam: das negative und traurige Gefühl. Ein Gefühl, in dem Verzweiflung, Traurigkeit und vielleicht Angst dominieren.

Und in so einer Krise taucht nun Jesaja auf. Jesaja zeigt über die Gegenwart hinaus auf die Zukunft. Durch das wunderbare Hoffnungsgemälde schenkt er uns eine Richtung, um unseren Kopf wieder zu heben. Durch den Zuspruch, dass unser Gott in unsere Krise kommt und uns hilft, tröstet und ermutigt er uns. Krankheit, Hungersnot, Ungerechtigkeit, zwischenmenschliche Konflikte, Trauer, Angst, Einsamkeit werden nicht das letzte Wort haben. Gott hat das letzte Wort. Wir dürfen in dieser Hoffnung aufbrechen. Aufbrechen, um einerseits unsere momentane kleine, mittlere oder große Krise bzw. Situation zu ertragen, aber auch aufbrechen, um los zu laufen und etwas zu verändern.

Was haben wir denn sonst für eine Wahl? Entweder wir resignieren, bleiben im System, laufen mit dem negativen Strom mit, verfallen vielleicht sogar in Selbstmitleid: „Man kann ja eh nichts ändern." Alles ist doof und blöd. Oder wir halten aggressiv dagegen, steigern uns so sehr in unsere Situation hinein, dass man „anti" wird: anti Gemeinschaft, anti Etwas-dagegen-Tun, anti anderen Menschen gegenüber, die eigentlich nichts dafür können. Und oben drauf kommt die Einstellung der Einstellungen: „Jetzt bin ich erst recht dagegen." Tolle Alternativen sind das nun wirklich nicht.

Was macht eigentlich Georg?

Filmsequenz 01:01:56 bis 01:04:10 zeigen.

Würden wir in unseren letzten Tagen nicht unser Konto plündern und noch das erleben wollen, was wir schon immer erleben wollten? Georg dagegen baut ein Haus. Er könnte alte Baustellen bereinigen, einen schönen Urlaub machen, sich mit seiner Exfrau versöhnen und dann in Ruhe und zufrieden sterben. Nein, dieser Typ baut ein Haus. Er baut ein Haus, obwohl er weiß, dass er nie darin leben wird. Er hat eine genaue Vorstellung davon, wie dieses Haus in der Zukunft fertig aussehen wird. Sein Zukunftsbild und seine Vision haben sich so sehr in seinen Kopf gebrannt, dass er voller Motivation und Freude an diesem Haus baut.

Georg wird für uns zu einem Vorbild. Er lebt aus der Zukunft heraus. Er lebt und handelt in seiner Krise motiviert. Sein Handeln ist so stark, dass er nicht nur mit seiner Krise besser umgehen kann, sondern auch den Zugang zu seiner Exfrau und seinem Sohn dadurch wiederfindet. Eine unglaubliche und bewegende Handlung.

Und was heißt das für Jael und uns?

Jael hatte ebenfalls durch Jesaja ein Zukunftsbild im Kopf. Ein Hoffnungsgemälde, das von einem tröstenden Gott spricht. Von einer Zeit, in der Sachen passieren, die man sich gar nicht vorstellen kann. Blinde werden sehen, Taube werden hören, Lahme springen wie Hirsche, wo es trocken war, soll es Teiche geben und die Erlösten kommen wieder nach Zion, Freude und Wonne werden sie ergreifen.

Ein Hoffnungsbild, das später nicht so erfüllt wurde – bzw. es erfüllte sich schon: die Israeliten sind zurückgekehrt, allerdings nur ein kleiner Teil von ihnen, da die Rückkehr in keiner Weise so triumphal, schön und glatt verlief wie vom Propheten vorhergesagt. Es war ein mühsames Nach-Hause-Kommen und ein mühsamer Aufbau des zerstörten Jerusalem. Und trotzdem hat dieses Hoffnungsbild den Israeliten Kraft gegeben. Kraft für die Zeit in ihrer Tiefe und um aus ihr heraus zu kommen.

Gott schenkt uns viele solcher Hoffnungsbilder in der Bibel und will uns immer wieder dadurch motivieren, die Hoffnung „hoch" zu halten, an ihn zu glauben und sich an ihm festzuhalten, zu glauben, dass nach der Tiefe noch etwas anderes kommt, dass Gott selbst das letzte Wort ist.

Aus der Zukunft heraus sollen wir leben. In unserem eigenen, ganz persönlichen Tief sollen wir hoch leben. Aus der Zukunft heraus sollen wir in unserer schwierigen Lage hoffnungsvoll leben.

Hoffnungsvoll und motiviert, sodass diese Kraft, die dadurch entsteht, dass du von der Zukunft her denkst und nicht von dem, was jetzt gerade ist, dich weiter trägt und dich auf Lebensfreudekurs bringt. Keine gespielte oder aufgesetzte Freude, sondern echte Lebensfreude. Traurigkeit soll auch ihren Platz bekommen, aber es geht um die Kraft, die in der Hoffnung liegt. Und diese kann dann sogar, wie bei Georg, auf andere Menschen überspringen.

Deshalb ein Motto für dich: In der Tiefe hoch leben.

Vassili Konstantinidis
Referent für Freiwilligendienste
beim netzwerk-m e.V., Kassel

Was glücklich macht

Filmtitel	Das Streben nach Glück (2006)	**Material**
FSK	ab 0 Jahren	Filmprotokoll
Thema	Glück, Gott, Lebensweg, Ziel	(siehe Seite 98),
Passende Bibelstelle	Psalm 73; Matthäus 5,3-10	Hintergrundmusik
Größe der Gruppe	keine Begrenzung	

Hinweis: Der Film wird in Ausschnitten gezeigt. Im Filmprotokoll ab Seite 98 wird detailliert aufgeführt, welche Szenen gezeigt und welche erzählt werden. Die Predigt wird am Schluss des Films gehalten. Sie kann anstelle des Abspanns erfolgen. Grundsätzlich ist es sinnvoll, vor dem Impuls Instrumentalmusik zu spielen, damit die Zuschauer Gelegenheit haben, aus dem Film herauszutreten.

Ich bewundere Chris Gardner. Er ist von seinem Ziel fest überzeugt. Dieses Ziel verfolgt er. Er lässt sich von nichts davon abbringen. Er lässt sich nicht unterkriegen – von der Gesellschaft, von der Familie, von sich selbst. Er schafft es und steht mit seinem Leben für die Verkörperung dieses „american way of life": Jeder kann es aus eigener Kraft zu etwas bringen, wenn er nur danach strebt.

Der Film entstand nach der wahren Lebensgeschichte von Chris Gardner. Er hat es geschafft. Er arbeitete als Börsenmakler, baute seine eigene Firma auf, verkaufte diese für viel Geld und reist heute durch die USA, um sein Erfolgsrezept weiterzugeben und sein Leben zu erzählen.

Auf der einen Seite ist das faszinierend und herausfordernd, aber wir wissen auch: so einfach ist das im Leben nicht immer. Auch wenn wir viel wollen, das Ziel vor Augen haben – es gehört dazu, dass wir scheitern und hinfallen. Der Mechanismus „Du musst nur wollen, dann funktioniert das schon" ist kein Selbstläufer. Es ist toll, wenn es funktioniert und alles wie geschmiert läuft. Aber das macht nicht das Lebensglück aus. Zum Leben gehören die Niederlagen und die Siege. Von was ist unser Glück dann abhängig?

Wer abends durch die Fernsehkanäle zappt, kann auch auf christliche Sendungen aus den USA stoßen. Es gibt Gemeinden, die den „american way of life" als Christen umsetzen wollen. Die einfache Botschaft lautet: Wenn du Christ bist, kannst du erfolgreich sein. Das wirkt sich aus – auf deine Familie, deinen Beruf und dein Bankkonto. Das ist ein Zeichen des Segens Gottes. Du musst nur richtig an Gott glauben, dann fällt dir das alles zu. Doch genau so geht es eben nicht. Mein Leben als Christ sieht oft ganz anders aus. Ich bin nicht immer erfolgreich, ich bin nicht immer glücklich. Ich muss aber auch nicht immer noch mehr glauben, damit mir das alles zufällt.

Wenn Jesus in der Bibel von Glück redet, dann meint er oft etwas ganz anderes als wir. In der Bergpredigt (Mt 5,3-10 BasisBibel) sagt er u.a.: „Glückselig sind die, die wissen, dass sie vor Gott arm sind. Denn ihnen gehört das Himmelreich. Glückselig sind die, die an der Not der Welt leiden. Denn sie werden getröstet werden. Glückselig sind die, die ein reines Herz haben. Denn sie werden Gott sehen."

Das ist eine andere Sicht auf das Glück: Nicht nur die Erfolgreichen und die, denen es gut geht, können glücklich sein. In der Beziehung zu Jesus gelingt wahres Lebensglück, auch wenn es einem nicht so gut geht. Wenn ein Mensch es nicht geschafft hat. Wenn er gescheitert ist.

Psalm 73 gemeinsam lesen.

Der Psalmbeter aus Psalm 73 hat das auch erfahren. Ihm ging es richtig schlecht. Er hat gelitten. Die Menschen um ihn herum haben ihm das Leben schwer gemacht. Aber er hat an Gott festgehalten. Er sagt: „Gott nahe zu sein ist mein Glück" (Ps 73,28 Einheitsübersetzung). Danach müssen wir nicht streben. Wir müssen Gott nicht alles recht machen. Wir müssen uns nicht anstrengen, damit Gott bei uns ist. Bei Gott ist es so: Er ist uns nahe. Er ist dir nahe. Gerade dann, wenn es dir schlecht geht. Wenn du zweifelst. Wenn du nicht mehr weiter weißt. Er zeigt dir seine Nähe.

Im Film besucht Chris Gardner mit seinem Sohn einen Gottesdienst. In dem Gospellied „Lord Don't Move The Mountain" von Doris Akers und Mahalia Jackson, das der Chor singt, heißt es frei übersetzt: „Herr, bewege nicht den Berg, sondern gib mir die Kraft, ihn zu erklimmen. Nimm die Hindernisse nicht weg, sondern hilf mir, sie zu umgehen."

Wir haben viele Berge in unserem Leben zu erklimmen. Wer schon einmal in den Bergen war, weiß, dass sich die Anstrengungen lohnen. Denn oben auf dem Gipfel erwartet uns eine tolle Aussicht. Christen werden die Berge in ihrem Leben nicht von Gott weggenommen. Aber wir bekommen von ihm die Kraft, diese Berge zu überwinden. Wir müssen nicht auf halbem Weg aufgeben, weil wir Gott im Gebet um Hilfe und Kraft bitten können.

Bei Gott gilt nicht das Motto „Du muss dich nur anstrengen, dann schaffst du das schon". Für Gott gilt: er ist dir nahe, ohne dass du dich anstrengst. Das kann ganz schön glücklich machen. Gott ist uns nahe. Gerade dann, wenn wir unglücklich sind. Er ist uns nahe, wenn andere Menschen ganz weit weg von uns sind. Er ist uns nahe, wenn wir scheitern und auf die Nase fallen.

An Gott dranbleiben, weil er an mir dranbleibt. Das ist unser Glück.

Martin Burger
Landesjugendreferent für Jugendpolitik und Freiwilligendienste
im Ev. Jugendwerk in Württemberg, Stuttgart

Filmprotokoll zu „Das Streben nach Glück“

Filmsequenz	zeigen (Z) erzählen (E)	Zusammenfassung des Inhalts
Kapitel 1 00:01:44 bis 00:04:58	(E)	Chris weckt seinen Sohn, es gibt einen Blick auf Stadt, auf Menschen, einen Obdachlosen, der am Boden liegt, auf Straßenmusiker, Geschäftsleute. Chris läuft mit Christopher durch die Straßen, sie unterhalten sich über seine Geburtstagswünsche. Christopher im Hort, auf eine Wand ist „Fuck“ und „Happiness“ gesprüht.
Kapitel 2 00:04:59 bis 00:09:01	(E)	Chris erklärt das „Knochendichtemessgerät“; er versucht, diese Geräte zu verkaufen, wird sie aber nicht los. Er redet mit seiner Frau, dass sie Christopher abholen soll; sie arbeitet, weist auf finanzielle Probleme hin, sein Wagen wurde abgeschleppt, er hat eine Unmenge von Strafzetteln. Chris muss zwei Geräte pro Monat verkaufen, in letzter Zeit hat er aber gar keine mehr verkauft. Sie haben Probleme, die Steuern zu bezahlen.
Kapitel 3 00:09:02 bis 00:12:07 Stopp bei 00:11:52 (Chris richtet Hemd und Krawatte und sagt: „Linda, Linda.“	(Z)	Chris läuft in Anzug und Krawatte mit einem Gerät in der Hand an der Börse vorbei. Davor parkt ein Ferrari. Er spricht mit dem Besitzer und erfährt, dass dieser Börsenmakler ist. Chris sagt seiner Frau, dass er Börsenmakler werden will.
Kapitel 4 00:11:53 bis 00:17:56	(E)	Chris will sich als Börsenmakler bewerben. Sein erster Versuch geht aber schief, da ihm ein Knochendichtemessgerät gestohlen wird.
Kapitel 5 00:17:57 bis 00:21:28	(E)	Chris geht zu einer großen Börsenbank und hat ein Gespräch mit dem Personalchef Mr. J. Twizzle. Er hinterlässt seine Bewerbungsunterlagen.
Kapitel 6 00:21:29 bis 00:23:17	(kann vernachlässigt werden)	

Kapitel 7 00:23:18 bis 00:26:45	(E)	Chris fängt Mr. Twizzle einen Monat später ab und setzt sich mit ihm in ein Taxi. Er redet ziemlich viel von seinen Qualitäten. Mr. Twizzle beschäftigt sich mit einem Zauberwürfel, kann ihn aber nicht lösen. Chris: „Ich schaffe das!" Es gelingt ihm tatsächlich. Mr. Twizzle ist beeindruckt. Er verlässt das Taxi, Chris bleibt zurück.
Kapitel 8 00:26:46 bis 00:32:13	(Z)	Die Frau von Chris sagt ihm am Telefon, dass sie ihn verlassen wird. Er kommt nach Hause, Frau und Sohn sind weg. Mr. Twizzle ruft ihn an und lädt ihn zu einem Vorstellungsgespräch ein.
Kapitel 9 00:32:14 bis 00:36:43	(E)	Chris rennt aus dem Haus, sucht nach seiner Frau und seinem Sohn. Dann ist er wieder in der Wohnung und sitzt auf dem Bett. Schnitt. Chris fängt seine Frau auf dem Weg zur Arbeit ab. Er macht ihr klar, dass er sich seinen Sohn nicht wegnehmen lässt. Unterdessen will ihn sein Vermieter aus der Wohnung werfen. Chris kann eine Verlängerung heraussschlagen.
Kapitel 10 00:36:36 bis 00:39:38	(kann vernachlässigt werden)	
Kapitel 11 00:39:39 bis 00:43:56	(E)	Chris streicht die Wohnung und rennt in Malerklamotten zum Vorstellungsgespräch. Er hinterlässt einen bleibenden Eindruck.
Kapitel 12 00:43:29 bis 00:45:35	(E)	Chris erfährt, dass er für ein Praktikum als Börsenmakler kein Geld bekommt. Er muss daher in der Zeit alle seine Messgeräte verkaufen, damit er über die Runden kommt.
Kapitel 13 00:45:36 bis 00:49:09	(E)	Chris' Frau bringt Christopher zurück. Sie zieht nach New York. Chris gibt Mr. Twizzle Bescheid, dass er die Ausbildung beginnen will.
Kapitel 14 und 15 00:49:10 bis 00:53:34 Stopp bei 00:52:06	(Z)	Chris und sein Sohn ziehen in ein Hotel, in zwei Szenen kommt es zu eindrucksvollen Dialogen zwischen Vater und Sohn.

Kapitel 16 00:53:35 bis 00:58:26	(E)	Dieser Abschnitt seines Lebens heißt „Ausbildung“: Chris bei der Arbeit, er wird in die Aufgaben eingeführt. Er bekommt den Hinweis auf die Abschlussprüfung, da wird die Spreu vom Weizen getrennt. Chris sieht den Obdachlosen, der in der U-Bahn das Gerät mitgenommen hat. Er folgt ihm, wird angefahren, verliert seinen Schuh, geht nur mit einem Schuh wieder zurück ins Büro.
Kapitel 17 00:58:27 bis 01:01:49	(E)	Chris‘ Büroalltag besteht aus Lernen, Gefälligkeiten für seinen Vorgesetzten (den ganzen Tag), Telefonaten mit potenziellen Kunden. Stimme aus dem Off: „Das Gefühl, unterschätzt und nicht anerkannt zu werden. Chris hat Probleme, die Hotelrechnung zu bezahlen. Er macht Termine mit potenziellen Kunden.
Kapitel 18 01:01:49 bis 01:05:01	(kann vernachlässigt werden)	
Kapitel 19 01:05:02 bis 01:05:38	(kann vernachlässigt werden)	
Kapitel 20 01:10:39 bis 01:13:14	(E)	Chris und Christopher sind wieder zu Hause. Chris hat alle Geräte verkauft, es herrscht eine positive Stimmung – bis zu dem Tag, an dem ein Schreiben von der Steuerbehörde kommt. Dieser Abschnitt seines Lebens heißt „Steuern zahlen“: Das Finanzamt hat von seinem Konto Geld abgeholt. Ihm bleiben nur noch 21,33 – Chris ist Pleite. Er bekommt Ärger mit dem Vermieter.
Kapitel 21 01:13:15 bis 01:16:23	(kann ann vernachlässigt werden)	
Kapitel 22 01:16:24 bis 01:19:20	(E)	Chris und sein Sohn in der U-Bahn, sie kommen abends ins Hotel. Ihre Sachen stehen vor der Tür. Der Schlüssel passt nicht mehr.

Kapitel 23 01:19:21 bis 01:23:04	(E)	In der U-Bahnstation. Sie tun so, als sei das Gerät eine Zeitmaschine und lassen die Fantasie spielen. Sie verstecken sich vor Dinosauriern in einer „Höhle“ und schlafen in der Bahnhofstoilette.
Kapitel 24 01:23:05 bis 01:28:05	(E)	Am anderen Tag im Büro redet Chris mit Jay, er versucht, die Fassade aufrecht zu halten und sagt, er treffe ein paar potenzielle Kunden. Chris redet mit „Deborah“ von einem Wohnheim für Frauen und Kinder. Er braucht ein Zimmer, sie kann aber nicht weiterhelfen. Sie verweist ihn in ein Männerwohnheim. Chris stellt sich in die Schlange, ein Mann drängelt sich vor. Es sind nur noch vier Plätze frei. Es entsteht ein Streit, Chris setzt sich durch. Chris und Christopher bekommen noch einen Platz. Szene im Wohnheim. Chris wäscht Christopher, sie unterhalten sich über Lieblingsfarben und Bäume.
Kapitel 25 01:28:06 bis 01:36:33 Stopp bei 01:36:33 (wenn das Bild die zwei in der Menge zeigt)	(Z)	Chris macht sich an die Reparatur des Messgerätes, liest Bücher. Morgens machen sie sich wieder auf den Weg. Chris führt Kundengespräche im Büro. Beide im Gottesdienst, der Chor singt ein Lied: bewege diesen Berg nicht, sondern gib mir die Kraft ihn zu erklimmen. Bewege nicht das Hindernis, sondern hilf mir, Herr, es zu überwinden. Meine Last, sie ist so schwer, ich halte es kaum aus. Aber aufgeben werde ich nicht, denn du hast mir versprochen, dass du mein Gebet erhörst. Herr bewege diesen Berg nicht, sondern gib mir die Kraft ihn zu erklimmen. Schnitt: Chris bei der Prüfung. Er gibt als Erster ab. Im Wohnheim finden sie keinen Platz mehr. Chris und Christopher in der Menge. Im Hintergrund läuft das Lied „Bridge over troubled water“.
Kapitel 26 01:36:34 bis 01:40:08	(E)	Chris und Christopher lösen ein U-Bahn-Ticket, fahren in der U-Bahn, schlafen dort ein. Chris spendet Blut, bekommt Geld und kauft sich davon eine Birne für sein letztes Messgerät. Sie bekommen wieder einen Platz im Heim. Chris gelingt es, das Gerät zu reparieren. Es wird Licht, das den Raum mit den Obdachlosen überstrahlt. Er nimmt eine Gebetshaltung ein.

Kapitel 27 01:40:09 bis 01:43:26	(E)	Chris führt das Gerät einem Arzt vor. Er kann es für 250 Dollar verkaufen Sie ziehen in ein Hotel. Im Büro trifft Chris auf Jay. Sie reden über den geschäftlichen Erfolg von Chris und dass die Entscheidung kurz bevor steht: „Was Sie hier geleistet haben, war toll, Chris. Egal, was passiert."
Kapitel 28 01:43:27 bis 01:46:23 Stopp bei 01:46:23 (Bild einfrieren, wenn das Gesicht groß zu sehen ist)	(Z)	Chris erhält die Nachricht, dass er eingestellt wird. Er rennt zu Christopher in den Hort und umarmt ihn. Schlussszene Chris mit Christopher – Abspann kurzer Text: „Im Jahr 2006 verkaufte Chris Gardner eine Minderheitsbeteiligung an seiner Firma für mehrere Millionen Dollar." Schwarzes Bild – Bild einfrieren.

Du bist dran

Filmtitel	Der Plan (2011)	**Material**
FSK	ab 12 Jahren	Landkarte, evtl. Navigationsgerät, Flipchart, Eddings
Thema	Entscheidung, Gottes Plan, Lebensweg, Ziel	
Passende Bibelstelle	Ruth 1,16	
Größe der Gruppe	keine Begrenzung	

Der Prediger, die Predigerin kommt mit einer Landkarte auf die Bühne.

Mein Plan

Geografie war nie meine Stärke, deswegen brauche ich Karten, um mich zurechtzufinden. Oder ein Navi. Da gibt man einfach an, wo man hin will und per Satellit wird die kürzeste Route herausgesucht. Total praktisch, denn man muss nicht mehr so viel überlegen. Sonst müsste man Karten lesen, die kürzeste Strecke heraussuchen und das kann dauern. Und man kann sich verfahren, wenn man vorher falsch liest, eine falsche Abzweigung notiert und schon kommt man nicht dahin, wo man hin wollte.

Wir machen jetzt mal einen Test: „Mensch gegen Navi". Ich habe hier eine Stadtkarte von (Name der Region) mitgebracht und brauche eine freiwillige Person. Ihre Aufgabe ist es, den kürzesten Weg von (Ortsname) nach (Ortsname) zu suchen. Wir schauen dann, ob die Route von der Route meines Navis abweicht. Wer den kürzesten Weg herausfindet, gewinnt.

Den Test durchführen.

Wäre das nicht toll, wenn es ein Navi für unser Leben geben würde? Ganz ehrlich: Du gibst ein Ziel ein, zum Beispiel: „Toller Job, der mir Spaß macht und Geld bringt" und dein Lebensnavi bringt dich ans Ziel. Sagt dir, wenn du eigentlich lernen solltest, aber das Fernsehprogramm oder die Feier von Freunden spannender wirkt, dass du bitte wenden sollst Richtung Zimmer und Schreibtisch zum Lernen. Du würdest immer wieder das Ziel vor Augen haben und wissen, dass jeder Abzweig dich näher an dein Ziel bringt. Toll! Das wäre einfach. Nicht du müsstest immer und andauernd alles entscheiden. Nein, das Navi wäre eine Hilfe auf deinem Weg, das dich immer wieder an dein Ziel erinnern würde und dir immer wieder zeigt, wie der Weg dahin aussieht.

Nur ein Traum? Nein, so etwas gibt es, einen Plan für dein Leben, in dem alles vorher bestimmt ist. Was du werden sollst, mit wem du glücklich wirst, wann du welchen Bus verpassen sollst, damit du im nächsten Bus eine bestimmte Person triffst. Es gibt ein Team, das dafür sorgt, dass du im Plan bleibst. So vergisst du zum Beispiel „zufällig" deinen Schlüssel, musst noch einmal zurück, klingeln und hoffen, dass jemand da ist, und verpasst so deinen Bus. Wir nennen so etwas dann „Zufall", für das Team ist es der Plan. Dieses Team wird geleitet von einem Vorsitzenden. Zumindest beschreibt das so der Film „Der Plan". Wir haben andere Namen für den Vorsitzenden, vielleicht würden wir Gott sagen.

Ein Plan

Die Hauptperson im Film, David Norris, ist auf dem besten Weg, der jüngste Kongressabgeordnete zu werden. Leider taucht ein Foto auf, auf dem er bei einem Collegetreffen allen seinen Hintern zeigt. Er verliert die Wahl und muss nun eine Rede halten: als Verlierer. Doch in dem Moment seiner tiefsten Enttäuschung trifft er „zufällig" eine Frau. Und diese Begegnung wird sein Leben verändern.

Filmsequenz 00:06:30 bis 00:14:00 zeigen.

Wir denken, es war Zufall, aber das Plan-Büro hat diese Begegnung inszeniert. Elise hat ihn ermutigt und mit dieser Rede hat David Norris gute Chancen auf die nächste Wahl. Doch das Plan-Büro hat nicht nur ihn im Sinn. Es geht um die Geschichte der ganzen Welt. Alles läuft nach Plan. Wow, große Organisationskunst!

Das Erstellen einer Landkarte wie ich sie mitgebracht habe, dauert wirklich lange. Man muss Maßstäbe festlegen, die Gegend gut kennen, darf keinen noch so kleinen Ort vergessen und während man all das plant, gibt es vielleicht eine Baustelle und alles ändert sich.

Dem Plan-Büro ist daran gelegen, dass alles im Plan bleibt und es keine allzu großen Abweichungen gibt. Falls dies aber vorkommt, gibt es die Möglichkeit der Rekalibrierung. David Norris wird unfreiwillig Zeuge davon und darf hinter die Kulissen der Wirklichkeit gucken.

Filmsequenz 00:20:32 bis 00:28:00 zeigen.

David steht also vor der Wahl. Wenn er sich entscheidet, Elise zu suchen oder jemandem von dem zu erzählen, was er erlebt hat, wird es eine Rekalibrierung geben und man wird ihn für geisteskrank halten. Tolle Aussichten. Wenn er aber einfach nichts macht, sein Leben weiterlebt wie bisher und im Plan bleibt, wird alles gut. Nur keine Abweichungen mehr!

Aber das hält David nicht aus, dafür ist sein Wille zu groß und die Gefühle, die er für Elise hat, sind zu intensiv, um alles einfach vergessen zu können. David fährt daraufhin drei Jahre lang mit ein und demselben Bus, immer in der Hoffnung, Elise irgendwann wiederzusehen. Und es klappt, er sieht sie wieder. Doch das bemerkt auch das Plan-Büro. Es gibt ein ernstes Gespräch mit Thompson. Er wird als „der Hammer" bezeichnet, weil seine Methoden, Menschen dazu zu bewegen im Plan zu bleiben, als so grausig empfunden werden. Er übernimmt den Fall Norris.

Filmsequenz 01:00:59 bis 01:08:30 zeigen.

Der Verlauf der Geschichte, den Thompson schildert, klingt doch wirklich plausibel. Manches medizinische Wissen, das Ärzte heute nutzen, geht auf Erkenntnisse des römischen Reiches zurück. Im Mittelalter schien das alles vergessen worden zu sein. Von 1910 bis 1960 musste die Welt zwei schwere Weltkriege verkraften, mehrere Kriege sind nur knapp verhindert worden, die Welt lag im Argen. Die Zeit, in der wir jetzt gerade leben, ist die größte Friedensperiode, die die Welt bisher erlebt hat. Trotz Kriegen im Nahen Osten. Norris fragt: „Was ist aus dem freien Willen geworden?" „Sie haben keinen freien Willen, nur einen Anschein davon", erwidert Thompson. Und dann eröffnet er David, was vor ihm liegt. Sein Plan sieht vor, dass er eines Tages Präsident der USA sein wird, Elises Plan führt sie dahin, dass sie eine der berühmtesten Choreografinnen wird. Wenn sie zusammenbleiben, kommt laut Plan keiner der beiden ans Ziel. David sagt in der Szene: „Alles, was ich habe, sind meine Entscheidungen und ich entscheide mich für sie!"

Ich finde das krass. Würde ich mich das trauen, so eine große Entscheidung zu treffen? Wie ist das überhaupt bei mir? Ist alles, was ich bin und habe, das Resultat meiner Entscheidungen oder gibt es nicht auch Gott mit seinem Plan für mein Leben? Schließlich war er es doch, der mir mein Leben geschenkt hat. Mit meinen Begabungen. Ja, das glaube ich. Und ich habe diese Begabungen, weil es sein Plan ist. Ist mein Leben dann nicht auch fremdgesteuert? Hat Gott vielleicht auch solche Mitarbeitenden, wir würden wahrscheinlich Engel sagen, die meinen Schlüssel verstecken, sodass ich lange suchen muss, meinen Bus verpasse, den nächsten nehme und so meinen Traummann kennenlerne oder meine Traumfrau? Redet Gott so in meinen Alltag? Ist es meine Aufgabe, ihm treu zu folgen, indem ich mich von außen leiten lasse? Wer trifft in meinem Leben die Entscheidungen? Ich oder Gott? Wer bestimmt mich? Was ist Gottes Plan für mich?

Sein Plan

Manche Menschen können sich schnell entscheiden, manchmal sind sie dabei aber vorschnell und treffen falsche Entscheidungen. Andere sind vorsichtiger, wägen Situationen lange ab und treffen nur langsam eine Wahl, doch dadurch sind Chancen oft schon vergeben und vertan.

Josua fordert seine Leute heraus indem er ihnen sagt: „Wählt euch heute aus, wem ihr dienen wollt" (Jos 24,15). Jesus mahnt uns und sagt, wir sollen erst die Kosten überschlagen, bevor wir einen Turm bauen (Lk 14,28). Rut war fest entschlossen, als sie zu Naomi sagte: „Wohin du gehst, werde ich gehen" (Rut 1,16). Gideon überlegte längere Zeit, als er zweimal die Wolle auslegte, um des Herrn Willen festzustellen (Ri 6,37-40). Einige Entscheidungen sind einfach zu fällen, andere schwieriger. Wie stellen wir fest, was Gottes Plan für uns ist?

Auf dem Flipchart einen Plan der eigenen Lebensgeschichte aufmalen, auch die Umwege und Verzweigungen aufmalen und erklären: Geburtsort, wie der Lebensweg war, vor welchen Entscheidungen man stand, Ausbildung oder Studium, vielleicht die erste Liebe, wie das Leben aussehen könnte, wäre man einem anderen Abzweig gefolgt ... Man kann den Lebensplan vorher zeichnen oder „live" beim Erzählen.

Wenn wir an Gottes Plan denken, haben wir oft die Vorstellung wie von diesem Plan, den ich hier gerade aufgemalt habe. Was aber, wenn Gottes Plan für dich und dein Leben viel weitläufiger wäre?

Wenn wir Leute zum Glauben an Gott einladen, betonen wir, dass Gott eben keine Menschen gemacht hat, die ihn lieben und ihm nachfolgen, weil sie es müssen. Seit dem Garten Eden haben wir stattdessen eines: die freie Entscheidung für oder gegen Gott. Er zwingt niemanden dazu ihn zu lieben, weil das keine echte Liebe wäre. Du kannst dich für Gott entscheiden. Wir betonen also, dass es einen freien Willen gibt. Im Garten Eden stand dieser eine Baum, von dem Adam und Eva nicht hätten essen sollen. Gott ließ ihnen die Wahl, sie haben sich auf die Versprechungen und Verlockungen der Schlange eingelassen und sich dafür entschieden, der Schlange und dem Bösen mehr zu vertrauen als Gott. Sie haben eine Entscheidung getroffen.

Aber wie sieht es aus, wenn wir Christen sind? Vielleicht hast du Angst, dass du nicht dem großen Plan Gottes folgst und seinen Zorn auf dich ziehst. Oder du weißt einfach nicht, wie du dich entscheiden sollst bei den tausend Optionen um dich herum. Im ersten Moment sind wir vielleicht erschrocken bei der Vorstellung, es gäbe diesen einen großen Plan für unser Leben wie in dem Film. Doch eigentlich wäre es doch ganz easy, wenn Gott alle großen Entscheidungen unseres Lebens träfe. Der Wunsch, Gott möge alle wichtigen Entscheidungen für uns treffen, entspringt der Sehnsucht des Menschen nach Sicherheit. Bestimmt Gott nämlich jede Entscheidung, werden wir vor Fehlentscheidungen bewahrt. Dann sind wir auf der sicheren Seite. Läuft trotzdem etwas schief, sind nicht wir dafür verantwortlich, sondern Gott.

Ich glaube, Gottes Plan für dein und für mein Leben ist, dass wir Jesus ähnlicher werden. Und dass wir in dieser Verantwortung vor Gott leben und ihn in unsere Entscheidungen einbeziehen mit der Frage „Hilft mir das, was ich tun will, dabei, Jesus ähnlicher zu werden?“ Das fordert heraus, weil es eben nicht darum geht Ingenieur- oder Kunststudium und Gott soll bitte eine Entscheidung treffen; sondern es liegt an dir, mit dem, was Gott dir an Talenten und Begabungen geschenkt hat, verantwortungsbewusst umzugehen. Frage dich: Kann ich das vor Gott verantworten? Hilft mir das, Jesus ähnlicher zu werden?

David Norris trifft eine Entscheidung. Er setzt alles auf eine Karte. Von Planer Harry wird er in das Türensystem eingeführt, mit dem die Leute sich bewegen können. Er will Elisa wiedersehen, die kurz davor steht, ihren Ex-Verlobten zu heiraten. Aber schau dir an, was passiert, als er so massiv gegen den Plan vorgeht:

Filmsequenz 01:23:55 bis 01:36:40 zeigen.

Der Vorsitzende hat den Plan neu geschrieben, denn der wahre Plan von ihm ist, dass die Menschen Dinge wagen – so wie David Norris. „Die meisten Menschen gehen den Weg, den wir für sie vorgegeben haben, zu ängstlich einen anderen zu erkunden. Und der wahre Plan des Vorsitzenden ist, dass eines Tages nicht mehr das Plan-Büro die Pläne schreibt, sondern wir.“

Unser Plan

Wie wäre es, wenn du dein Leben in der Verantwortung vor Gott in die Hand nehmen würdest? Natürlich ist er der Chef deines Lebens, aber er traut dir viel zu. Es kann sein, dass das für dich heißt, die vertrauten Wege zu verlassen und Neues zu wagen. Oder dass andere dir vielleicht nicht zustimmen.

Ich glaube, wir können uns so sehr darin versteifen, Gott zu fragen, was er dazu meint, dass wir so ziemlich alles als „Zeichen“ deuten können. Ich weiß nicht, wie das bei dir ist, aber wenn Gott zu mir spricht, dann macht er das ziemlich deutlich. Dann ist mir klar, dass er es ist, der hier in mein Leben spricht. Das heißt nicht, dass ich ihn akustisch höre wie eine Stimme. Das heißt vielmehr, dass ich nicht alles als Zeichen deute, sondern versuche, in all den Stimmen und Eindrücken, die mich umgeben, Gottes Stimme zu hören lerne. In all dem Chaos.

Gott zu vertrauen heißt, nicht ewig wie gelähmt da zu sitzen und auf einen brennenden Dornbusch zu warten, sondern es heißt für mich persönlich, dass ich die Möglichkeiten nutze, die Gott mir gegeben hat und eben diese nicht weniger wertschätze, sondern einsetze.

Gott schenkt dir Verantwortung, er hat dich mit Vernunft beschenkt. Du hast Wünsche, Gefühle, Gedanken und Gott hat dich auch damit beschenkt. Du darfst Entscheidungen treffen! Du kannst dich informieren, du kannst Dinge überlegen und die Vor- und Nachteile abwägen. Es ist dir möglich zu überlegen, welcher Weg sinnvoller ist. Du bist in der Lage, dich selbst zu hinterfragen. Und du kannst in der Bibel nachlesen, ob deine Vorstellungen mit denen Gottes übereinstimmten. Du hast die Möglichkeit, Freunde um Rat zu fragen, denn sie sehen die Situation aus einem anderen Blickwinkel.

Sei nicht passiv, sondern aktiv! Gott schenkt dir einen Haufen voller Möglichkeiten! Sprich mit Gott immer und überall, aber erwarte nicht von ihm, dass er all deine Arbeit und Entscheidungen übernimmt! Du bist dran, du bist gefragt!

Karoline Fitz
Jugendreferentin in der CVJM Fabrik e.V., Reichenbach

Ware Mensch

Filmtitel	Die Tribute von Panem – The Hunger Games (2012)	**Material** keines
FSK	ab 12 Jahren	
Thema	Identität, Menschsein, Selbstfindung	
Passende Bibelstelle	Johannes 15,15	
Größe der Gruppe	keine Begrenzung	

Wem gehören wir eigentlich? Inwiefern tun wir das, was andere wollen, oder funktionieren so, wie andere es von uns erwarten? In der Schule, am Arbeitsplatz, in der Gemeinde, auf Facebook, in der Fußgängerzone, im Kaufhaus, durch die Medien? Wo bleibt Raum für meine ehrlichsten Gefühle und Gedanken?

Jedenfalls nicht in den alltäglichen Showrooms. Und nicht in der Arena von Panem ...

Ein Mordsspiel in der Arena

Jedes Jahr müssen 12 ärmliche Distrikte einen Jungen und ein Mädchen zwischen 12 und 18 Jahren zu den Hungerspielen in die Arena schicken. Die Spiele von Panem sind tödliche Spiele ohne Grenzen, in einer Arena, die einem riesigen überdachten „Dschungelcamp" gleicht, in der jeder Mensch jedem Mitmenschen zur Bestie, zum grausamen Killer wird: Die Spielregel besagt, dass nur einer der 24 jungen Menschen am Ende überleben und als Sieger aus diesem Mordsspiel hervorgehen kann. Ein Spektakel, das die Vorherrschaft des Landes Kapitol und seiner bunt-grellen Herrenmenschen demonstriert. Medial perfekt inszeniert.

Aus Distrikt 12 hat es in diesem Jahr die beiden 16-jährigen Katniss und Peeta erwischt, die der sogenannten „Rekrutenernte" zugeführt werden. Natürlich mit dem zynischen Wunsch: „Fröhliche Hungerspiele – und möge das Glück stets mit euch sein."

Filmsequenz 00:27:00 bis 00:32:25 zeigen.

Unmenschlich: das kahl geschorene Herz

Schöne Miene zum bösen Spiel. Das Event ist ein gigantisches Medienspektakel in ganz Panem. Selbst in der Kampfarena ist „Big Brother" allgegenwärtig: Versteckte Kameras an allen Orten, um den Spaß- und Unterhaltungshunger der gaffenden Menge zu stillen. Ware Mensch – interessant an ihm ist nur, was sich gut „verkaufen" lässt. Nicht mehr als ein Spielobjekt für das voyeuristische Publikum, das lediglich an die eigene Unterhaltung und Ablenkung denkt – nicht aber an das Hoffen, Träumen, Lachen, Weinen, Lieben und Leben ihrer Spielfiguren. Das Herz ist kahl geschoren, steht im Schaufenster der Öffentlichkeit, des Public Viewings: ihre Gefühle und Gedanken werden vermarktet, gehören nicht mehr ihnen.

Doch am Vorabend des eigentlichen Kampfbeginns spricht Peetas Herz – auch uns – ins Gewissen: „Sie verändern mich, aber ich will nicht, dass sie mich besitzen, ich will immer noch ich sein." Und das heißt hier: wirklich Mensch sein.

Auch Katniss will sich nicht verkaufen, nicht nach der Pfeife der Herrschenden tanzen. Auch sie will Mensch bleiben, sich selbst treu bleiben – und nicht morden wie eine irrsinnige Bestie. Schon immer zur Fürsorge gegenüber der eigenen jüngeren Schwester gerufen, bleibt sie der Mensch, der sie bisher war: Sie nimmt sich der 12-jährigen Rue an, dem zarten schwarzen Mädchen aus Distrikt 11. Und gemeinsam wollen sie es einer grausam wirkenden Horde Jugendlicher zeigen: Diese haben sich bis zum „Finale" erst einmal verbündet und nutzen eine Ansammlung von Lebensmitteln und Waffen auf dem Zentralplatz der Arena als tödlichen Köder für die Konkurrenten. Katniss und Rue wollen ihn zerstören.

Filmsequenz 01:30:40 bis 01:40:40 zeigen.

Der lautlose Schrei

Angesichts des tragischen Verlusts von Rue zeigt sich Katniss durch und durch als Mensch: Dem Schmerz der Verzweiflung, der Ohnmacht, der Trauer über den Tod der Anvertrauten gibt sie Raum – natürlich vor der Kamera. Dessen ist sie sich bewusst.

Ihre elementaren menschlichen Gefühlsäußerungen lassen niemanden kalt, jeder vernimmt ihre stumme Botschaft: „Wir sind Menschen, mit Haut und Haaren, Gedanken und Gefühlen – nicht nur Objekte, Spielbälle oder Kampfmaschinen. Solange wir unseren eigenen Gefühlen Raum geben, gehören wir uns – nicht ihnen!" In den Distrikten führt dieses ergreifend-menschliche Lebens- und Liebeszeichen von Mitgefühl zu Unruhen. „Ja, wem gehören wir eigentlich?"

Gott gehören – als Freund

Vor dem Hintergrund des Schaulaufens und Funktionieren-Müssens in den Arenen unserer Tage – deren Grausamkeit wohl weniger offensichtlich ist, doch deshalb noch lange nicht geringer sein muss – höre ich das beeindruckende Jesuswort ganz neu: „Ich bezeichne euch nicht mehr als Diener. (...) Ich nenne euch Freunde" (Joh 15,15 BasisBibel).

Spitzen wir ruhig nochmals die Ohren und hören auf den Klang, der sich damit entfaltet: „Freunde!" – Weit mehr als ein namenloser Knecht, weit mehr als ein Spielball oder eine (Waren-)Nummer. Weit mehr als Knochen und Wasser, ummantelt durch einen großen Fetzen Haut. Jesus würdigt mich als Freund: Gott zu gehören, macht mich nicht klein, sondern stark.

Gehöre ich zu ihm, dann darf ich sein, darf ich Ich sein, Subjekt sein, wirklich Mensch sein. Das, was mich ausmacht, wird nicht verneint und auch nicht schonungslos begafft. Diese Zugehörigkeit schenkt Freiheit: Ich bin nicht länger „Ware Mensch" und tanze nach der Pfeife anderer, sondern werde ein freier und mutiger Mensch inmitten einer Gesellschaft, die nach stromlinienförmigen Typen giert.

Und so fragen Katniss, Peeta und ich: Wem gehörst eigentlich du?

Steffen Kaupp
Projektreferent für Milieusensible Jugendarbeit und Alternative Gottesdienste im Ev. Jugendwerk in Württemberg, Stuttgart

Alles unter Kontrolle

Filmtitel	Die Truman Show (1998)	**Material**
FSK	ab 12 Jahren	Filmprotokoll
Thema	Freiheit, Gott, Sehnsucht, Vertrauen	(siehe Seite 114),
Passende Bibelstelle	Psalm 139	Hintergrundmusik
Größe der Gruppe	keine Begrenzung	

Hinweis: Der Film wird in Ausschnitten gezeigt. Im Filmprotokoll auf Seite 114 wird aufgeführt, welche Szenen gezeigt und welche erzählt werden. Zu Beginn gibt es eine Einführung in den Film. Die Predigt wird am Schluss des Films gehalten. Sie kann anstelle des Abspanns erfolgen. Grundsätzlich ist es sinnvoll, dass vor dem Impuls Instrumentalmusik gespielt wird, damit die Zuschauer Gelegenheit haben, aus dem Film herauszutreten.

Als (gemeinsame) Psalmlesung innerhalb des Gottesdienstes sollte Psalm 139 eingebaut werden.

Einführung

Als Christen glauben wir daran, dass Gott in Jesus Mensch geworden ist. Er, der Schöpfer des Universums, der nach unserem Verständnis alles in der Hand hält, kommt in die Welt, wird Mensch – ganz elend, nackt und bloß. Gott kommt uns Menschen nahe und schenkt uns Geborgenheit – eine schöne Vorstellung von Gott. Doch da ist auch noch die andere Vorstellung, die Angst macht: Gott, der Allmächtige, der an den Strippen dieser Welt zieht, der alles sieht und beobachtet und bei Gelegenheit die Menschen bestraft. Eine Vorstellung, die verletzt und Menschen krank machen kann.

Der Film „Die Truman Show" fordert uns heraus, über unsere Vorstellung von Gott nachzudenken und darüber, was uns zu „wahren Menschen" macht.

Truman Burbank ist der bekannteste Mensch des Planeten. Von Geburt an im Mittelpunkt einer Fernsehshow, vollzieht sich sein Leben in Seahaven, einer gigantischen künstlichen Welt, die von einer großen Kuppel überspannt wird. Millionen von Fernsehzuschauern wissen alles über ihn und beobachten ihn in allen Lebenslagen, ohne dass er zunächst das Geringste davon ahnt. Er ist der unfreiwillige Hauptdarsteller einer gigantischen Soap Opera.

Erst als sich die Unstimmigkeiten in seinem Leben häufen (zum Beispiel fällt ihm einmal aus heiterem Himmel ein Scheinwerfer vor die Füße), schöpft er den Verdacht, dass es hinter dem, was ihm als fraglos echt erscheinen musste, eine andere Wirklichkeit gibt. Seine Versuche, diesen Verdacht gegenüber seiner Frau Meryl und seinem besten Freund Marlon zu artikulieren, führen ihn zu der Erkenntnis, dass auch sie Teil eines großen Täuschungszusammenhangs sind.

Truman ist ein Gefangener. Der Film „Die Truman Show" zeigt uns die Geschichte seiner Befreiung.

Seine Geschichte wirft Fragen auf – nach unserer Entwicklung, nach unseren Sehnsüchten, Prägungen, Vorstellungen und Erfahrungen und nach unserer Vorstellung von Gott.

Am Anfang steht eine Welt der Sicherheit und des Vertrauens. Diese Welt wird zunehmend in Frage gesellt. Folgen wir Truman auf seinem Weg.

Filmsequenzen gemäß Filmprotokoll zeigen bzw. erzählen.

Impuls

Die Truman Show ist eine Befreiungsgeschichte: Truman wird zu einem True-Man, einem wahren Menschen. Auch wenn die bisherige Welt um ihn herum noch so schön war – sie hat ihn daran gehindert „sein" Leben zu leben. Am Ende geht Truman durch die Tür, die ihn in die Freiheit führt – auch wenn er nicht weiß, wohin ihn dies führen wird.

Die Truman Show thematisiert die großen Sehnsüchte unserer Gegenwart: Die Menschen wollen in einer Welt, in der alle ein nahezu identisches Leben zu leben scheinen, sie selbst und etwas Besonderes sein. Und sie versuchen mit allen Mitteln, zur Wirklichkeit des eigenen Lebens durchzudringen. Es gibt einen großen Hunger nach Wahrheit, Wirklichkeit und Freiheit.

Andere Menschen haben Regie über das Leben von Truman geführt – jetzt will er eigene Schritte machen. Im Grunde unternimmt jeder Mensch die Reise, die Truman machen muss: Jugendliche, die die vorgegebene Welt um sie herum in Frage stellen, sich von ihren Eltern lösen und eigene Schritte gehen, die nicht immer vorgegeben sind. Erwachsene, die in vorgefertigten Bahnen leben und sich trotzdem fragen, ob es nicht noch mehr gibt. Menschen, die sich nicht damit zufrieden geben, dass alles um sie herum von anderen Menschen oder Umständen vorgegeben wird. Wir werden herausgefordert darüber nachzudenken, wer oder was unser Leben bestimmt und steuert – und so stellt sich unweigerlich die Frage nach dem Schöpfer – im Film Christof – und seiner Beziehung zu seinem Geschöpf.

So kritisiert Regisseur Peter Weir durch den Film zu Recht die Vorstellungen, in denen Gott als alles bestimmender Gewaltherrscher erscheint, der immer und überall die Strippen zieht und seinen Geschöpfen keinerlei Freiräume einräumt. Dieser Gott ist nur ein Mensch mit einer Allmachtsfantasie. Weir kritisiert in der Gestalt des Christof sowohl die menschliche Selbstüberhöhung, die sich die totale Kontrolle über die Welt anmaßt, als auch Weltvorstellungen, in denen Gott als alles bestimmender Gewaltherrscher erscheint, der seinen Geschöpfen keinerlei Freiraum einräumt – ganz anders übrigens als der Gott, der uns bei Silvia gezeigt wird. Als man sieht, wie sie in einer Szene am Schluss Gott darum bittet, Truman zu helfen, wird etwas deutlich von Gott, der uns Menschen befreit und uns nicht gefangen hält.

Sowohl die menschliche Überheblichkeit in unterschiedlichen Ausformungen als auch religiöse Konzepte, die Gott weiterhin als obersten Marionettenspieler begreifen, sind weit verbreitet. Beide halten Menschen gefangen.

Gott als der, der alles sieht und kontrolliert?

Psalm 139,1-10.15-16 (gemeinsam) lesen.

Man könnte fast meinen, der Drehbuchautor von „Die Truman-Show" hat Psalm 139 teilweise wortwörtlich übernommen.

Ist Gott einer, der uns überwacht und kontrolliert? Ist Gott einer, der die Strippen zieht wie bei einer Marionette? Es sind durchaus zwiespältige Gefühle, die man beim Lesen dieses Psalmes bekommen kann – je nachdem, wie unser Gottesbild geprägt worden ist.

Ganz anders versteht der Psalmbeter seine Beziehung zu Gott. Er fühlt sich in Gott geborgen. Bei ihm ist er in Sicherheit. Das engt ihn nicht ein, das schenkt ihm Freiheit. Auch wenn er in Schwierigkeiten ist, wenn sich alles gegen ihn stellt: Er ist nicht allein. Gott ist für ihn da. Nicht als einer, der einfach die Fäden zieht. Gott gibt uns die Möglichkeit, unser eigenes Leben zu leben und dabei auch schlechte Erfahrungen zu machen. Gott räumt nicht alle Steine aus dem Weg, bevor wir kommen. Er hilft uns, wenn wir die Steine nicht allein tragen können und nicht mehr weiter wissen.

Wir sind Geschöpfe Gottes – keine Marionetten.
Wir sind geschaffen nach seinem Bild, nach seinen Vorstellungen
– nicht nach den Vorstellungen anderer Menschen.
Wir sind geschaffen zur Freiheit – aus der Beziehung zu Gott heraus.
In dieser Beziehung werden wir zu „wahren Menschen".

Martin Burger
Landesjugendreferent für Jugendpolitik und Freiwilligendienste
im Ev. Jugendwerk in Württemberg, Stuttgart

Filmprotokoll zu „Die Truman Show“

(E) = erzählen, (Z) = zeigen

Kapitel 1 bis 5 (Z)	Truman wird vorgestellt, wir erfahren etwas über sein Leben, seine Familie. Doch alles ist nur eine gigantische Fernsehshow, bei der nur er nicht weiß, welche Rolle er spielt.
Kapitel 6 bis 7 (E)	Truman begegnet dem Schauspieler, der seinen Vater dargestellt hat. Dies bringt ihn ziemlich durcheinander. Er spricht mit seiner Mutter über den Tod seines Vaters. Sie meint, dass er nur durcheinander sei und ein schlechtes Gewissen habe. Sie hat ihm nie die Schuld am Tod des Vaters gegeben und werde das auch in Zukunft nicht tun. In einer anderen Szene wird die Geschichte seiner großen Liebe Silvia erzählt. Sie wollte Truman über die Show aufklären und wurde daraufhin aus der Sendung genommen. Truman sagt: „Sie sind sie losgeworden, aber die Erinnerungen sind sie nicht losgeworden.“
Kapitel 8 (Z) 00:28:16 bis 00:35:26	Es ist ein wie ein Traum inszenierter Augenblick, als Truman durch zufällig mitgehörte und auf ihn bezogene Regieanweisungen im Radio irritiert über einen Platz in Seahaven geht und seine Welt plötzlich in neuem Licht sieht. Er beginnt ihr zu misstrauen: sie ist unwirklich. Alles bislang Vertraute erscheint ihm „ver-rückt“. Das Wirkliche hat seine Selbstverständlichkeit verloren.
Kapitel 9 bis 15 (E)	Truman will Seahaven verlassen. Er unternimmt einen ersten Fluchtversuch zusammen mit seiner Frau. Er schlägt fehl. Alles mögliche stellt sich ihm ihn den Weg – Unfälle, Feuer –, alles wird ihm in den Weg gelegt, damit er nicht heraus kann. Er tut ungewöhnliche Dinge, die nicht zu seinem Alltag gehören und versetzt damit das Fernsehteam ganz schön in Aufregung. Immer wieder sieht man, wie im Regieraum über der Kuppel die Strippen gezogen werden. Dies geht soweit, dass eine Begegnung mit dem vermeintlich toten Vater inszeniert wird, um Truman zu beruhigen.
Kapitel 16 (Z) 00:58:37 bis 01:07:04	Man bekommt Einblicke in die Hintergründe der Show. In der Sendung „True Talk“ wird ein Exklusivinterview mit dem Macher der Sendung gezeigt.

Kapitel 17 bis 18 (E)	Endlich ist es soweit. Truman schafft es, unbemerkt von den Kameras, allein zu fliehen. Eine große Suchaktion wird gestartet. Truman überwindet seine Angst vor dem Wasser und fährt mit einem Segelboot davon.
Kapitel 19 bis 23 (Z) 01:17:45 bis 01:32:04	Im Regieraum wird verzweifelt versucht, Truman zu finden. Auf „hoher See" wird er aufgespürt. Christof spricht mit ihm, sagt, dass er sein Schöpfer sei und er ihn besser kenne als er sich selbst. Er gehöre zu ihm. Der Versuch, Truman an der Flucht zu hindern, scheitert. Truman steigt aus dem Boot aus.

Für dich tausendmal

Filmtitel	Drachenläufer (2007)	**Material**
FSK	ab 12 Jahren	keines
Thema	Entscheidung, Freundschaft, Gnade, Schuld, Vergebung	
Passende Bibelstelle	1. Johannes 1,8.9	
Größe der Gruppe	keine Begrenzung	

Die Geschichte

„Tausendmal, für dich tausendmal!" So ruft es der erwachsene Amir in den Wind und rennt hinter dem Drachen her, um ihn für seinen Adoptivsohn Suhrab zu fangen. Mit dieser Szene endet der Film „Drachenläufer" über die Freundschaft der beiden Jungen Amir und Hassan. Über die jüngere Geschichte Afghanistans und die Machtergreifung der Taliban. Über Schuld, Buße und Vergebung.

Der Film beginnt etwa 30 Jahre früher in Afghanistan. Amir und Hassan leben im Kabul der 70er-Jahre und haben auf den ersten Blick wenig gemeinsam: Hassan und sein Vater Ali gehören der Volksgruppe der Hesare an und arbeiten als Diener bei Amir und seinem Vater, den alle Baba nennen, einem Großbürger von Kabul. Amir liest viel und schreibt gern kleine Geschichten, während Hassan weder lesen noch schreiben kann. Trotzdem verbindet beide eine tiefe Jungenfreundschaft. Amir liest Hassan Geschichten vor und Hassan führt Amir in die Kunst des Drachenfliegens ein. Ein Tag verändert alles: Es findet ein wichtiger Wettkampf im Drachenfliegen statt, an dem Amir und Hassan gemeinsam teilnehmen.

Filmsequenz 00:27:00 bis 00:31:40 zeigen.

Dieser Tag verändert alles. Amir geht Hassan aus dem Weg. Hassans Gegenwart erinnert ihn an seine Schuld, sein Versagen. Sein schlechtes Gewissen ist unerträglich. Die enge Freundschaft der beiden Jungen ist zerstört und Amir behandelt Hassan wie einen Diener. Hassan erträgt diese Kränkung zunächst tapfer. Als Amir ihn jedoch als Dieb dastehen lässt, verlassen Ali und er Amir und Baba. Doch die Abwesenheit von Hassan bringt für Amir nicht die erhoffte Erleichterung. Es nagt weiterhin an ihm und lässt ihn nicht los.

Es lässt ihn nicht mehr los

Du kennst das vielleicht auch: wenn wir nicht im Reinen sind mit uns und mit anderen, dominieren uns die Gedanken daran und kommen immer wieder hoch. Bilder und Worte lassen uns nicht los. Wir verändern uns. Wir misstrauen uns und anderen Menschen, sind nicht mehr frei.

Wenn wir einmal gelogen haben, zieht das oft weitere Lügen nach sich, damit die eine Lüge nicht aufgedeckt wird. Wir gewöhnen uns daran und reden uns ein, dass es so normal ist. Tief in uns drin wissen wir aber, dass es nicht normal ist. Dass wir befreit und glücklich sein würden, wenn diese eine Sache aus dem Weg geräumt wäre. In der Bibel ist von Sünde die Rede. Sünde ist nach christlichem Verständnis eine bewusste Abkehr von Gottes gutem Willen, ein Misstrauen Gott gegenüber, ein Zulassen des Bösen. Das heißt, die Sünde steht nicht nur zwischen uns und den anderen, sondern auch zwischen uns und Gott.

Im Film wird deutlich, dass Amir seine Taten auch als erwachsenen Mann noch beschäftigen. 20 Jahre später lebt er als Schriftsteller in den USA und ist verheiratet mit Soraya. Sie ist genauso wie er nach der russischen Invasion 1979 aus Afghanistan geflohen. Afghanistan scheint weit weg. Bis Amir einen Anruf eines alten Familienfreundes mit Informationen über Hassans Verbleib bekommt: Hassan und seine Frau wurden von den Taliban umgebracht und haben ihren Sohn Suhrab hinterlassen, der jetzt in einem Waisenhaus in Kabul lebt.

Amir erkennt die Möglichkeit, sein Versagen von damals wieder gutzumachen, indem er Suhrab zu sich nach Amerika holt. Es beginnt eine Reise durch ein völlig verändertes Afghanistan: die Taliban regieren und üben ihre Macht willkürlich aus. Was Amir erlebt, ist wie eine Reise in die Hölle: Angst regiert die Menschen, besonders Frauen werden unterdrückt. Er beobachtet wie in einem Stadion vor den Augen der Zuschauer eine Frau gesteinigt wird. Unter Einsatz seines Lebens gelingt es Amir, Suhrab mit nach Pakistan zu nehmen. Doch am Morgen nach ihrer Ankunft dort ist Suhrab verschwunden. Die verzweifelte Suche nach ihm ist verbunden mit einem innerlichen Schuldbekenntnis.

Filmsequenz „Suche nach Suhrab“ (01:45:10 bis 01:48:10) zeigen.

Von Schuld und Gnade

Amir ist an einem Punkt angekommen, an dem er seine Schuld eingesteht und sich nichts mehr vormacht. In dem Lied in der Filmsequenz heißt es „I turn to you my heart full of shame, my eyes full of tears" – „Ich komme zu dir, mein Herz voller Scham, meine Augen voller Tränen“. Amir hat bisher gegen sein schlechtes Gewissen gekämpft und versucht, seine Vergangenheit zu verdrängen. Jetzt gibt er den Kampf auf. Er bereut zutiefst sein Verhalten und bittet um Vergebung. In der Bibel steht in 1. Johannes 1,8.9 (BasisBibel): „Wir betrügen uns selbst, wenn wir behaupten: ‚Uns trifft keine Schuld!‘ Dann ist die Wahrheit nicht in uns am Werk. Wenn wir aber unsere Schuld eingestehen, ist Gott treu und gerecht: Er vergibt uns die Schuld und reinigt uns von allem Unrecht.“ Gott gibt uns die Zusage, dass wir nicht mit unserer Schuld leben und sie unser ganzes Leben mit uns herumtragen müssen. Wenn wir sie wirklich bereuen und sie ihm nennen und um Vergebung bitten, dürfen wir uns sicher sein, dass er sie uns vergibt und wir ein neues Leben beginnen dürfen. Das gilt für die ganz kleinen Dinge und für die ganz großen. Das gilt für das, wo ich heute Schuld auf mich geladen habe, und für das, was ich vielleicht schon seit Jahren mit mir herumschleppe. Das gilt, wenn ich nicht die Wahrheit gesagt habe, wenn ich mich mal wieder nur um mich gedreht habe, anstatt die Menschen um mich herum wahrzunehmen, wenn ich andere verletzt und ihnen Unrecht getan habe und für noch viel mehr. In der Bibel steht dafür das Wort „Gnade“. Es bedeutet, dass wir es eigentlich anders verdient hätten, dass wir eigentlich für das bestraft werden müssten, was wir getan haben. Aber Gott bestraft uns nicht, sondern vergibt uns, wenn wir ihn darum bitten.

Im Film nimmt diese Szene, in der Amir seine Schuld bekennt, eine positive Wendung: Suhrab wartet auf ihn vor der Wohnungstür. Völlig unverdient. Ein Geschenk. Pure Gnade. Ein neues Leben beginnt für Amir und für Suhrab. Amir wird Vater, Vater des Sohnes, dessen Vater er betrogen hat. Suhrab wird Sohn, er, der keine Eltern mehr hat, findet eine Familie. Ein neues Leben. Ein Leben, in dem so manche Narbe der Vergangenheit noch sichtbar und spürbar ist. Ein Leben, gezeichnet von Schuld und Gnade.

Und du?

Wann hörst du auf zu kämpfen?
Wann legst du Gott dein Leben so hin, wie es Amir in der Moschee getan hat?
Wann hörst du auf, dich selbst zu betrügen, dass doch alles in Ordnung ist, so wie es ist?
Wann hörst du auf wegzulaufen, vor dem, was dein Leben bestimmt? Tief in dir.

Nicht jeder hat so eine Drachenläufergeschichte erlebt. Aber diese Geschichte kann uns zeigen, dass Schuld und Sünde unser Leben bestimmen. Auch wenn wir neu anfangen, an einem anderen Ort.

Der einzige Weg ist, dass wir Gott die Regie überlassen und uns seine Vergebung zusprechen lassen. Der Weg durch die Hölle der Vergangenheit wird uns dabei nicht immer erspart bleiben. Aber Gott verspricht, dass er treu und gerecht ist, dass er uns die Sünden vergibt und uns reinigt von aller Ungerechtigkeit. Ich lade dich ein, heute einen Anfang zu machen. Heute aufzuhören gegen die Macht der Vergangenheit zu kämpfen. Lass dir helfen und mach die Tür für Gott auf. Für seine Liebe und seine Barmherzigkeit. Dreh dich um zu Gott und lass es zu, dass seine Wärme dein Herz weich macht.

„Tausendmal, für dich tausendmal!" So ruft es der erwachsene Amir in den Wind und rennt hinter dem Drachen her, um ihn für seinen Adoptivsohn Suhrab zu fangen. Damit endet der Film. Und damit beginnt ein neues Leben. Kein Leben ohne Probleme. Aber ein Leben mit der Gewissheit, einmal das Richtige getan zu haben. Ein Leben mit der Gewissheit, dass Sünde und Schuld nicht auf ewig unser Leben bestimmen müssen. Ein Leben mit der Gewissheit, dass auch erwachsene Männer wie kleine Kinder Drachen nachjagen können. Ein Leben voll Leben inmitten von Leben. Ein Leben, Gott sei Dank! Tausendmal für dich! Tausendmal für dich. Tausendmal für dich!

Kartini Setzer
Beraterin und pädagogische Referentin bei
Impuls Soziales Management, Fuldabrück

Jan-Daniel Setzer
Pfarrer in der Ev. Kirche von Kurhessen-Waldeck, Fuldabrück

Das Ende der Welt

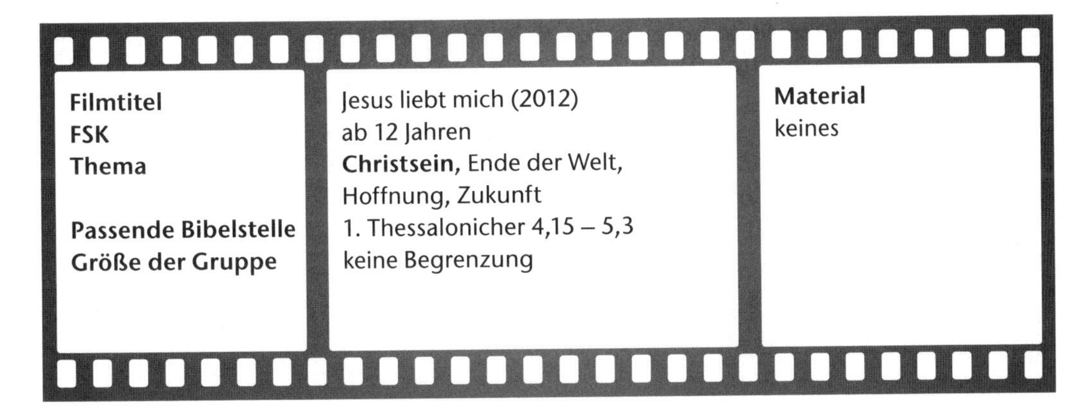

Filmtitel	Jesus liebt mich (2012)	**Material**
FSK	ab 12 Jahren	keines
Thema	**Christsein,** Ende der Welt, Hoffnung, Zukunft	
Passende Bibelstelle	1. Thessalonicher 4,15 – 5,3	
Größe der Gruppe	keine Begrenzung	

Filmsequenz „Jesus kommt wieder auf die Erde" (00:09:00 bis 00:19:20) zeigen.

Der Filmausschnitt zeigt, wie es wäre, wenn Jesus heute wieder auf die Erde kommen würde. Jesus, der Sohn Gottes, der vor 2000 Jahren schon einmal auf der Erde war. Auf ihn geht die christliche Kirche zurück, das Neue Testament erzählt von ihm und auch unsere Gesellschaft hat sich seine ethischen Weisungen zum Teil angeeignet.

Der Gedanke klingt ja zunächst super. Gottes Sohn hier auf der Erde persönlich treffen? Ich denke, jeder hier wüsste sofort mindestens eine Frage, die er gern einmal von höchster Stelle beantwortet hätte: Warum lässt Gott das Leid zu? Wie war das mit der Schöpfung? Wie lebe ich richtig? Wie würde sich Jesus verhalten? Was würde er zu unserer Politik sagen? So verlockend das Gedankenspiel zunächst ist, so schnell wird es vernichtet, wenn man in die Bibel schaut. Denn Jesus wird das nächste Mal auf die Erde kommen, um das Ende der Welt zu bringen. Im Filmausschnitt kündigt Jesus das Ende der Welt für nächsten Dienstag an. Da bleibt nicht viel Zeit für ein Gespräch mit Jesus, denn dann quälen uns andere Sorgen.

Aber wie ist das eigentlich mit dem Ende der Welt? Was sagt die Bibel dazu? Müssen wir ständig in der Angst leben, dass die Welt untergehen könnte? Und was kommt danach?

Der richtige Zeitpunkt für das Ende der Welt

Die Frage des Weltuntergangs ist nicht neu. Schon die ersten Christen haben sich mit der Frage beschäftigt, was passiert, wenn die Welt untergeht, und was mit den Menschen geschieht, die noch leben; und auch mit denen, die bis dahin gestorben sind.

Paulus, einer der ersten christlichen Theologen, tröstete seine Mitchristinnen und -christen in 1. Thessalonicher 4,15-18 mit folgenden Worten:

1. Thessalonicher 4,15-18 lesen.

Paulus ist der Meinung, dass es ganz schön zur Sache gehen wird, wenn Jesus wieder in Richtung Erde kommt. Zunächst sollen die toten Christen auferstehen und anschließend geht es direkt in einem Wolkenaufzug mit allen lebenden Christen hoch in den Himmel. Danach wird die Welt zerstört.

Ist das jetzt ein freudiges Ereignis oder ein trauriges? Sollen wir uns auf den Tag freuen, wenn Jesus wiederkommt und die Welt richtet? Die, die er für würdig hält, nimmt er mit, und die anderen gehen verloren.
Ganz schön krass, was hier die Bibel schreibt. Noch krasser wird es, wenn man in die Offenbarung des Johannes schaut. Das ist das allerletzte Buch in der Bibel und das hat auch seinen Grund: Die 22 Kapitel handeln davon, wie sich der Verfasser das Ende der Welt vorstellt. Der Fachbegriff für den Weltuntergang heißt in der Religion „Apokalypse". Das Wort kommt aus dem Griechischen und bedeutet „Enthüllung" oder „Entschleierung". Das Ende der Welt wird quasi enthüllt und Gottes endlicher Plan mit der Welt offenbar.
In der Offenbarung wird ganz detailliert und in schillernden Farben beschrieben, wie das mit dem Weltuntergang und dem jüngsten Gericht vonstatten gehen soll. Das liest sich wirklich wie eine Schlacht in einem Science Fiction-Roman aus dem 2. Jahrhundert nach Christus.

Und weil sich schon immer Menschen mit dem Weltuntergang beschäftigt und sich gefragt haben, wann es soweit ist, wurde ständig versucht, den Weltuntergang vorherzusagen und die Zeichen, die die Offenbarung beschreibt, auf die aktuelle Zeit zu deuten. Im Nationalsozialismus wurde z. B. behauptet, das Tausendjährige Reich wäre angebrochen und das Ende der Welt stünde kurz bevor; mit dieser Aussage wurde die Ideologie begründet. Oder die Zeugen Jehovas erheben den Anspruch, das Ende der Welt vorherzusagen. Bis zum heutigen Tage lag keiner mit seiner Behauptung richtig. Das ist eigentlich ganz beruhigend zu wissen. Warum sollte dann ausgerechnet in unserer Zeit jemand mit seinen Deutungen zum Weltuntergang Recht haben?
Falls dir also jemand den Weltuntergang für nächsten Dienstag voraussagt, dann wird er mit allergrößter Wahrscheinlichkeit daneben liegen. Ihr könnt euch am Mittwoch darauf zum Kaffee verabreden, um Zukunftspläne zu schmieden.

In der Bibel beschreibt Paulus in der Fortsetzung des obigen Textes aus dem ersten Thessalonicherbrief eine ähnliche Folgerung:

1. Thessalonicher 5,1-3 lesen.

Den Untergang der Welt kann man nicht vorhersagen und auch nicht herbeiführen. Nur Gott allein weiß, wann der Zeitpunkt dafür da ist. Und ist es nicht vermessen zu behaupten, dass man als kleiner Mensch die Pläne des großen Gottes kennt und deuten kann? Ich glaube nicht, dass das jemand kann.

Angst oder Hoffnung

Nachdem die Frage nach dem Zeitpunkt für das Jüngste Gericht nun geklärt ist, steht noch die Frage im Raum, ob es sich lohnt, vor diesem Tag Angst zu haben oder ob es eine Hoffnung gibt. Jesus wird im Film als begeisterungsfähig und gutmütig dargestellt, trotzdem schämt sich Gabriel vor ihm, denn ihm wird bewusst, was alles nicht ganz so toll läuft in seinem Leben. Schnell versucht Gabriel seine Wohnung noch aufzuräumen, seine Haare zu richten und die leeren Schnapsflaschen zu verstecken, bevor er Jesus in seine Wohnung lässt. Wirklich gelungen ist ihm diese Hauruckaktion nicht. Aber Jesus tritt trotzdem in sein Haus ein. Man könnte ja meinen, dass er Gabriel dafür tadelt. Aber nein! Er nimmt das einfach so hin. Später im Film, als Gabriel und Jesus bei einem Essen eingeladen sind und es nur Wasser zu trinken gibt, verhilft Jesus Gabriel sogar zu seinem Wein, indem er das Wasser im Glas in Wein verwandelt.

Marie führt im Laufe des Films einen kurzen Lebenswandel durch. Sie verkauft ihren ganzen Besitz, so wie es Jesus im Neuen Testament fordert, und spendet ihr ganzes Geld an Hilfsorganisationen, unterstützt ein Kind in Afrika und rettet die Pandabären vor dem Aussterben. Auch ihr äußerliches Erscheinungsbild verändert sich. Statt modischer Klamotten kauft sie sich biedere, altbackene Kleider. Sie erhofft sich dadurch bessere Chancen am kommenden Dienstag beim Jüngsten Gericht.

Wer ist dieser Jesus, dass er am Jüngsten Gericht richtet? Sollte man vor ihm Respekt, vielleicht sogar Angst haben?

Im Neuen Testament wird beschrieben, dass Menschen in der Gegenwart Jesu ihr Leben noch einmal anders betrachten. Sie werden sich bewusst, was nicht gut war, und finden ihn so beeindruckend, dass sie nach seinem Beispiel leben wollen. Jesus schaut Leute an, die von der Gesellschaft nicht beachtet oder abfällig angeschaut werden. Im Film geht Jesus auf die Obdachlose im Rollstuhl zu. Er muss sich nicht überwinden, die Ausgestoßenen anzufassen oder ihnen näher zu kommen, sondern der Umgang mit ihnen ist ganz natürlich für ihn.
Im Neuen Testament wird beschrieben, dass Jesus durch das Land gewandert ist und an vielen verschiedenen Stellen den Menschen das genommen hat, was sie von der Gesellschaft trennte. Er versuchte, das auch als Verhaltensmuster an seine Schüler zu vermitteln. Er forderte dazu auf, alle Menschen zu lieben und hilfsbereit zu sein, wo immer dies möglich ist. Aber Forderungen stellen ist nicht so schwer wie diesen auch nachzukommen. Deswegen zeigte er auch gleich, wie man diese Forderungen ganz praktisch ausführen kann. Anders als im Film wird die Liebe in der Bibel nicht mit der erotischen Liebe zwischen Mann und Frau beschrieben, sondern eher mit einer freundschaftlichen oder fürsorglichen Liebe. In diesem Punkt müsste Jesus uns wahrscheinlich noch heute einiges beibringen.

Vielleicht würde sich aber diese Fürsorge und Hilfe Jesu heute nicht nur auf Obdachlose beziehen und er würde ihnen nicht unbedingt die Füße waschen. Es wäre eine Möglichkeit, einen einsamen Menschen zu sich an den Tisch einzuladen oder einen Krebskranken zu heilen. Vielleicht wäre es für uns ein Wunder, wenn jemand das Medikament gegen Aids erfinden würde, ohne dass er jemals studiert hätte.

Es gibt viele Möglichkeiten, wie Jesus die Menschen lieben kann, ohne genau das zu tun, was in der Bibel beschrieben ist oder im Film dargestellt wird. Besondere Verhaltensweisen als k.o.-Kriterien anzulegen, ist eher schwierig, weil wir ja damit in gewisser Weise Jesus oder Gott festlegen würden. Auch als Jesus das erste Mal auf der Erde war, gab es verschiedene Ansichten. Die Christen glaubten, dass Jesus der Erlöser sein konnte, obwohl er nicht das politische Regime stürzte und die Welt mit einem Schlag veränderte. Die Juden gingen im Gegensatz dazu davon aus, dass der Messias nicht durch einen gewaltsamen, entwürdigenden Tod am Kreuz sterben konnte. Wenn wir also davon ausgehen, dass Jesus nur so wiederkommen kann, wie wir ihn uns vorstellen, liegen wir damit möglicherweise falsch.

[**optional:** Der Film beschäftigt sich an einer Stelle ebenfalls damit, dass wir uns Gott zwar vorstellen müssen, aber wir damit nie ganz richtig liegen:

Filmsequenz „Gottesbild" (01:19:40 bis 01:20:35) zeigen.

Bevor Marie mit Gott redet, bekommt sie ein Buch und kann sich die Erscheinungsform Gottes heraussuchen. Es gibt dabei ganz unterschiedliche und Gott lässt sich nicht auf eine einzelne festlegen. Er will Marie aber auch nicht vor den Kopf stoßen, indem er ihr so begegnet, dass sie sich vor ihm erschreckt. Vielleicht dürfen wir, jeder für sich, eine eigene Vorstellung von Gott haben. Dein Nachbar stellt sich Gott vielleicht als liebevolle Mama vor, weil es ihm gut tut; und deine Schulfreundin vielleicht als strengen Chef. Sie beide haben irgendwo Recht, Gott wird in der Bibel als die Liebe beschrieben, aber auch als strenger Richter. Möglicherweise kann der eine sich selbst akzeptieren, weil er weiß „ich bin angenommen von Gott" und die andere braucht Regeln in ihrem Leben, um sich daran festzuhalten und zu wissen „das Eine ist richtig und das Andere ist falsch".
Jesus begegnet im Film Marie und Gabriel auch unterschiedlich. Marie ist nicht zufrieden mit ihrem Leben und in der Gegenwart Jesu gelingt es ihr, sich zu verändern und ein neues Leben zu beginnen. Gabriel dagegen wird von Jesus so akzeptiert, wie er ist. Obwohl Jesus sich einen anderen Lebensstil für ihn vorstellen könnte.]

Unabhängig davon, wann die Welt untergeht, wie Gott aussieht oder in welcher Gestalt Jesus wiederkommt, trifft die Bibel eine eindeutige Aussage: Gott liebt uns, auch wenn er unsere Fehler sieht. Wenn wir sie vor ihm zugeben, dann vergibt er sie uns sogar. Es kommt bei ihm nicht auf Werke an oder auf Aussehen. Das macht Jesus Marie deutlich, als sie alles verkauft hat, um besser vor ihm dazustehen. Er sieht Marie mit anderen Augen als wir Menschen, mit diesen Augen sieht er auch die Frau im Rollstuhl oder die Menschen am Rand der Gesellschaft. Jesus liebt mich. Und dich. Müssen wir uns vor jemandem fürchten, der sagt: „He, ich liebe dich so, wie du bist!"?

Ich glaube, wir haben viele gute Gründe, uns nicht vor dem Weltuntergang zu fürchten. Zum einen wissen wir eh nicht, wann er stattfindet, wir wissen nicht, wie er genau ablaufen wird. Wir können aber ahnen, wer dann, wenn es soweit ist, entscheidet, wie es mit der Welt und uns weitergeht. Und das lässt uns hoffen.

Ulrike Ambacher und Lukas Golder
Theologiestudenten an der
Christian-Albrechts-Universität in Kiel,
Tübingen und Plüderhausen

Gemeinsam unterwegs

Filmsequenz 00:00:23 bis 00:03:52 zeigen.

Darf ich vorstellen? Olive. Olive Hoover.

Olive Hoover ist ein siebenjähriges Mädchen, das in Albuquerque, Amerika, lebt. Olive hat einen Traum: Sie möchte einen Schönheitswettbewerb gewinnen. Sie trainiert täglich zusammen mit ihrem Großvater ihre Choreografien: Lächeln, Gehen, Tanzen. Bei den regionalen Misswahlen hat sie bereits den zweiten Platz belegt. Durch einen glücklichen Zufall wird sie nachträglich zur „Little Miss Sunshine" gekürt und darf somit an der bundesweiten Schönheitswahl von Kalifornien teilnehmen. Und damit beginnt ein wunderbarer Road-Trip-Movie.

Familie Hoover

Mit dabei sind: Mutter Hoover, die sich stets um das Wohl ihrer Familie sorgt. Vater Hoover, der ein „Neun-Stufen-Modell" zum Erfolg entwickelt hat. Opa Hoover, der Olive trainiert, viel flucht und Drogen nimmt. Bruder Dwayne, der gern Testpilot werden möchte, täglich trainiert und ein Schweigegelübde dafür abgelegt hat. Und Onkel Frank, der einen misslungenen Selbstmordversuch hinter sich hat. Das Problem ist, dass sich Familie Hoover nicht immer einig ist.

Und damit können wohl die meisten übereinstimmen: Mit seiner Familie unterwegs zu sein, ist nicht immer so leicht und oft ziemlich peinlich. Das fängt bei Kleinigkeiten an: Wer von den Kindern darf auf dem Beifahrersitz Platz nehmen, wenn nur ein Elternteil mitfährt? Welche Musik wird im Auto gehört? Und die ständige Frage: Sind wir schon da? Das Schlimme ist, dass es nicht beim Unterwegssein bleibt, sondern dass sich die kleinen Streitigkeiten überall ergeben. Beispielsweise der Streit um die Fernbedienung, die größte Portion Nachtisch oder die Aufteilung der Zimmer. Natürlich gelten die Rechte des Stärkeren. Wer sich durchsetzt, hat gewonnen und wer nachgibt, war nicht schlauer, sondern hat verloren – zumindest ist das oft so unter Geschwistern.

Ähnlich ist es auch im Film „Little Miss Sunshine". Ein ständiges Durchsetzen und Zurückstecken. Als Olive erfährt, dass sie nachträglich zur „Little Miss Sunshine" gekürt wurde, ist die Freude groß. Sie darf somit zur weiteren Miss-Wahl nach Kalifornien reisen. Doch die Umstände der Familie machen es schwierig. Mit dem Flugzeug zu reisen wäre zu teuer, mit dem Bus kann die Mutter nicht fahren, weil er keine Automatikschaltung hat, also kommt Olives Vater mit. Opa Hoover kommt natürlich als Trainer mit. Doch dann wäre Dwayne mit dem selbstmordgefährdeten Onkel allein zu Hause. Also muss Dwayne zurückstecken und einwilligen, samt Onkel Frank mitzukommen. Und so macht sich diese durchgeknallte Familie auf den Weg.

Oft sucht man sich in seinem Leben die Reisegefährten nicht aus. Das trifft auf die Mitschüler, auf die Familie und auf die Menschen zu, die einem im Alltag begegnen (im Verein, in der Gemeinde usw.). Jeder bringt seine kleinen Macken mit und macht es damit den Mitmenschen und vor allem den Familienmitgliedern schwer. Wir sind umgeben von Menschen, die eben (auf den ersten Blick) nicht unseren Wünschen entsprechen. Wenn wir hätten wählen dürfen, dann sähe es – so nett hier alle sind – vermutlich heute hier anders aus. Gott scheint Gefallen daran gefunden zu haben, uns in die unterschiedlichsten Gemeinschaften mit den unterschiedlichsten Menschen zu berufen. Dicke, Dünne, Große, Kleine, Frauen, Männer, Kinder, Alte, Junge – was sich auch alles noch ganz gut anhört. Aber manchmal sind es gleichzeitig auch Menschen, die anscheinend dickköpfig, vorlaut, aufmüpfig, riechend, zu schwach, unterdrückend, egozentrisch oder launenhaft sein können, wovon ich mich gar nicht ausschließen möchte. Das ist manchmal gar nicht so einfach.

Und auch das ist gewollt. Gott hat nicht die megacoolen Typen ausgesucht. Er hat nicht die beliebtesten und hipsten Mädels und Jungs ausgesucht. Gott hat die ausgesucht, die andere für Freaks halten. Ich glaube, dass Gott es liebt uns zuzuschauen, wie wir uns in unserer Unperfektion zusammenschließen und gemeinsam leben, lachen, lieben, hoffen, glauben. Und diese Gemeinschaft sollte von mehr geprägt sein, als nur von der räumlichen Nähe. Diese Gemeinschaft bedeutet auch Einheit, Einigkeit, Einstimmigkeit, Einvernehmen, Eintracht, Gemeinsamkeit, Miteinander, Zusammenhalt ...

Korintherbrief

Das, was mit Zusammenhalt gemeint ist, kann man ganz wunderbar in der Bibel nachlesen.

1. Korinther 12,12-31 lesen.

Dieser Brief und somit auch diese Verse wurden damals an die Gemeinde in Korinth geschrieben, die ein ziemlich bunt gemischter Haufen war. Also ein super Beispiel für uns.

Das, was uns zusammenhält ist Gott. Das ist ein bisschen wie die Schokolade zwischen den Doppelkeksen. Gottes Geist macht eine Mannschaft aus uns Einzelnen mit all unseren Talenten und Schwächen. Jeder Körperteil ist zwar verschieden und hat seine eigene Funktion, aber er ist auch auf die anderen Körperteile angewiesen. Wenn jedes Organ, jedes Glied und jede Zelle unseres Körpers seinen Teil erfüllt, wird etwas Großes daraus, dann erst funktioniert unser Körper. Alles an unserem Körper wird gebraucht. Vielleicht ist nicht alles so geliebt, z. B. die zu großen Füße, die abstehenden Ohren oder die kräftigen Oberschenkel, aber auch das wird gebraucht und hat seine Funktion.

Stell dir einmal vor, der Körper würde ganz anders funktionieren oder unsere Körperteile würden jeden Tag gern etwas anderes machen wollen, z. B. das Ohr auf einmal essen wollen und die Hände laufen. Das würde doch nicht gutgehen.

Gleichnis übersetzen

Im Leben ist es genauso. Wir haben verschiedene Gaben, manches können wir richtig gut: kochen, malen, Fußball spielen, chillen, Witze erzählen. Anderes wiederum gelingt uns nicht ganz so gut: Gedichte schreiben, putzen, Mathe, Schach. Das können andere besser. Wir brauchen einander. Keiner kann alles. Keiner kann allein bestehen. Paulus, der den Korintherbrief geschrieben hat, sagt: die Gemeinde ist wie ein Körper. Jeder Teil hat seinen Job. Und so füllt jeder im Leben auch einen Teil aus. Das Leben ist dann wie ein Puzzle. Jeder kann eine Lücke füllen, um das Puzzle zu vervollständigen.

Im Film „Little Miss Sunshine" trägt jeder sein bisschen, was er hat, dazu bei. Jeder hat dort sein eigenes Päckchen oder Problem zu tragen. Aber auch jeder hat etwas beizusteuern, damit die Gemeinschaft funktioniert. Zugegeben es ist nicht immer ganz einfach, aber es kann funktionieren.

Alltagsbeispiele – Wie kann ich das leben?

Dafür brauchen wir einerseits Toleranz für die Unterschiedlichkeit und Vielfalt, die von Gott gewollt ist. Aber es gibt andererseits auch Grenzen der Unterschiedlichkeiten, wo Zusammenhalt gefordert ist. Es geht um mehr als Erfolg, um mehr als einen gestählten Körper und um mehr als eine perfekt homogene Gruppe – es geht darum, zusammenzuwachsen. Und das ist das besondere Merkmal: Wir sollen auf Jesus Christus hin wachsen.

Kirche, Gemeinschaft, Gemeinde, Menschen, die sich zusammentun, sind ein lebendiger Organismus: Er reagiert auf alles, was im Körper passiert. Der Körper und die Gemeinschaft wird so aussehen, wie du dich hineingibst. Sie wird das sein, was du daraus machst!

Überleg mal: Was kannst du richtig gut? Womit kannst du anderen helfen? Und wo brauchst du selbst manchmal Hilfe?

Gott hat dich ganz wunderbar gemacht, so wie du bist. Mit vielen Gaben und Talenten. Aber es gibt auch Dinge, die du nicht kannst. Und dann kannst du dir Hilfe von anderen Menschen holen. Trau dich, deine Talente zu zeigen. Nur zusammen, wenn jeder sein Talent einsetzt, funktioniert die Gemeinschaft und ein einfacher Road-Trip wird zum Gemeinschaftserlebnis.

Silke Prähler
CVJM-Kreissekretärin im CVJM-Kreisverband Siegerland e.V., Wilnsdorf

Das Trotzdem des Glaubens

Filmtitel	Lola rennt (1998)	**Material**
FSK	ab 12 Jahren (DVD-Fassung von Laser Paradise erst ab 16 Jahren)	Hintergrundmusik
Thema	Beziehung, Entscheidung, Lebensweg, Liebe, Orientierung, Vertrauen, Zeit	
Passende Bibelstelle	Psalm 31	
Größe der Gruppe	keine Begrenzung	

Hinweis: Nach der Einführung wird der Film ganz gezeigt. An einer Stelle wird er unterbrochen. Hier wird ein inhaltlicher Impuls eingebaut, der Themen aufnimmt und weiterführt. Damit die Zuschauer abgeholt werden können, ist es sinnvoll, vor und nach dem Impuls ein Instrumentalstück zu spielen. Am Ende des Films gibt es als „Abspann" einen Schlussimpuls, der Psalm 31 aufnimmt.

Einführung: „Der Ball ist rund und das Spiel dauert 90 Minuten."

Diese alte Fußballweisheit von Sepp Herberger steht zu Beginn von „Lola rennt" – treibt das Leben ein Spiel mit uns? Wer bestimmt die Regeln in unserem Leben? Sind wir Akteure, die aktiv ins Geschehen eingreifen oder nur der Ball, der in einem Spiel, das wir nicht kennen, hin und her geschoben wird? Müssen wir von Anfang bis zum Ende zusehen, wie die Zeit uns auffrisst? Die Zeit läuft in „Lola rennt" gnadenlos ab – in drei Versionen, beschränkt auf jeweils 20 Minuten, werden Entscheidungen getroffen, die über Leben und Tod entscheiden. Immer wieder läuft Lola an Menschen vorbei. Es folgen schnelle Bilderflashs, wie deren Leben weiter verläuft – in jeder Version anders. Und auch Lolas Leben verläuft in jeder Version anders – manchmal entscheiden Sekunden über den weiteren Verlauf. Was gibt uns die Kraft und den Mut, Entscheidungen zu treffen, von denen wir manchmal nur entfernt ahnen, welchen Einfluss sie auf unser weiteres Leben und das anderer Menschen haben? Entscheidungen, die wir täglich treffen, nicht nur die „großen Entscheidungen des Lebens". Nach was richten wir uns aus – welche Regeln gelten für „unser Spiel", unsere Entscheidungen, unser Leben? Lassen wir uns einfach treiben oder gelingt es uns, in der Zeit, die uns zu Verfügung steht, voll Zuversicht und Hoffnung unseren Weg zu gehen? „Lola rennt" nimmt diese Fragen auf, gibt Antworten und stellt wiederum neue Fragen. Eine Geschichte wird in drei Versionen erzählt. Sie zeigt uns, dass unser Leben von unterschiedlichen Faktoren abhängig ist und fragt damit nach dem, was unserem Leben Halt und Orientierung gibt. Der Ball ist rund ... und Lola rennt.

Film bis zur Filmsequenz „Gespräch Manni und Lola im Bett" zeigen („Manni, liebst du mich?" „Ich muss mich mal entscheiden, glaube ich." – 00:32:59).

Impuls: Auf einmal läuft es nicht mehr so rund ...

Aus dem Ball ist auf einmal die Luft raus und das Spiel rast dahin ... Vom einen Augenblick auf den anderen kann sich alles ändern: Mannis Missgeschick mit dem verlorenen Geld, Verkehrsunfälle, Auseinanderbrechen der Familie – Lola verliert ihren Vater, sie erfährt, dass sie ein „Kuckuckskind" ist.

Minuten oder gar Sekunden entscheiden über den weiteren Verlauf des Lebens. Die bekannte Welt gerät aus den Fugen. Es wird unklar, auf wen man sich noch verlassen kann. Unser Leben ist auf Veränderung ausgerichtet. Wir wissen nicht, was der nächste Tag bringen wird. Wir Menschen gleichen den Wandel aus, indem wir Bindungen zu anderen herstellen und an ihnen festhalten. Ohne Verbindlichkeit, ohne verlässliche Bindungen wäre die Welt, unsere Welt, ein haltloses Chaos. Wir brauchen verlässliche Beziehungen. Bei aller Veränderung brauchen wir einen festen Boden, der uns Halt gibt. Die letzte Szene zeigt: Lola war sich unsicher, sie wusste nicht, ob sie sich für Manni entscheiden sollte, ob diese Bindung ihr den nötigen Halt gibt, den sie im Wandel der Zeit braucht. Sie hat sich entschieden und rennt los – in allem Wandel ist die Liebe zu Manni das, was sie festhält, was sie trotz allen Rückschlägen ermutigt, weiterzulaufen.

Film weiter zeigen bis zum Schluss.

Abspann: Schlussimpuls

Jeden Tag, jede Stunde treffe ich Entscheidungen, die mein Leben verändern. Diese Entscheidungen treffe ich innerhalb kurzer Zeit. Hinter dem Film steht das alte faszinierende Gedankenspiel „Was wäre wenn?". Wie wäre das eigene Leben verlaufen, wenn man nicht hier, sondern woanders geboren wäre; wenn man damals eine andere Entscheidung getroffen hätte; wenn man sich nicht begegnet wäre? Ja, wenn ...? Und wie kam es eigentlich dazu, wie es nun gekommen ist? Ist alles Zufall oder beeinflussen meine Entscheidungen mein Schicksal?

„Siehste, ich wusste", heult Manni ins Telefon, „ich wusste, dass dir auch nix mehr einfällt. Ich hab's dir ja gesagt, eines Tages passiert was, da weißt auch du keinen Ausweg mehr. Und nicht erst, wenn du stirbst, das kommt viel früher, du wolltest mir ja nicht glauben, und jetzt stehste da, von wegen die Liebe kann alles, aber nicht in 20 Minuten 100.000 Mark herzaubern ...!"

In Mannis Hoffnungslosigkeit werden Grundfragen unseres Lebens sichtbar: die Frage nach der Liebe, dem Geld und dem Tod. Das sind Themen, die in vielen Filmen auftauchen. Es sind auch Themen, die in der Bibel vorkommen – sie tauchen immer wieder in der Geschichte Gottes mit seinen Menschen auf. Alte biblische Motive klingen an, dass die Liebe größer sei als Glaube und Hoffnung und so stark wie der Tod. Aber angesichts der aussichtslosen Situation, in die sich Manni hineinmanövriert hat, erscheint die Liebe ohnmächtig. Als Gegenbeweis beginnt Lola zu rennen. Sie findet sich nicht mit dem ab, was da scheinbar vorausbestimmt ist, dass der Boss von Manni ihn auf den Müll befördert.

Der Lauf von Lola ist ein „Trotzdem" – trotz aller widrigen Lebensumstände gibt sie nicht auf. Sie setzt das „Trotzdem" ihrer Liebe zu Manni entgegen. Sie trifft in ganz kurzer Zeit Entscheidungen. Meine Entscheidungen bestimmen bis zu einem gewissen Maß mein Schicksal. Eine

Entscheidung, die ich getroffen habe, gibt mir zunächst Sicherheit, ist aber auch immer wackelig, hinterfragbar und kann schlicht und einfach falsch sein. Mit einer Entscheidung stelle ich mich auch immer gegen den Strudel des Schicksals und der Zeit.

Mein Leben zwingt mich, Entscheidungen zu treffen. Wenn ich mich nicht entscheide, entscheiden andere über mich. Sich zu entscheiden, birgt immer die Gefahr der Fehlentscheidung in sich, bis hin zur Entscheidung über Leben und Tod. Oder ich lebe aus der Gelassenheit, dass ich zur richtigen Zeit schon an der richtigen Stelle sein werde und dass es zu meinem Leben genauso gehört, zur falschen Zeit an der falschen Stelle zu sein.

Ich werde dann mit meinen richtigen und falschen Entscheidungen gut leben können, wenn ich weiß, dass da einer ist, der mein Lebensschicksal so in den Händen hält, dass ich auch noch genügend eigenen Handlungsspielraum habe. Dessen Liebe tatsächlich alles kann, nämlich aus meinen aussichtslosen Situationen, in die ich mich hineinmanövriert habe, immer noch das Beste machen. Gottes Liebe kann tatsächlich alles. Ob er allerdings in 20 Minuten 100.000 Mark herbeizaubert wie in unserem Film? Das weiß ich nicht.

In den Psalmen lesen wir oft von Menschen, die in einer ähnlichen Situation wie Lola sind. Sie fühlen sich ausgeliefert, verlassen. Sie werden von Menschen enttäuscht und verraten – und sie berichten darüber, was ihnen Halt und Zuversicht gibt. So auch in Psalm 31.

Psalm lesen.

„Meine Zeit steht in deinen Händen“ (Ps 31,16 Luther). Ein Psalm Davids, gesprochen in einer Situation, in der alles drunter und drüber geht. David fühlt sich vergessen und verfolgt. Er ist kraft- und hilflos. Seine Zeit rast dahin, frisst ihn auf – und doch hält er fest an dem, der sein Halt ist. Er spricht Gott das Vertrauen aus.
Er kann das sagen, weil Gott sich für uns entschieden hat. Weil er uns nicht einfach unserem Schicksal überlässt. Weil wir ihm wertvoll sind. Gott hat sich für uns entschieden. Wer sich in die Beziehung mit Gott hineingibt, der bekommt ein Leben, in dem nicht mehr meine Entscheidungen und mein Schicksal Katz‘ und Maus spielen, sondern da bekomme ich ein Leben, in dem ich Gottes Plan für mich entdecke.

Ein Leben, in dem ich das „Trotzdem“ des Glaubens und der Liebe Gottes einsetzen kann:
Ich kann hoffen trotz aller Hoffnungslosigkeit.
Ich kann trösten trotz allem Leid in dieser Welt.
Ich kann meine Meinung sagen, trotz der Sprachlosigkeit um mich herum.
Ich kann lieben trotz aller Widerstände.
Also dann, ganz im Sinne von Lola: Los geht’s!

Martin Burger
Landesjugendreferent für Jugendpolitik und Freiwilligendienste
im Ev. Jugendwerk in Württemberg, Stuttgart

Das Abenteuer wagen

Filmtitel	Mavericks (2012)	**Material**
FSK	ab 6 Jahren	keines
Thema	Berufung, Gaben, Gott, Mut, Sehnsucht, Ziel, Zweifel	
Passende Bibelstelle	Josua 1,9; 5. Mose 31,8	
Größe der Gruppe	keine Begrenzung	

Wovon träumst du?

Filmtrailer zeigen.

Hast du schon einmal das Gefühl gehabt, zu etwas Größerem bestimmt zu sein? Etwas, das größer ist als du? Hast du dich auch schon einmal gefragt, ob das Leben wirklich nur aus Schlafen, Essen, Schule, Internet und Fernsehen bestehen kann? Kennst du diese Sehnsucht, dass es noch mehr geben muss? Hast du einen Traum für dein Leben? Vielleicht bist du total gut in Fußball und träumst davon, Profi zu werden. Vielleicht hast du die Gabe, Kinder zum Lachen zu bringen und wünschst dir, Kindern in einem armen Land oder aus schwierigen Verhältnissen neue Hoffnung zu bringen. Vielleicht hat dich Gott auch musikalisch begabt und du vergisst die Zeit, wenn du an deiner E-Gitarre sitzt. Vielleicht fasziniert dich ein bestimmter Mensch, ein Land oder ein Beruf. Was lässt dein Herz höher schlagen? Für was würdest du alles geben? Gott hat dich ganz bewusst so gemacht wie du bist. Keiner hat dieselben Gaben und Träume wie du. Und das ist gut so.

Jay hat gefunden, was ihn beflügelt und begeistert. Schon von klein auf hat er eine Leidenschaft: das Surfen. Und seit er mit 15 die unglaublich großen Wellen an den Stränden Kaliforniens gesehen hat – die sogenannten Mavericks –, hat er ein Ziel: Er will auf diesen wahrscheinlich größten Wellen der Welt surfen. Das Unmögliche wagen. Dafür trainiert er hart, er gibt alles. Und sein Trainer Frosty bereitet ihn bestmöglich darauf vor. Jay hatte es nicht leicht im Leben, sein Papa war nie da. Seine Mutter hatte Alkohol- und Jobprobleme. Aber er ließ sich nicht unterkriegen und war trotz der eigenen Probleme für andere da. Und dann ist der große Tag da: Jays Herz schlägt höher, als er mit seinem regenbogenfarbenen Surfbrett am Strand steht und die legendären größten Wellen der Welt sieht. Ihm läuft es kalt den Rücken herunter, denn sie sind wirklich groß. Frosty, sein Freund und Trainer, der ihm wie ein Vater geworden ist, steht schweigend neben ihm. Dann ergreift er das Wort und sagt zu Jay: „Ich will dir nur sagen, was ich dir schon seit langer Zeit hätte sagen sollen. Das alles ist nicht wichtig. Ob du dich entscheidest, da jetzt raus zu paddeln und diese Welle zu reiten – ich liebe dich auf jeden Fall." Die beiden schauen sich in die Augen, dann nimmt Jay sein Surfbrett und springt ins Wasser, den Wellen entgegen.

Zerplatzte Träume und der Kampf mit den Wellen

Filmsequenz 01:34:00 bis 01:38:00 zeigen.

War die Herausforderung doch zu groß für Jay? Das Ziel war so klar vor Augen, er hatte alles gegeben, wochenlang trainiert. Und trotzdem erwischt ihn die Welle eiskalt. Nur wenige Sekunden kann er das Gefühl genießen, auf der Welle zu surfen. Dann knallt er auf die Wassermassen, wird unter die gigantischen Wellen gezogen und beginnt um sein Leben zu kämpfen. So war das nicht geplant.

So war das definitiv nicht geplant. Kennst du solche Situationen? Situationen, in denen alles anders kommt als erhofft, in denen alles schief geht und man runtergedrückt wird? Wo der Traum wie eine Seifenblase zerplatzt? Ich muss zugeben, ich hab noch nie ums Überleben kämpfen müssen und ich hoffe, du auch nicht. Und trotzdem kenne ich dieses Gefühl zu versagen: Ich male mir mein Leben schön aus, habe tolle Ideen und dann treffe ich doch die falsche Entscheidung und falle voll auf die Nase. Ich lerne mal so richtig für eine Mathearbeit und dann verhaue ich sie. Warum laufen die Dinge manchmal so ganz anders als erhofft? Gut, mal eine schlechte Note in der Schule ist zwar ärgerlich, aber das kann man noch wegstecken. Was ist aber, wenn eine gute Freundschaft zerbricht, wenn sich die Eltern trennen, wenn ich seit Jahren nirgends richtig dazugehöre und andere sich hinter meinem Rücken über mich lustig machen? Was ist, wenn ich tagtäglich Gewalt sehe, vielleicht sogar am eigenen Körper spüre, und nichts dagegen tun kann? Was ist, wenn eine liebe Person plötzlich schwer krank wird oder sogar stirbt? Diese Welt ist oft so grausam. Und selten gerecht. Immer wieder erwischen uns die großen Wellen und wollen uns runterziehen. Manchmal fühlt es sich wie ein Kampf ums Überleben an. In solchen Momenten frage ich mich schon: „Gott, wo bist du? Was soll das alles? Hast du nicht versprochen, dass du uns Menschen liebst und für uns sorgst? Warum musste das passieren?"

Ich muss ganz ehrlich sagen: Ich verstehe nicht immer, warum Gott manche Dinge im Leben zulässt. Ich hab mir im Laufe der Zeit verschiedene Antworten gesucht und teilweise machen sie auch Sinn für mich. Zum Beispiel glaube ich fest daran, dass Gott uns, seinen Kindern, Verantwortung gibt. Wir haben einen freien Willen und dürfen selbst entscheiden, ob wir das Gute oder das Böse tun. Wenn ich über meine Bekannten lästere und schlecht über sie rede, darf ich mich nicht bei Gott beschweren, dass es so etwas wie Mobbing gibt oder manche Menschen einsam sind. Wenn ein Kind in Afrika an Hunger stirbt und wir hier in Deutschland tonnenweise Essen in den Müll schmeißen, dann finde ich nicht, dass das Gottes Fehler ist. Für Vieles auf dieser Welt tragen wir Menschen selbst die Verantwortung und müssen mit den Konsequenzen leben. Gott traut uns diese Freiheit zu. Aber genauso gibt es Situationen, in denen wir nichts ändern können – wenn wir uns auch noch so anstrengen, das Gute zu tun und auf Gott zu hören. Diese Welt ist ein Stück weit zerbrochen. Sie ist nicht mehr so, wie Gott sie sich gedacht und wie er sie ursprünglich gemacht hat. Wellen und Sturm gehören zu unserem Leben dazu. Und wenn man da mittendrin ist, ist die Frage schon berechtigt: „Gott, wo bist du? Bitte tu endlich was!" Du darfst Gott auch mal anschreien, darfst ihm ehrlich sagen, wie es dir geht und was du nicht verstehst. Keine Sorge, Gott ist dann nicht sauer auf dich oder beleidigt. Die Bibel ist voll von solchen gefrusteten und verzweifelten Gebeten. Schau mal bei den Psalmen oder Klageliedern nach. Und Menschen machen die Erfahrung: Gott will gerade auch in diesen schweren Zeiten da sein. Ich habe selbst diese Erfahrung gemacht. Er hört zu, leidet und kämpft mit. Er versteht wahrscheinlich am besten von allen, wie es dir geht. Jesus wurde selbst abgelehnt, von seinen Freunden im Stich gelassen, ausgelacht, beschimpft, geschlagen. Er weiß, wie es sich anfühlt, am Boden zu sein. Er kennt die harte Realität dieser Welt nur zu gut. Und ich denke, es ist wichtig, das auch mal ehrlich zu sagen: Gott verspricht uns nirgends in der Bibel, dass ein Leben mit ihm leicht und unkompliziert ist. Er sagt nie, dass alles glatt laufen wird, sobald wir beten und uns mit ihm auf den Weg machen. Das hat nichts mit christlichem Glauben zu tun. Unser Gott ist kein Glücksbringer, kein Talisman und keine Wunschbox. Er ist viel mehr. Gott ist heilig. Gott ist so viel größer und mächtiger als wir. Lass uns das nicht vergessen.

Aber lasst uns auch nicht vergessen, was er uns verspricht: Gott verspricht, da zu sein. Für uns zu sein. Und Gott steht zu seinem Wort. Gott ist für dich. Er denkt gut von dir. Auch wenn du selbst dich nicht mehr leiden kannst und andere dir das Gefühl geben, dass du nicht gut genug bist. Gott freut sich über dich und ist unheimlich stolz auf dich. Auch wenn Dinge schief gehen. Wenn du Dinge an die Wand fährst. Wenn du die Welle falsch erwischst. Er ist da. Fiebert mit. Und er denkt immer noch gut über dich. Glaubt immer noch an dich. Er wird nicht von deiner Seite weichen, er wird auch den schweren Weg mitgehen. Er will dich trösten. Er will dich unterstützen, so wie Frosty seinen Surfschüler Jay Tag und Nacht unterstützt hat, als wäre es sein eigener Sohn. Gott ist der, der dir Mut machen will. Der dich aufrichtet, wenn du nicht mehr kannst. Der mit dir auch die Suppe auslöffelt, die du dir vielleicht selbst eingebrockt hast. Gott steht zu seinem Versprechen. Er ist für uns da. In der Bibel steht der Satz (5. Mose 31,8 HfA): „Der Herr selbst geht vor dir her. Er steht dir zur Seite und verlässt dich nicht. Immer hält er zu dir.“ In den Momenten, wo es dir richtig gut geht und du jede Welle schaffst, ist Gott da. Aber auch dann, wenn du runtergezogen wirst, voller Angst bist und das Gefühl hast unterzugehen, ist Gott da und liebt dich über alles. Wie Frosty zu Jay, so sagt auch Gott zu dir: „Es ist völlig unwichtig, ob du da jetzt Erfolg hast oder nicht: Ich liebe dich auf jeden Fall.“ Ich wünsche dir, dass du das wirklich erfahren darfst und glauben kannst

Sei mutig, gib nicht auf und träume groß!

Filmsequenz 01:38:00 bis 01:43:20 zeigen.

Unglaublich. Jay hat um sein Leben gekämpft. Er hat die Erfahrung gemacht, dass er nicht stark genug für die Welle war. Er hat nicht geschafft, was er sich vorgenommen hat. Und trotzdem: Als das Rettungsboot zu ihm fährt und ihm die rettende Hand ausgestreckt wird, bittet er um sein Surfbrett. Anstatt in das sichere Boot zu klettern paddelt er wieder auf die Wellen zu, die ihn gerade fast umgebracht hätten. Ich muss zugeben, als ich diese Szene zum ersten Mal sah, dachte ich: der ist doch lebensmüde! Man muss es ja wirklich nicht so herausfordern. Aber mein zweiter Gedanke war: Wow, was gibt diesem jungen Surfer die Kraft und den Mut, diesen Schritt zu wagen? Was bringt ihn dazu, sein Ziel im Auge zu behalten? Ich weiß nicht genau, was es war. Vielleicht war es sein Ehrgeiz, vielleicht das Wissen, dass am Strand sein Coach und Freund Frosty steht und an ihn glaubt. Vielleicht war es die Liebe zu seiner Freundin, die ihn beflügelt hat. Keine Ahnung. Aber fest steht: Er hat sein Ziel nicht aufgegeben. Er ist aufgestanden, hat die Herausforderung angenommen und er hat es geschafft! Er hat es geschafft, auf der Riesenwelle Mavericks zu surfen.

Ich habe mich gefragt: Wo bin ich im Leben bereit, immer wieder aufzustehen und mein Bestes zu geben? Was gibt mir in meinem Leben mit Gott den Mut und die Zuversicht dranzubleiben, auch wenn es hart auf hart kommt und nicht auf Anhieb funktioniert?

Gott sagt zu einem jungen Mann in der Bibel, der auch vor einer großen Herausforderung steht: „Ja, ich sage es noch einmal: Sei mutig und entschlossen! Lass dich nicht einschüchtern, und hab keine Angst! Denn ich, der Herr, dein Gott, bin bei dir, wohin du auch gehst" (Jos 1,9 HfA). Wenn Gott dir eine Aufgabe anvertraut, wenn er dich losschickt, diese Welt zu lieben, Gutes zu tun, neue Schritte zu wagen – dann kannst du dir sicher sein, dass er mit dir geht. Er sagt zu dir: „Lars, Kathrin, Rebekka, Patrick: Sei mutig und entschlossen! Lass dich nicht einschüchtern, und hab keine Angst! Denn ich, der Herr, dein Gott, bin bei dir, wohin du auch gehst." Ich finde es so cool, dass die Bibel voll ist von Erzählungen, wo Gott ganz normale, unscheinbare und unperfekte Menschen gebraucht, um Geschichte zu schreiben und diese Welt zu verändern. Oft sind es sogar die Menschen, die am Ende das meiste von Gott anvertraut bekommen, die mal so richtig auf die Nase gefallen sind.

Ich möchte am Schluss zu meiner ersten Frage zurückzukommen: Hast du schon einmal das Gefühl gehabt, zu etwas Größerem bestimmt zu sein? Etwas, das größer ist als du? Ich kann dir versichern: Gott hat dich zu etwas Großem bestimmt! Er sagt zu dir, dass du sein Kind bist und dass er dich über alles liebt. Er ist stolz auf dich und freut sich täglich an dir. Geht überhaupt noch etwas Größeres? Gott geht es nicht darum, dass wir ein perfektes Leben haben, dass wir tolle Aktionen reißen und alles fehlerfrei läuft. Das ist nebensächlich. Viel wichtiger ist Gott, dass seine Leute ihm vertrauen. Dass du ihm vertraust. Gott ist wichtig, dass wir uns von ihm coachen lassen und mit ihm im Gespräch sind. Dass wir mit ihm unterwegs sind, Zeit mit ihm verbringen und vom ihm lernen. Gott wünscht sich, dass wir wieder aufstehen und uns neu von ihm zuflüstern und zurufen lassen: „Du schaffst das! Sei mutig und entschlossen!" Wir dürfen hinfallen als Christen. Und wir werden auch immer wieder im Leben kämpfen müssen. Wir sind noch nicht im Himmel. Aber mit Gott an der Seite dürfen wir auch wieder aufstehen. Abenteuer wagen. Und wir dürfen träumen, Ziele haben.

Ich denke, das größte Ziel, der größte Traum, den wir Christen haben dürfen, ist, bei Gottes Traum für diese Welt mit zu träumen und dabei zu sein, wenn dieser Traum Stück für Stück Wirklichkeit wird. Dafür lohnt es sich, alles zu geben. Gott hat dich dazu bestimmt, an seiner Seite zu sein, von ihm geliebt zu werden und mit ihm gemeinsam diese Welt zu gestalten, Menschen zu lieben. In deiner Familie, bei deinen Freunden, in der Schule, im Sportverein, im Teenkreis ... Wir dürfen hautnah dabei sein, wenn Gott Geschichte schreibt und Wunder tut. Wir dürfen dabei sein, wenn Gott verwundete Herzen verbindet und Kranke gesund macht. Und dabei gebraucht Gott dich, deine Art, dein Gebet oder dein liebevolles Zuhören. Vielleicht kennst du jemanden, der oder die von einer Sucht oder Zwängen gefangen ist, die ihm oder ihr nicht gut tun. Dann ist es Gottes Wunsch, dass dieser Mensch Freiheit erfährt und wieder glücklich leben kann. Unser Gott kann auch kaputte Beziehungen wieder ganz machen. Er sehnt sich danach, dass wir einander vergeben und in Frieden zusammenleben. Er kann denen, die einsam sind und sich alleingelassen fühlen, Heimat und Geborgenheit schenken. Vielleicht dadurch, dass sie im Teenkreis nicht einfach übersehen werden, sondern jemand auf sie zugeht. Vielleicht kannst du wie Frosty einem Kind etwas beibringen, das du besonders gut kannst und dem Kind damit zeigen, wie wichtig und wertvoll es ist. Vielleicht bist du handwerklich begabt und Gott macht dir in ein paar Jahren den Vorschlag, mit ihm zusammen nach Indien zu gehen, um dort für die Ärmsten der Armen Häuser und Brunnen zu bauen. Oder, oder, oder. Es gibt so viele verschiedene Möglichkeiten, anderen Liebe zu schenken, für sie zu sein und für sie da zu sein. Überlege einmal selbst, wo du Gott in deinem Alltag siehst und wo du dich zu ihm gesellen kannst. Er selbst gibt uns die Kraft und die Ideen, die wir brauchen, und spornt uns an, neue Schritte zu gehen. Ein Leben mit Gott bedeutet immer auch Abenteuer und Herausforderung. Wenn wir uns darauf einlassen, ist es vorbei mit der Langeweile. Lass dir zum Abschluss noch einmal Gottes Worte auf der Zunge zergehen: „Ja, ich sage es noch einmal: Sei mutig und entschlossen! Lass dich nicht einschüchtern, und hab keine Angst! Denn ich, der Herr, dein Gott, bin bei dir, wohin du auch gehst. Und egal, ob du die Welle schaffst oder auf die Nase fällst: Ich liebe dich!" Dein Gott.

Daniela Schweikert
Realschullehrerin an der Kurpfalzrealschule
in Schriesheim, Gaiberg

Unvollkommene Schauspielerei

Filmtitel	Rango (2011)	**Material**
FSK	ab 6 Jahren	keines
Thema	Christsein, Gemeinschaft, Identität, Menschsein, Vollkommenheit, worauf es im Leben ankommt	
Passende Bibelstelle	Römer 12,2	
Größe der Gruppe	keine Begrenzung	

Wer ist Rango?

Filmsequenz „Pool – Wer bin ich?" (00:01:35 bis 00:06:00) zeigen.

Rango ist ein Chamäleon, das durch einen dummen Zufall – besser Unfall – in der Wüste landet. Dort gehört Rango nicht hin, sie ist nicht sein natürlicher Lebensraum. Rango lebt eigentlich in einem Terrarium. Von der wirklichen Welt hat er noch nicht viel gesehen. Doch nun steht er da, in einer fremden Welt. Er weiß nicht, wie er überleben soll. Wenn er sich nicht anpasst, wird er nicht lange überleben. Auf der Suche nach der Zivilisation, einer Stadt, Wasser oder irgendjemandem, der ihm helfen kann, landet er in der kleinen Wüstenstadt Dirt. Komische Gestalten lungern dort herum. Tiere, die er vorher noch nie gesehen hat, eines seltsamer als das andere. Doch Rango fällt auf, er ist ein Fremder. Aber er weiß sich zu helfen. Als Chamäleon kennt er sich damit aus, wie ein Schauspieler in andere Rollen zu schlüpfen. Er weiß, was es heißt, jemanden zu spielen, der er nicht ist.

Filmsequenz „Saloon – Wer bin ich?" (00:18:35 bis 00:23:39) zeigen.

Rango schlüpft in seine Rolle

Rango wird zum Revolverhelden. Sieben Mann auf einen Streich. Und damit fängt die Geschichte an. Solch einen Helden hat Dirt lange nicht mehr gesehen. Aus Rango, dem Revolverhelden, wird schnell Rango, der Sheriff. Er ist nun Recht und Gesetz der Stadt, er sorgt für Ordnung. Rango ist begeistert von seiner neuen Rolle. Die Dorfbewohner genauso, denn anscheinend steckt in diesem Chamäleon wirklich ein waschechter Sheriff. Selbst der gefürchtete Habicht kann ihm nichts anhaben. Und so steigert sich Rango in seine Rolle hinein, ohne zu merken, dass der große Knall nicht lange auf sich warten lassen wird. Niemand merkt, dass Rango nur eine Rolle spielt, selbst Rango nicht. Doch als mit Klapperschlangen-Jake eine echte Gefahr nach Dirt kommt, fällt Rangos Maskerade auf.

Filmsequenz „Klapperschlangen-Jake und Rango – Du bist kein Sheriff!" (01:14:52 bis 01:19:34) zeigen.

Die Realität hat Rango eingeholt

Rango ist kein Sheriff, nur ein Chamäleon.
Rango ist kein Held, nur ein Schauspieler.
Der Schwindel fällt auf, Rango verlässt die Stadt. Ein Chamäleon ohne Nutzen. Er hat versagt. Er hat seine Rolle schlecht gespielt. Er ist nicht der, für den ihn alle gehalten haben.

Hätte er eine andere Rolle spielen sollen? Wieso hat es nicht funktioniert? Fragen über Fragen. Allein und verzweifelt irrt er durch die Wüste. Doch als er dem Geist des Westens begegnet, zeigt dieser ihm, worum es wirklich geht:

Filmsequenz „Der Geist des Westens“ (01:22:40 bis 01:24:46) zeigen.

„Es geht nicht um dich, sondern um die anderen. Niemand kann vor seiner Geschichte davonlaufen. Nicht der Name zählt, sondern die Taten machen den Mann.“ Es ging also nie darum, dass Rango eine Rolle spielt, jemanden, der er nicht ist. Es ging auch nie darum, dass Rango der Sheriff sein soll. Rango soll der sein, der er ist. Ein Chamäleon, das eine Aufgabe für die Bewohner der Stadt Dirt zu erledigen hat. Diese Rolle ist für ihn vorgesehen.

Bist du ein Typ wie Rango? Bist du auch ein Schauspieler? Bist du jemand, der gern jemand anderes wäre?
Welche Rolle spielst du? In welche Rolle würdest du gern schlüpfen, wenn du könntest? Spannende Fragen: Wer bin ich? Wie soll ich sein? Wie will ich sein? Welche Rolle spiele ich in der Welt? Welche Rolle spiele ich als Christ?

„Und passt euch nicht dieser Zeit an.“

Mit der Frage nach der Rolle der Christen hat sich schon Paulus beschäftigt. Er schreibt dazu an die Christen in Rom: „Und passt euch nicht dieser Zeit an. Gebraucht vielmehr euren Verstand in einer neuen Weise und lasst euch dadurch verwandeln. Dann könnt ihr beurteilen, was der Wille Gottes ist: Ob etwas gut ist, ob es Gott gefällt und ob es vollkommen ist“ (Röm 12,2 BasisBibel).

Was ist „diese Zeit“? In anderen Übersetzungen heißt es „Maßstäbe der Welt“. Es ist das Typische der heutigen Zeit. Wenn du den Fernseher anschaltest, auf YouTube oder Facebook gehst, wird schnell klar, worum es dabei in der heutigen Zeit geht: Berühmt und reich zu sein, ist das A und O. Von allen angehimmelt zu werden und im Rampenlicht zu stehen – das ist die Rolle, die viele Leute spielen wollen. Sie möchten gesehen und wahrgenommen werden, sie suchen die Aufmerksamkeit – um jeden Preis. Dabei ist es ihnen egal, ob sie sich dafür vor Millionen anderen blamieren müssen.

Und diesem Maßstab sollen wir uns als Christen nicht anpassen, weil er nicht gut für uns ist. Es geht nicht darum, dass wir im Rampenlicht stehen und von allen angebetet werden. Paulus zeigt uns einen anderen Weg. Einen Weg, wie wir unseren Platz in der Welt finden können, ohne zu einem Schauspieler wie Rango zu werden, der unbedingt in Rampenlicht stehen möchte.

„Gebraucht vielmehr euren Verstand in einer neuen Weise ...“

Heute gilt die Regel: „Wenn jeder an sich denkt, dann ist an alle gedacht.“ Die Bibel nennt das Egoismus. Und Hand aufs Herz, wie oft denkst du eher an dich als an die Menschen um dich herum? An deine Freunde, deine Familie?

Jesus hat uns gezeigt, was es heißt, in einer neuen Weise zu denken und auch zu leben: Es geht nicht immer nur um mich. Es geht nicht darum, dass sich alle nur um mich kümmern. In einer neuen Weise zu denken bedeutet zu sehen, was der andere braucht. Zu sehen, was ich wirklich brauche. Anstatt immer den Dingen hinterherzujagen, die man haben möchte, sollten wir uns die Frage stellen, was der andere gerade braucht. Ein offenes Ohr, eine Stunde Zeit, ein tröstendes Wort oder einfach nur da zu sein.

Rango hat das am Ende begriffen. Er hat begriffen, dass es um die Gemeinschaft untereinander ging und nicht um sein Ego. Es ging nie um ihn. Es ging um die Gemeinschaft in der Stadt. Eine Gemeinschaft, in der jeder den anderen gebraucht hat. Die Bibel nennt so etwas Nächstenliebe. Denn wenn jeder an den anderen denkt, dann ist an alle gedacht!

„Dann könnt ihr beurteilen, was der Wille Gottes ist ...“

Durch dieses neue Denken lernst du anders zu leben. Das nennt man „metanoia“ (griech. Umkehr, Sinnesänderung). Dein Denken verändert sich, du kehrst um und gehst einen anderen Weg. Paulus spricht hier von der Fähigkeit, beurteilen zu können, ob etwas Gottes Wille ist. Dabei handelt es sich um einen Prozess und dieser dauert dein gesamtes Leben über. Also mach dir keine Illusionen, du könntest das von heute auf morgen. Für Rango begann dieser Prozess in dem Moment, als seine Maskerade aufgeflogen ist. Er hat nur sich selbst gedient und nicht den anderen.

Doch was ist Gottes Wille? Was soll ich tun? Wie erfahre ich Gottes Wille?
Paulus gibt dazu drei Anhaltspunkte:

Ist es gut, was ich tue?

Diene ich mit dem, was ich tue, anderen oder nur mir selbst?
Helfe ich einer Person in Not oder lasse ich sie links liegen?
Ein Sprichwort sagt: „Es gibt nichts Gutes, außer man tut es.“

Rango war ein Schwätzer – er hat große Reden geschwungen, aber selten Taten sprechen lassen. Immer war er mit seinem Mundwerk zur Stelle, aber als es darauf ankam, hat er versagt. Er hat keine Taten sprechen lassen. Jesus hat den Menschen gezeigt, was gut ist. Er hat sich um sie gekümmert. Er hat ihnen zugehört, er hat mit ihnen geweint, gefeiert und gelebt. Er wusste, was gut für die anderen war, denn er hat auf das geschaut, was die Menschen um ihn herum gebraucht haben. Das ist das Gute, was auch du tun kannst.

Hat Gott Freude daran?

Der Geist des Westens hat Rango neuen Mut geschenkt, sein Leben in die Hand zu nehmen und etwas aus sich zu machen. Rango wurde befreit von der falschen Vorstellung, eine Rolle spielen zu müssen. Der Geist hat ihn in diese neue Freiheit geführt.

So wirkt auch Gottes Geist in uns. Dadurch, dass wir nicht mehr uns selbst ins Rampenlicht stellen, sondern andere, tun wir das, woran Gott Freude hat: sein Gegenüber zu sehen, ihm zu helfen, ihn zu unterstützen. Anstatt sein Gegenüber in den Schatten zu stellen, holen wir ihn ins Licht, in Gottes Rampenlicht. Daran hat Gott Freude.

Ist vollkommen, was ich tue?

Was ist an Rangos Verhalten am Ende vollkommen? Rango hat begriffen, dass er in der Stadt an einer anderen Stelle gebraucht wird. Er hat gelernt, dass er selbst und nicht seine Schauspielkünste gebraucht werden. Er hat gelernt, der zu sein, der er ist. Ein Chamäleon mit einem eigensinnigen Charakter, aber Teil der Stadt. Rango erlebt diesen Prozess und ist am Ende nicht der strahlende Held, er bleibt einfach nur ein ganz normaler Typ. Vollkommen darf man hier nicht mit perfekt verwechseln. Niemand kann sagen, dass Rango am Ende 100% perfekt, sprich vollkommen, ist.

Nur Gott ist 100%ig vollkommen in dem, was er tut. Was Gott tut, ist zu 100 % vollkommen. Da gibt es nichts hinzuzufügen, nichts zu ändern. Paulus schreibt das nicht auf, um uns Kopfschmerzen zu bereiten, wie wir etwas vollkommen Gutes und Perfektes tun können. Es geht vielmehr darum, dass wir unser Reden und Handeln, unser ganzes Leben nach Gott ausrichten. Es geht darum, auf ihn zu hören und uns von seinem Geist verändern zu lassen. Dann wirst du zu dem Menschen, zu dem Gott dich bestimmt hat. Ein Kind Gottes und kein Schauspieler.

Tobias Rompf
Jugendreferent im CVJM Münsingen, Münsingen

Runter vom Baum – rein ins Leben

Filmtitel	Ziemlich beste Freunde (2011)	**Material**
FSK	ab 6 Jahren	keines
Thema	Entscheidung, Freundschaft, Gemeinschaft, Lebensweg, Veränderung	
Passende Bibelstelle	Lukas 19,1-10	
Größe der Gruppe	keine Begrenzung	

Kein Platz für dich

Filmsequenz 00:14:00 bis 00:16:30 zeigen.

„Du bist hier unerwünscht. Verschwinde!" Mit diesen Worten befördert die Mutter Driss aus der Wohnung. Er hatte sich monatelang nicht blicken lassen, die Familie war auf seine Hilfe angewiesen, aber niemand wusste, wo er gerade steckte. Als er sichtlich angespannt in der viel zu kleinen Küche der Großfamilie sitzt, hofft er, dass alles nicht so schlimm werden würde. Eine Standpauke und alles wird wieder gut. Um die Mutter milde zu stimmen, hat er sogar ein kleines – wenn auch geklautes – Geschenk dabei. Es hilft nichts, sie lässt ihn abblitzen und setzt ihn hochkant vor die Tür.

Driss hat keinen einfachen Charakter. Und er hat es nicht leicht. Aus dem Senegal nach Frankreich geflüchtet und von seiner Tante und seinem Onkel adoptiert, wächst er in einem ärmlichen Viertel auf. Die berufliche Laufbahn vorgezeichnet und mit vielen Vorurteilen behaftet, versucht er seinen Weg zu finden. Er dreht das ein oder andere krumme Ding, sein Freundeskreis ist eher eine Ansammlung von Perspektivlosen, er möchte ausbrechen. Aber wohin? Sein Umfeld lässt es nicht zu, dass er sich verändern kann. Hinzukommen strenge Auflagen des Arbeitsamts, er kämpft um jeden Cent. Und jetzt ist er auch noch an seinem letzten Zufluchtsort unerwünscht. Kein Platz für Driss.

Entsprechend resigniert taucht er bei dem querschnittsgelähmten Philippe auf, um sich als Pfleger zu bewerben. Oder besser gesagt: Um sich für das Arbeitsamt eine Unterschrift abzuholen. Die braucht er nämlich, um sein Bemühen um Arbeit zu zeigen. Aber er weiß schon, dass er scheitern wird und das lässt er Philippe und seine Bediensteten wissen. Mit jeder Menge Galgenhumor und Unsicherheit gegenüber dem behinderten Philippe erweckt er dessen Aufmerksamkeit. Dieser fordert ihn heraus: „Ich wette, Sie halten hier keine zwei Wochen durch." Driss ist angestachelt und er lässt sich darauf ein. Vielleicht ist es Philippes unbeeindrucktes Verhalten, das ausdrückt: „Du bist hier erwünscht." Wenig später stellt sich heraus, was Philippe zu diesem ungewöhnlichen Schritt veranlasst. Es ist ihm egal, woher Driss kommt und wie er sich verhält, so offenbart er es einem verdutzten Freund. Philippe möchte kein Mitleid. Das erfährt er an jeder Ecke, denn er ist vom Schicksal gezeichnet und jeder kann es sehen. Es entsteht eine kuriose und lebendige Beziehung: auf der einen Seite Driss, der Bad Boy aus dem Ghetto mit einem weichen Kern – auf der anderen Seite Philippe, ein wohlhabender Querschnittsgelähmter mit Vorliebe für klassische Musik.

In Jericho machte zu biblischen Zeiten jemand eine ganz ähnliche Erfahrung. Zachäus war nicht gerade ein sympathischer Typ. Er knöpfte Menschen Geld ab und das eher halblegal. Deshalb war er in der Bevölkerung unbeliebt. Allerdings war er dadurch sehr reich, wenn auch einsam. Zolleinnehmer war im alten Israel kein angesehener Beruf. Es war zwar üblich, dass vor den Toren einer Stadt bei Eintritt Gebühren erhoben wurden, aber die meisten wirtschafteten dabei in die eigene Tasche. Geschützt wurden sie dabei von der Obrigkeit, den Römern, die das Land besetzten. Die Bibel beschreibt Zachäus als kleinen Menschen. Wahrscheinlich hatten die Leute bei seinem Anblick nicht gerade Respekt. Er strahlte durch seine Körpergröße keine Autorität aus. Sie bekam er aber durch sein Amt. Ein Grund mehr für seine Unbeliebtheit. Ein listiger, kleiner Mann, der ohne seinen Job kein bisschen Ansehen hätte. Doch auf Zachäus wartete eine Begegnung, die ihn verändern wird.

Runter vom Baum – das Leben findet unten statt

Filmsequenz 00:58:31 bis 01:01:05 zeigen.

Es braucht seine Zeit, aber Driss und Philippe fangen an, sich aneinander zu gewöhnen, sich einzuspielen. Driss schaut nicht auf die Schranken, die die Behinderung mit sich bringt, er handelt einfach locker drauflos. Und Philippe kann herzlich darüber lachen und genießt die Unbekümmertheit des jungen Driss, der sich mit Hingabe um seinen Arbeitgeber kümmert. Es scheint so, als ob sie sich gegenseitig bereichern, auch wenn einige Probleme im Hintergrund brodeln: Driss' familiäre Situation ist alles andere als geklärt, der Konflikt mit seiner Mutter belastet ihn und auch die Sorge um seinen Stiefbruder Adama. Philippe hingegen ist dabei, seine Angst vor einem Date mit seiner Brieffreundin Eleonore zu verlieren. Bisher waren ihre jeweiligen Konflikte festgefahren und schienen unlösbar. Mittlerweile bekommen die beiden aber einen ganz anderen Blick für die Dinge.

Freundschaften helfen, schwierige Phasen im Leben zu überwinden. Dabei geht es nicht darum, die Probleme zu verdrängen, sondern sich ihnen zu stellen. Freunde können dabei ermutigen und bestärken, ohne dass sie etwas sagen müssen. Bei guten Freunden kannst du dir sicher sein: sie stehen zu dir, du musst da nicht allein durch. Driss und Philippe machen diese Erfahrung. Dabei können sie es wahrscheinlich selbst gar nicht beschreiben. Aber sie merken: Das Leben verändert sich. Und es fühlt sich gut an.

Als Jesus Jericho besuchte, entstand Aufregung. Die Leute strömten hin zu dem charismatischen Rabbi, der von sich behauptete, Gottes Sohn zu sein. Menschentrauben bildeten sich, jeder wollte diesen Mann sehen, von dem man bisher nur gehört hatte. Zachäus war nicht vorn dabei, er kannte seinen Platz im gesellschaftlichen Leben und stellte sich hinten an. Aber dort sah er nichts. Also suchte er für das Spektakel einen Aussichtspunkt: einen Maulbeerfeigenbaum. Und es funktionierte, Jesus kam mit seinen Begleitern die Straße entlang, blieb am Baum stehen und schaute nach oben. Zachäus muss für einen Moment das Herz stehen geblieben sein. Jesus forderte ihn auf, vom Baum herunterzukommen. Er wollte Gast bei ihm zu Hause sein, mit Zachäus essen. Die Menschen, die diese Szene beobachteten, mussten innerlich kochen und auch Zachäus war mulmig. Er spürte die bohrenden Blicke der Menschen. Er hatte viele von ihnen betrogen, natürlich waren sie wütend, dass gerade er, der voller Schuld war, von Jesus beachtet wurde. Gemeinsam gingen sie weiter. Diese Begegnung sollte für Zachäus Folgen haben.

Für Zachäus war der Maulbeerfeigenbaum ein sicherer Ort. Er konnte zuschauen, was passierte. Er hielt unverbindlichen Abstand, sah sich selbst nicht als Beteiligten, eher als Zuschauer. Es ging ihn nicht direkt an, dass Jesus kam. Vielleicht fehlte es ihm an Mut, sich unten in die Menge zu stellen, wahrscheinlich fühlte er sich einfach nicht würdig. Es fiel ihm sichtlich schwer, zu seinem Leben zu stehen. Auch Driss und Philippe kennen diese Unsicherheit und versuchen auf verschiedene Art, ihre Schwächen zu überdecken. Driss macht Witze über seine Hautfarbe, gibt den coolen Typen, der vor nichts Angst hat. Philippe sieht seine Behinderung als Grund dafür, dass Eleonore ihn ablehnt (obwohl sie ihn noch gar nicht kennt). Dabei haben beide den Wunsch danach, Anerkennung zu erlangen. Sie möchten, dass die Menschen sie so sehen, wie sie wirklich sind. Aber sie haben schon vorher eine Entschuldigung dafür, nicht weiter zu gehen. Sie sitzen auf ihrem Baum, ihrem Rückzugsort, von dem aus sie das Leben betrachten. Immer wenn jemand ihnen zu nahe kommt, machen sie einen Rückzieher. Driss sehnt sich nach Aussöhnung mit der Mutter, Philippe nach einer Partnerschaft. Erst mit der Zeit schaffen sie es, langsam von ihrem Baum herunterzusteigen. Dazu haben sie sich gegenseitig ermutigt. Auch Zachäus stieg vom Baum, auf dem er sich sicher gefühlt hatte. Er ging mit Jesus essen. Unten beginnt das Leben. Nicht oben auf dem Baum, wo man in Sicherheit wartet, bis alles vorüber ist. Unten ist es meist nicht bequem. Zachäus stand Auge in Auge mit Jesus. Es kommt zum großen Showdown.

Alles wird anders, alles wird neu

Filmsequenz 01:24:47 bis 01:28:36 zeigen.

Es ist Zeit weiterzugehen. Die Vergangenheit holt Driss ein und er steht vor einer Entscheidung. Macht er bei Philippe weiter oder beendet er die Arbeit und kehrt zurück in sein altes Leben? Seine Entwicklung erleidet einen Rückschlag, es konnte nicht immer so weitergehen. Die eigene Geschichte lässt sich nicht ablegen, geschweige denn verdrängen. „Sie haben sich das Arbeitslosengeld verdient. Ziehen Sie weiter, gehen Sie", gibt Philipp Driss mit auf den Weg. Er entlässt ihn in die Realität. Aber es ist nicht die düstere, graue Realität, die Driss vor einiger Zeit verlassen hat. Die Zeit mit Philippe hat ihn verändert und er hat den Mut erlangt, seine Baustellen anzupacken, Adama zu unterstützen und wieder für die Familie da zu sein. Driss ist gereift und wirkt fähig dazu. Das bedeutet auch für Philippe Veränderung. Nach Driss' Weggang fällt er in ein Loch, wird unzufrieden und mürrisch. Die Zeit hat auch ihm gutgetan. Driss fehlt ihm. Aber auch er besitzt nach einiger Zeit den Mut, Eleonore zu treffen. Das Alte geht nicht weiter, etwas Neues ist entstanden. Beide nehmen die Herausforderung an, starten neu ins Leben. Veränderungen im Leben geschehen nicht einfach. Freundschaft verändert und neue Perspektiven öffnen sich.

Von wem lässt du dich verändern? Hast du den Mut, von deinem Baum runterzusteigen? Was hält dich davon ab?

Für Zachäus wurde alles anders. Die Begegnung mit Jesus rückte sein Leben in ein ganz anderes Licht. Er war immer noch der, der viele Menschen abgezockt hatte. Er war immer noch der Außenseiter, der Kleingewachsene, der verspottet wird. Aber das alles musste ihn nicht davon abhalten, sein Leben zu verändern. Man erfährt nichts über sein Gespräch mit Jesus. Keine Aussage darüber, was sie beim Essen verhandelt haben, wie lange das Treffen überhaupt dauerte, ob es leise oder laut zwischen den Männern zuging. Eins ist sicher: Diese Begegnung muss Zachäus tief bewegt haben.

Er sagte: „Herr, sieh doch: Die Hälfte von meinem Besitz werde ich den Armen geben. Und wem ich zu viel abgenommen habe, dem werde ich es vierfach zurückzahlen." Und Jesus sagte: „Heute ist dieses Haus gerettet worden" (aus Lukas 19,8-10 BasisBibel).

Zachäus machte konsequent Schluss mit seinem Verhalten, wollte es wiedergutmachen, er erfuhr Gnade vor Jesus. Man kann davon ausgehen, dass allein die Tatsache, dass Jesus genau ihn vom Baum heruntergeholt hat, unfassbar eindrücklich für ihn war. Zachäus spürte, dass er nicht verloren ist, dass auch er neu anfangen kann. Dazu gehört mehr als Mut. Er musste den Menschen, die er betrogen hatte, in die Augen schauen und das Gespräch mit ihnen suchen. Um seinen Betrug wiedergutzumachen, wird er vieles erklären müssen. Es wird schmerzhaft werden, unangenehm, vielleicht werden einige ihn sogar beschimpfen. Zachäus entschied sich dennoch für diesen Weg. Ohne Murren. Er gab Jesus sein Versprechen.

Eine Begegnung mit Jesus ist mehr als ein flüchtiges Kennenlernen. Er sieht dich an, ohne über dich zu meckern, dich zu verbessern. Denn er weiß, wie du bist, wer du bist. Zuerst holt er dich von deinem Baum. Weg von den selbst gemachten Sicherheiten, Entschuldigungen und Ausreden, er nimmt dich mit deinen Fehlern an. Denn er weiß, dass du zu mehr fähig bist. Dann geht er mit dir essen, möchte dich kennenlernen und mit dir reden. Es ist eine Einladung, ihn kennenzulernen. Dieses Angebot wird dich verändern und dir einen neuen Blick für die Dinge in deinem Leben geben. Dabei wirst du ungeteilt Jesu Aufmerksamkeit haben, er hört dir zu, solange du aus deinem Leben erzählst. Und dann wird er aus seinem Leben und von seinem Auftrag erzählen.

So wie Freundschaften Leben verändern, genauso verändert die Begegnung mit Jesus. Er ermutigt dich, ein neues Leben zu beginnen, dich Ängsten zu stellen und gute Beziehungen mit anderen zu gestalten, anstatt sie zu verdrängen. Dabei ist er mehr als ein Freund. Er ist Perspektivenschenker, Gast und Gastgeber zugleich, eine Kraft, der du vertrauen kannst. Er ist von Gott gesandt, um „selig zu machen". Mit ihm beginnt ein Leben, das tragfähig ist. Du wirst deine Vergangenheit nicht verändern können, aber du wirst lernen, mit ihr umzugehen und Konflikten zu begegnen. Er hat einen Platz für dich und lädt dich ein: „Steig schnell herab. Ich muss heute in deinem Haus zu Gast sein" (Lk 19,5 BasisBibel).

Jan-Paul Herr
Jugendreferent im CVJM-Karlsruhe, Karlsruhe

Arbeit mit Gruppen

Ob Konfirmandenunterricht, Jugendgruppe oder Jugendfreizeit – dieses Kapitel zeigt die vielfältigen Möglichkeiten, Filme in Gruppen einzusetzen. Die Einheiten sind unterschiedlich gestaltet und bieten verschiedene Bausteine, die man je nach Situation, Zeitrahmen, Gruppengröße usw. einsetzen kann.

Zum zeitlichen Ablauf sollte man etwa 1,5 Stunden einplanen. Es ist in den meisten Fällen empfehlenswert, den Film komplett anzuschauen; das kann je nach Film den Zeitbedarf erhöhen. Bei besonders langen Filmen ist es vielleicht möglich, den Film bei einem Treffen zu zeigen und beim nächsten Mal die Einheit anzuschließen. Wir empfehlen den Einsatz ab dem Konfirmandenalter.

Der gute Kampf des Glaubens

Filmtitel	Atemlos – Gefährliche Wahrheit (2011)	**Material** rote und grüne Karteikarten DIN A6, Eddings, Bibeln
FSK	ab 12 Jahren	
Thema	Christsein, geistlicher Kampf, Herausforderungen meistern, Lebensweg	
Passende Bibelstelle	1. Timotheus 6,12	
Größe der Gruppe	keine Begrenzung	

Filmsequenz „Nathan stellt seine Mutter zur Rede; er erfährt, dass er adoptiert ist; wenige Minuten danach werden seine Eltern ermordet" (00:28:40 bis 00:36:14) zeigen.

Einstieg

Eigentlich hat Nathan Harper ein perfektes Leben. Seine Eltern verstehen sich gut, die Familie wohnt in einem riesigen Haus mit Pool, er ist ein toller Sportler und hat lustige Freunde. Was fehlt in seinem Leben noch? Es könnte ewig so weitergehen. Doch plötzlich dreht sich alles. Seine Welt wird auf den Kopf gestellt, als er erfährt, dass er adoptiert ist und einen Augenblick später mit ansieht, wie seine Eltern ermordet werden.

Zugegeben – was Nathan durchmacht, würde wahrscheinlich nicht mal 1% aller Teenager in seinem Alter passieren. Es ist ziemlich unrealistisch. Aber ein anderer Aspekt an der Geschichte ist dafür umso realistischer:

Vertiefung

Es ist die Tatsache, dass Nathan nicht nur erfährt, dass er der reiche Sohn toller Eltern ist, sondern auch zu ahnen beginnt, dass etwas mit ihm anders ist. Nathan ist wichtig – sogar so wichtig, dass er vor mächtigen Feinden beschützt werden muss.

Sein Vater versuchte, ihn auf diese Konfrontation mit seinen Feinden vorzubereiten. Er trainierte hart mit ihm, sogar gnadenlos! Der Vater wollte, dass Nathan eine reelle Chance hat, gegen seine Gegner im Kampf zu bestehen.

Jetzt fragst du dich vielleicht, was daran realistisch sein soll?!

Gott zeigt sich in der Bibel als unser Vater. Wir sind seine Kinder, wenn wir dieses Angebot annehmen. Und wir als seine Kinder sind Gott auch – jeder einzeln – unglaublich wichtig! Weil wir ihm so viel bedeuten, möchte auch er, dass wir seinen Schutz erfahren können. Genauso wie Nathans

Vater ihn auf die Kämpfe vorbereiten wollte, bereitet Gott uns auf kommende Herausforderungen in unserem Leben vor!

1. Timotheus 6,12

Dieser Vers macht deutlich, dass es einen guten Kampf des Glaubens gibt. Paulus möchte seinen jungen Freund Timotheus (der für ihn wie ein Sohn ist) darauf vorbereiten, dass es im Leben eines Christen zu Herausforderungen kommen kann! Paulus möchte nicht, dass Timotheus davon einfach überrumpelt wird. Durch den Brief und die Freundschaft mit Paulus erfährt Timotheus, was ihm in so einem Fall helfen kann.

Austausch

Welche Kämpfe meint Paulus?

Welche Kämpfe müssen Christen häufig durchmachen?
Zuerst in die Runde fragen. Antworten sammeln und auf rote Karten schreiben.

Antwortbausteine

Reaktionen auf unser Christsein in Form von Anfeindungen, Ausgelachtwerden, Beschuldigungen, Mitleid, Auseinandersetzungen mit Andersdenkenden oder Andersgläubigen, Unverständnis von Freunden und Familie ...
Man kann hier natürlich auch auf andere Aspekte eingehen; Beispiele: Wenn Gott Gebete scheinbar nicht erhört oder nicht beantwortet, Versuchungen, Krankheiten, Mobbing, Streit ...

Was können Christen tun, um diese „Kämpfe“ zu gewinnen?

Zuerst in die Runde fragen. Nun für alle roten Karten Lösungen finden und auf grüne Karten schreiben. Diese Lösungen kann man hinterher als Erinnerung aufhängen. Zusätzlich können passende und ermutigende Bibelverse aufgeschrieben werden.

Antwortbausteine

Beten und über alles mit Gott reden, den anderen Leuten immer wieder vergeben, demütig bleiben, Hilfe bei erfahreneren Christen holen, Bibel lesen, für sich beten lassen, offen bleiben und nicht verbittert werden, durchhalten, regelmäßig in eine Gruppe bzw. Kirche/Gemeinde gehen oder eine Zweierschaft besuchen, ehrlich sein, gute Bücher zum Thema lesen, Hilfe suchen – nicht ignoriern

Tipps für den Alltag (optional)

Lest gemeinsam folgende ergänzenden Bibelstellen dazu (die Mitarbeitenden sollten die Texte im Vorfeld gelesen und Antwortbausteine gesammelt haben):
Epheser 6,12-16
1. Korinther 9,24
Hebräer 10,23
Psalm 42,6
Psalm 55,18-19

Was ist in den Texten gemeint?
Welche Tipps können wir darin finden?
Wie hilft uns das im Alltag?

Abschluss

Gott weiß genau, was uns im Leben alles passieren wird und was auf uns zukommt! Weil er das so gut weiß, hat er viele Vorkehrungen dafür getroffen. Sie sollen uns helfen, wenn harte Zeiten anbrechen. Vor allem durch die Bibel erfahren wir, welche Hilfen Gott für uns vorbereitet hat.

Du bist zu keiner Zeit von Gott alleingelassen und auch nicht schutzlos den schweren Situationen deines Lebens ausgesetzt. So wie Nathan auf seinem Weg immer wieder unerwartet Hilfe bekommt, erhältst auch du von Gott starke Hilfen, um den „guten Kampf des Glaubens" zu gewinnen.

Wenn du also einmal in eine solche Situation kommen solltest oder gerade in ihr bist, wende diese Hilfen auf dein Problem an! Gott hat sie dir extra zur Verfügung gestellt. Du kannst dich auf ihn verlassen – probier es aus!

Miriam Tölgyesi
Systemische Beraterin und Jugendreferentin, Mannheim

Alles ist verbunden

Filmtitel	Cloud Atlas (2012)	**Material**
FSK	ab 12 Jahren	Plakate, farbiges Papier,
Thema	Gemeinschaft, Verbindungen, Zukunft	weiße DIN-A3-Blätter, Stifte
Passende Bibelstelle	Römer 12,10-12	
Größe der Gruppe	12 bis 30 Personen	

Vorbereitung

Bevor der Film gezeigt wird, werden die Teilnehmenden in sechs Gruppen eingeteilt und jeweils einer Geschichte aus dem Film zugeordnet. Die Gruppen sollen sich „ihre" Geschichte besonders merken und am Ende kurz zusammenfassen und aufschreiben.

Gruppen

- Nr. 1: 1849, Adam Ewing, Anwalt, gegen Sklaverei
- Nr. 2: 1936, Robert Frobisher, Komponist
- Nr. 3: 1973, Luisa Rey, Journalistin
- Nr. 4: 2012, Timothy Cavendish, Verleger im geschlossenen Altersheim
- Nr. 5: 2144, Klon Sonmi-451
- Nr. 6: 106. Winter nach der Apokalypse, Ziegenhirte Zachary und Technikerin Meronym

Einstieg: Gordischer Knoten

Alle Teilnehmenden stellen sich im Kreis auf und schließen die Augen. Langsam gehen sie aufeinander zu. Alle halten dabei die Arme waagerecht nach vorn. Jeder greift in der Mitte nach zwei anderen Händen und hält diese fest. Die Augen können wieder geöffnet werden. Das große Chaos aus Armen soll nun rückgängig gemacht werden, ohne dass Hände sich dabei loslassen. **Alternativ** kann auch zu Beginn eine Person außerhalb des Raumes warten, die dann den Knoten auflösen soll.

Dieses Spiel soll in die Einheit einleiten, indem die Jugendlichen miteinander verbunden sind, da das Verbundensein immer wieder auftauchen wird.

Rückblick auf den Film

Zu Beginn des Rückblicks bekommen die sechs Gruppen etwas Zeit, um ihre zugeteilte Geschichte noch einmal zu besprechen. Anschließend erzählen sie die Geschichte ihrer Figur der ganzen Gruppe.

So haben auch die Teilnehmenden eine Chance die Einheit mitzuverfolgen, die den Film nicht gesehen haben. Außerdem wird die Erinnerung an den Film wieder geweckt.

Jede Geschichte wird auf einem Plakat mit einer kurzen Beschreibung festgehalten und chronologisch auf dem Boden angeordnet.

Auflösung der Verbindungen

Anschließend wird gemeinsam überlegt, welche Verbindungen im Film zwischen den einzelnen Geschichten zu finden sind. Diese Verbindungen werden auf andersfarbige Zettel geschrieben und zwischen die jeweiligen Geschichten gelegt.

Gruppen/Verbindungen
- Nr. 1 und 2: Tagebuch (Filmsequenz 00:39:40 bis 00:40:06)
- Nr. 2 und 3: Wolkenatlas-Sextett (Filmsequenz 00:54:53 bis 00:55:42),
  Sixsmith (Filmsequenz 00:14:54 bis 00:17:18 im Fahrstuhl)
- Nr. 3 und 4: Buch über Atomskandal (Filmsequenz 00:18:37 bis 00:22:12)
- Nr. 4 und 5: Video der Flucht (Filmsequenz 00:28:00 bis 00:28:57)
- Nr. 5 und 6: Sonmi-451 als Vorbild (Filmsequenz 00:35:59 bis 00:36:34)

Folgende Aspekte können mit in die Auflösung eingebracht werden:
Verschiedene Zeiten und Geschichten sind miteinander verbunden.
Die Gegenwart beeinflusst die Zukunft. Was wir heute machen, hat Auswirkungen.

Römer 12,10-12

Paulus ermutigt die Gemeinde in Rom, in Liebe miteinander verbunden zu sein, sich gegenseitig zu achten und diese Gemeinschaft von Gottes Geist durchdringen zu lassen.

Der Bibeltext wird mit den Teilnehmenden gelesen, anschließend Fragen zum Text beantwortet und Gedanken ausgetauscht.

Folgende Fragen können danach besprochen werden:
- Wie stellt ihr euch vor, in Liebe miteinander verbunden zu sein?
- Kennt ihr das aus dem Alltag? Wie könnte das aussehen?
- Was ist das Besondere daran, durch Gott verbunden zu sein?
- Welche Auswirkungen sollte unser Verbundensein, unsere Gemeinschaft für die Zukunft haben? Was bereiten wir für die nächsten Generationen vor?
- Welche Unterschiede seht ihr zwischen den Verbindungen im Film und der Verbindung innerhalb einer christlichen Gemeinschaft? (z. B. Zufall, gleiche Werte ...)

„Hört nicht auf zu beten."

Alle Teilnehmenden bekommen ein weißes DIN-A3-Blatt und malen darauf, mit wem sie verbunden sind: Wer und was hat mich geprägt? Wofür bin ich dankbar? Was begleitet mich gerade, wofür kann ich bitten?

Gebetsanliegen können zwischen die Verbindungen geschrieben werden.
Zum Abschluss wird gemeinsam das Vaterunser gebetet.

Stefanie Bredemeier
Jugendreferentin im Amt für Jugendarbeit des Kirchenkreises Minden, Porta Westfalica

Torsten Vollmann
Fuhrparkleiter der Bäckerei Schäfer's, Porta Westfalica

Rache oder Menschlichkeit

Filmtitel	Defiance – Unbeugsam (2008)	Matthäus 5,43 ff.;
FSK	ab 12 Jahren*	Römer 12,19
Thema	Freiheit, Freundschaft, Gemeinschaft, Gerechtigkeit, Glaube, Hilfe, Hoffnung, Menschlichkeit, Rache, Vertrauen	**Größe der Gruppe** keine Begrenzung
Passende Bibelstelle	5. Mose 32,35; Jesaja 35,4; Jesaja 61,2; Matthäus 5,1-12;	

Material: Zeitschriften; Stifte, große Papierbögen für Umrisse; ausgedruckte Bibelverse; (Schreib- und Mal-)Papier, Stifte, Farben

* Aufgrund der Thematik und der teilweise drastisch dargestellten Gewaltszenen empfiehlt sich der Film erst ab 14/15 Jahren.

Filmthemen

Freundschaft, Solidarität, Gott, Glaube, Rache, Gemeinschaft, Freiheit, Menschlichkeit, Gerechtigkeit, Hoffnung – der Film „Defiance – Unbeugsam" bietet ein breites Spektrum an Themen und Fragen, die unser Menschsein betreffen. Sie werden behandelt vor dem Hintergrund einer Zeit, die mit der heutigen nicht zu vergleichen ist. Aber gerade deshalb ist es spannend zu betrachten, wie Menschen sich angesichts dieser Bedrohung und Unmenschlichkeit verhalten.

„Defiance – Unbeugsam" erzählt die (wahre) Geschichte der Brüder Bielski, die in den letzten Kriegsjahren über 1.200 Juden das Leben gerettet haben. Sie sind jüdische Partisanen, die sich der Verfolgung durch die Nationalsozialisten widersetzen und aktiv gegen die Unterdrückung wehren. Dies unterscheidet „Defiance – Unbeugsam" von zahlreichen Filmen, in denen Juden in Zeiten des Holocausts ausschließlich in der Opferrolle dargestellt werden. Die Entscheidungen und Verhaltensweisen der Bielski-Brüder werden allerdings zwiespältig dargestellt: Die Hauptdarsteller sind einerseits Helden, die 1.200 Menschen vor dem Tod bewahren, in vielen Sequenzen aber auch brutale Täter. In einer der ersten Szenen, in der die Kamera einen Mord an wehrlosen Menschen aus nächster Nähe zeigt, erschießt Tuvia einen Kollaborateur und dessen Söhne. Der Film unterscheidet nicht zwischen Grausamkeiten, die von den Partisanen ausgehen, und denen, die ihnen oder ihren Schützlingen widerfahren. Die Motive reichen dabei auf beiden Seiten von purem Überlebensdrang bis hin zu blanker Rache. Der Film verdeutlicht so die Grausamkeit des Krieges und wirft unweigerlich die Frage auf, welche Grenzen Menschen überschreiten, die extremen Qualen ausgesetzt sind und die die Möglichkeit bekommen, sich und anderen das Leben zu retten. Die Zuspitzung der Handlung auf moralische Fragen bietet zudem gute Diskussionsansätze, um sich mit Themen auseinanderzusetzen, die das Zusammenleben von Menschen betreffen: Wie kann man auch im größten Elend Menschlichkeit bewahren? Ist es zu rechtfertigen, ein Menschenleben zu opfern, um viele zu retten? Rechtfertigt der Widerstand auch das Töten?

Neben diesen Fragen, die das Zusammenleben von Menschen betreffen, wird aber auch die Frage nach Gott und dem Platz gestellt, den er in einer Welt voller Leid und Zerstörung einnimmt. Der Glaube an Gott spielt eine existenzielle Rolle – verbunden mit der Frage, wie Glaube überhaupt noch möglich ist. Dies wird besonders an einer Person einprägsam geschildert. So sagt Shimon, ein ehemaliger Lehrer Tuvias zu Beginn des Films: „Mein Leben lang wollte ich anderen beibringen, wie man vernünftig lebt. Ich wusste, das ist Gottes Weg. Vergib mir, aber das, was geschieht, hat meinen Glauben erschüttert“ (Kap. 3). Bevor er stirbt, sagt Shimon zu Tuvia: „Ich hatte fast den Glauben verloren. Aber du wurdest uns von Gott geschickt, um uns zu retten.“ „Was für ein Unsinn!“ „Ich weiß es. Aber nur für den Fall, dass doch, danke ich ihm. Und ich danke dir“ (Kap. 23).

Ein Thema durchzieht den Film wie ein roter Faden: die Geschichte des wandernden Gottesvolkes, von Israel und seinem Gott, der sich sein Volk erwählt hat. Eine Geschichte, die ihren Ursprung in der Befreiung aus Ägypten hat. Eine Geschichte voller Hoffnung und Leid, voller Licht und Schatten. Eine Geschichte, die bis in unsere Tage hineinreicht. So gibt es immer wieder Anklänge an den Exodus: das Umherziehen in den Wäldern, das „Murren“ des Volkes, die Anfragen an seinen Führer (Moses/Tuvia), die Frage nach der Zukunft und die Frage nach Gott. Biblische und jüdische Motive tauchen immer wieder auf, gerade dann, wenn die Gemeinschaft beschworen wird. Es wird deutlich, dass sie alle hineingenommen sind in diese jüdische Geschichte, dass sie sich aber auch nicht als willenlose Schafe zur Schlachtbank führen lassen müssen. Es sind auch immer die jüdischen Bräuche und Festlichkeiten, die der dunklen Wirklichkeit das Trotzdem des Glaubens entgegensetzen (eine eindrucksvolle Filmmontage in Kapitel 14 zeigt zeitgleich eine Hochzeitsfeier und den Überfall auf einen mit Deutschen besetzten Lastwagen, bei dem die Soldaten auf grausame Weise umgebracht werden).

Zeichen der Hoffnung

In „Defiance – Unbeugsam“ gibt es neben all der Verzweiflung und Hoffnungslosigkeit auch Zeichen der Hoffnung: Menschen helfen einander unter Lebensgefahr, die Gemeinschaft der Waldbewohner, eine Hochzeit, ein Kind wird geboren.

Was erleben die Teilnehmenden als erdrückend und hoffnungslos? Was sind für sie Zeichen der Hoffnung? Durch in Kleingruppen selbst ausgedachten Spielszenen oder gemeinsam gestalteten Collagen – z. B. mit Bildern und Zitaten aus Zeitschriften – (Was gibt mir Hoffnung? Wo ist keine Hoffnung mehr?) kann dies ausgedrückt werden.

Menschlichkeit

Eine besondere Herausforderung für die Juden ist es, bei aller Unmenschlichkeit, die sie erleben, selbst Mensch zu bleiben.

Was gehört zum Menschsein dazu? Was zeichnet Menschlichkeit aus? Antworten auf diese Frage können von den Teilnehmenden z. B. in Körperumrisse, die sich von sich selbst auf großes Papier gemalt haben, geschrieben werden. Texte zum Thema Menschsein können ebenfalls dazu verwendet werden (z. B. das Lied „Mensch" von Herbert Grönemeyer). Je nach Anzahl der Teilnehmenden werden Kleingruppen gebildet.

Rache

„Wie du mir, so ich dir" – nicht wenige Menschen leben nach dieser Lebenseinstellung. Auch die Bielski-Brüder wollten Rache, wenn auch auf unterschiedliche Art und Weise.

Kann Unrecht mit Unrecht vergolten werden? Blut für Blut? Es ist normal, dass sich bei erlebter Ungerechtigkeit Rachegefühle entwickeln – wie gehen wir damit um? Dies kann mit Hilfe von Bibeltexten methodisch aufgearbeitet werden. Beispiele für Bibeltexte: 5. Mose 32,35; Jesaja 61,2; Jesaja 35,4; Römer 12,19; dazu die Seligpreisungen in der Bergpredigt (Matthäus 5,1-12) und „Von der Feindesliebe" (Matthäus 5,43ff.).

Die Bibelverse werden ausgedruckt und in Kleingruppen gegeben. Jede Kleingruppe überlegt sich zu einem Text eine praktische Umsetzung für den Alltag und stellt diese dann szenisch dar.

Glaube und Vertrauen

Das Vertrauen auf den Gott, der versprochen hat, mit seinem Volk mitzugehen, wird auf eine harte Probe gestellt. Dies führt auch dazu, dass Menschen nicht mehr glauben können oder dass dieses Vertrauen erst langsam wieder wächst.

Impulsfragen
- Was macht es mir schwer, Gott zu vertrauen?
- Was hilft mir dabei, Gott zu vertrauen?
- Wo habe ich gute Erfahrungen damit gemacht, Gott zu vertrauen?

Dieser Baustein eignet sich besonders für Gruppen, die schon vertraut miteinander sind. Die Teilnehmenden tauschen sich in Kleingruppen über die Impulsfragen aus.

Alternativ: Die Teilnehmenden schreiben zuerst auf, was ihnen zu den Fragen einfällt, und bringen dies dann in die Kleingruppe ein.
Alternativ: Die Teilnehmenden malen ein Bild zu den Impulsfragen und stellen sich die Bilder gegenseitig in der Kleingruppe vor.

Martin Burger
Landesjugendreferent für Jugendpolitik und Freiwilligendienste
im Ev. Jugendwerk in Württemberg, Stuttgart

Liebe ist nicht gleich Liebe

Filmtitel	Der Aufreißer (Kurzfilm, 2006)	**Material**
FSK	ab 0 Jahren	Stifte, große Papierblätter, Endlospapier, Sonnenbrille, Kinderkappe, vorbereitete Herzen, Hintergrundmusik
Thema	Liebe, Sexualität	
Passende Bibelstellen	Johannes 8,3-11; 2. Timotheus 2,22	
Größe der Gruppe	keine Begrenzung	

Einstieg: Assoziationen zum Thema Liebe

Die Teilnehmenden sammeln noch vor dem Film Begriffe, die ihnen zum Thema Liebe einfallen. Hierdurch wird das Thema im Verständnis geweitet. Die Leitung kann zudem die Aspekte der Nächstenliebe, der persönlichen Liebe (z. B. in der Familie), der erotischen Liebe und auch der Liebe Gottes durch Begriffsvorschläge einbringen und so die Bedeutungsvielfalt erweitern.

Empathisches Gedankenlesen

Der komplette Kurzfilm wird gezeigt. Nach gewissen Szenen wird der Film angehalten. Die Teilnehmenden haben dann die Aufgabe, in die Rolle von Olli oder Yvonne zu schlüpfen und aus deren Sicht Gedanken zu äußern.

Leitung: „Du bist Olli bzw. Yvonne. Welche Gedanken gehen dir jetzt durch den Kopf?"
Anfangssatz der Teilnehmenden: „Ich bin Olli bzw. Yvonne und mir geht durch den Kopf ..."

Je nach Größe der Gruppe sind alle Teilnehmenden gleichzeitig Olli bzw. Yvonne oder es werden zwei Gruppen gebildet. Die Teilnehmenden können ihre Gedanken durcheinander äußern.

Filmstopp bei 00:02:22
Olli ist nach eigenen Angaben nicht Lauras Freund, kommt aber aus ihrem Schlafzimmer. („Du bist Yvonne ...")

Filmstopp bei 00:03:01
Yvonne will Olli ihr aufgeräumtes Zimmer zeigen. („Du bist Olli ...")

Filmstopp bei 00:03:47 (Vorsicht! Kaum Sprechpause!)
Olli will keine Kinder haben. („Du bist Yvonne ...")

Filmstopp bei 00:06:03
Olli will Yvonne bezahlen, dass sie die Schlüssel herausgibt. („Du bist Yvonne ...")

Filmstopp bei 00:09:35
Yvonne umarmt Olli, weil er verspricht zum Frühstück zu bleiben. („Du bist Olli ...“)

Filmstopp bei 00:12:00
Olli findet Laura klasse „nicht nur sexuell, sondern auch spirituell.“ („Du bist Olli / Laura ...“)

Beobachtungsaufgaben für Kleingruppen

Vor dem Film werden Beobachtungsaufgaben an zwei (drei) Gruppen verteilt. Im Anschluss an den Film kann in diesen Kleingruppen weitergearbeitet und ein Ergebnis zusammengefasst werden.

Beobachtungsfragen für Gruppe „Olli“ bzw. für Gruppe „Yvonne“

- An was denkt Olli (Yvonne), wenn er (sie) an Liebe denkt?
- Welche Lebensweise gehört für Olli (Yvonne) also automatisch dazu?
- Welche Lebensform strebt Olli (Yvonne) an und warum? Welche Sehnsucht steckt dahinter?

Die Ergebnisse werden jeweils in den Umriss einer Personen auf einem großen Papier eingetragen. Dies kann mit Schlagworten oder Symbolen erfolgen.

Beobachtungsaufgabe einer weiteren Gruppe

Manche Verhaltensweisen und Äußerungen von Olli wirken verletzend. Findet heraus, in welcher Situation was auf wen verletzend wirkt! (Die Ergebnisse in Umrissen von Blitzen festhalten, die dann mit den Personenumrissen der beiden anderen Gruppen kombiniert werden.)

Die Gruppen stellen sich ihre Ergebnisse vor. Die gemalten Umrisszeichnungen können auch einer anderen Gruppe zunächst zur Ansicht und Deutung gegeben werden. Bei der gegenseitigen Vorstellung können die geäußerten Vermutungen aufgrund der Symbole dann mit den Ergebnissen der Arbeitsgruppe abgeglichen werden.

Schreibgespräch

Nach dem Film werden fünf große Papierblätter mit folgenden Fragen verteilt:

- Was ist für Olli Liebe?
- Was ist für Yvonne Liebe?
- Was wirkt verletzend in dem Film?
- Was wirkt liebevoll in dem Film?
- Was lernt Olli und von wem?

Die Teilnehmenden gehen frei herum. Sie schreiben schweigend ihre Meinung auf die Papiere und sollen sich dabei auch gegenseitig kommentieren. Die Leitung hakt mit „W-Fragen“ nach und vertieft die rein schriftliche Diskussion.

Tipp: Grundfragen und weitere Fragen der Leitung sollten mit besonderer Signalfarbe aufgeschrieben werden (Fokussierung des Schreibgesprächs). Ruhige Hintergrundmusik hilft den Teilnehmenden, sich auf die Schriftform zu konzentrieren.

Ist das Gespräch in Gang gekommen, kann die Leitung auch persönlichere Fragestellungen hinzufügen (oder auf weiteren Blättern beginnen), sodass die Jugendlichen in diesem einigermaßen anonymisierten Rahmen ihre eigene Meinung aufschreiben:

- Würdest du wie Laura reagieren?
- Was würde dich verletzen, wenn du im weitesten Sinn an das Thema Liebe denkst?
- Was ist dir bei der Beschäftigung mit dem Thema Liebe wichtig geworden? Worauf möchtest du in Zukunft achten?

Filmriss und Szenen weiterspielen

Der Film führt die Beziehung von Olli, Laura und Yvonne wie in einem Märchen zu einem Happy End. Im Film ist das möglich, im normalen Leben nicht unbedingt!

Frage an die Teilnehmenden: Findet ihr Lauras Reaktion auf Ollis „Büchlein" normal?

Der Film kann nun noch einmal teilweise gezeigt werden. Dann sollen sich die Jugendlichen ein anderes Ende überlegen und selbst vorspielen. Dabei kann die Vorgabe gemacht werden, dass es kein Happy End geben soll. Zur Identifikationshilfe sollte Olli z. B. eine coole Sonnenbrille und Yvonne z. B. eine Kinderkappe tragen.

Aspekte von Liebe – meine Bewertung

Der Film zeigt zwei extreme Positionen, was man unter Liebe verstehen kann. In ein großes Herz werden alle Aspekte von Liebe eingetragen. Dies kann in Kleingruppen erfolgen – so würde man den gegenseitigen Austausch fördern. Es kann aber auch bewusst in Einzelarbeit erfolgen, um die persönliche Meinungsbildung zu fördern.

Aufgabe: Der Film macht deutlich, dass Liebe nicht nur Sex ist. Schreibe oder stelle in Symbolform dar, was nach dem Film alles zur Liebe gehört. Welche weiteren Aspekte von Liebe kennst du noch, die außerdem noch zum Thema Liebe gehören (z. B. religiöse Aspekte von Liebe)? Diskutiert in der Kleingruppe bzw. überlege allein für dich, welche Wichtigkeit die festgehaltenen Punkte haben. Verteile Punkte von 10 bis 1 nach der Wichtigkeit und trage diese Punkte ins Plakat ein. Begründet eure / begründe deine Meinung.

Johannes Barth
Pfarrer in der Ev. Kirchengemeinde Oberkaufungen, Kaufungen

Fairplayer Jesus

Filmtitel	Der ganz große Traum (2011)	**Material**
FSK	ab 0 Jahren	Stoppuhr, Pfeife,
Thema	Fairplay, Gemeinschaft, Respekt, Toleranz	Bibel oder Bibeltext für alle Teilnehmenden
Passende Bibelstelle	Matthäus 20,1-16	
Größe der Gruppe	max. 20 Personen	

Kreativer Einstieg: Kugellager

Die Teilnehmenden bilden zwei Kreise: Einen Innenkreis, der nach außen schaut, und einen Außenkreis, der nach innen schaut. Jede Person hat somit ein Gegenüber. Es wird eine Frage gestellt, über die man mit der Person gegenüber diskutieren kann. Nach einer Minute gibt es ein Pfeifsignal, dann wechseln die Paare, indem der Außen- oder (!) der Innenkreis einen Platz nach links oder rechts wandert.

Über folgende Frage können sich die Teilnehmenden austauschen:

- Was ist deine Lieblingssportart (aktiv oder passiv)?
- Was war dein schönstes Ereignis mit deiner Lieblingssportart?
- Was war dein schrecklichstes Ereignis mit deiner Lieblingssportart?
- Wo hast du eine unfaire Situation mit deiner Lieblingssportart erlebt? Warum war sie unfair?

Einstieg in das Thema

Der Gruppe wird erzählt, um welches Thema es heute geht und was auf sie zukommt.

Einstieg in den Film

Konrad Koch kommt als junger Lehrer aus England an ein deutsches Gymnasium im Jahre 1874. Um die neue englische Sprache den Jungs beizubringen, greift er zu einer für damals außergewöhnlichen Methode. Statt Disziplin und Ordnung führt er Fußball ein. Das Ganze ist ein Projekt auf Zeit und findet bei anderen Lehrern und Verantwortlichen keinen Anklang. Schon seine erste Unterrichtsstunde läuft nicht so, wie er sie sich vorgestellt hat.

1. und 2. Filmsequenz

Filmsequenz 00:08:58 bis 00:11:36 und 00:22:31 bis 00:28:18 zeigen.

Anschließend werden ein paar Fragen an die Gruppen gestellt, um eine Diskussion anzuregen:

- Was ist in der ersten Szene passiert und wie hast du sie erlebt?
- Wie geht es nun Joost? (Der Junge, der bestraft wurde.)
- Was denkt Felix? (Der Junge, der die Säge am Schluss bekommt.)
- Wie würdest du dich fühlen, wenn dein Geschichtslehrer auf einmal mit euch in die Halle geht und anfängt, Hockey zu spielen?

Den Jungs gefällt Fußball immer mehr und sie lernen die englische Sprache Schritt für Schritt kennen. Felix Vater, der Vorstandsvorsitzende der Schule, unterstützt die neue pädagogische Unterrichtsmethode jedoch nicht bzw. ist vehement dagegen. Er vertritt die Regel, dass alles Zucht und Ordnung haben muss und arm und reich getrennt sein soll. Seiner Meinung nach hat Joost als armer Junge nichts auf dieser Schule zu suchen. Felix' Vater und die anderen Lehrer versuchen Konrad Koch und seinen neuen Ansatz von der Schule zu suspendieren. Fußball wird nun in der Schule verboten. Rein „zufällig" treffen sich nun jeden Nachmittag alle Schüler im Park und spielen dort weiter. Die Klasse wächst von Tag zu Tag zusammen, sodass auch Felix sich positiv verändert. Allerdings überschreiten die Jungs manche Grenzen, sodass der junge Lehrer ihnen gegenüber noch einmal „fairplay" definieren muss.

3. Filmequenz

Filmsequenz 01:06:49 bis 01:08:36 zeigen.

Es folgt eine weitere Auseinandersetzung mit dem Film und dem Thema:

- Was hältst du von „fairplay"?
- Wo erlebst du in der Welt „fairplay"?
- Wo erlebst du in deinem Alltag keinen „fairplay"?

Die Jungs entschuldigen sich nicht und trainieren ab jetzt allein im Park. Joost bekommt daheim Ärger, dass er Fußball spielt, da seine Mutter Angst hat, dass er von der Schule fliegt. Joost versucht es seiner Mutter zu erklären: „Die respektieren mich endlich in der Klasse. Beim Fußball ist es nämlich egal, ob man reich oder arm ist. Da spielen alle zusammen." Aber seine Mutter versteht ihn nicht und Joost geht trotzdem in den Park.

Felix Vater hat nun vom Fußballspielen im Park mitbekommen, räumt mit der Polizei den Park und lässt das Fußballspielen komplett verbieten. Bis die Jungs auf eine geniale Idee kommen. Und diese kommt in allerletzter Sekunde.

4. Filmsequenz

Filmsequenz 01:18:20 bis 01:22:22 zeigen.

Auseinandersetzung mit Matthäus 20,1-6

Der Bibeltext wird in Kleingruppen (ca. fünf Personen) gelesen. Die Kleingruppen bekommen zusätzlich zwei Aufgaben. Sie sollen zuerst in Einzelarbeit die Stellen mit einem Fragezeichen markieren, bei denen sie Fragen haben, und die Stellen, bei denen sie zustimmen, mit einen Ausrufezeichen. Danach sollen sie als Kleingruppe den kompletten Text in einer SMS zusammenfassen. So, als ob man kurz und knapp das Wesentliche einem besten Freund schicken will.

Anschließend tauscht man sich über die in der Einzelarbeit markierten Fragen des Textes in der Großgruppe aus. Unter anderem auch darüber, ob Jesus eigentlich fair war oder vielleicht sogar noch mehr als fair.

5. Filmsequenz

Filmsequenz 01:36:33 bis 01:42:27 zeigen.

Evtl. kann danach noch das Thema abgerundet werden, indem ein aktueller Bezug zum Alltag hergestellt wird. Oder jemand berichtet von einer echt erlebten Situation.

Abschluss

Es werden Gebetsanliegen rund um das Thema „fairplay im Alltag“ gesammelt und das Druckgebet angewandt. Die Teilnehmenden sitzen dazu im Kreis. Man hält sich an den Händen. Einer fängt an zu beten. Wenn er fertig ist, drückt er leicht die Hand des rechten Nachbarn als Zeichen, dass er oder sie dran ist. Es wird somit reihum gebetet. Wer nicht beten möchte, „drückt“ einfach weiter. Der oder die Letzte in der Runde macht den Abschluss.

Vassili Konstantinidis
Referent für Freiwilligendienste
beim netzwerk-m e.V., Kassel

Vertrauen wagen

Filmtitel	Erbsen auf halb 6 (2004)	**Material**
FSK	ab 6 Jahren	Spielfeldmarkierungen,
Thema	Gemeinschaft, Liebe, Vertrauen	Seile/Zauberschnur,
Passende Bibelstelle	1. Mose 12; 1. Mose 15,1	Augenbinden/Tücher;
Größe der Gruppe	8 bis 24 Personen (für manche Spiele ist eine gerade Personenzahl nötig)	2 x 4 Farbkarten (rot, blau, gelb, grün – z. B. Moderationskarten)

Einstieg

Filmsequenz „Zugfahrt" (00:23:20 bis 00:29:13) zeigen.

Erbsen auf halb 6 ist eigentlich eine Liebesgeschichte zwischen Jakob und Lilly. Ersterer, ein erfolgreicher Theaterregisseur, verliert bei einem Unfall sein Augenlicht. Er war es gewohnt, dass andere auf ihn angewiesen sind, nun muss er sich auf seine verbliebenen Sinne verlassen oder darauf, dass die Erbsen wirklich auf „halb 6" liegen. Lilly ist von Geburt an blind und soll Jakob helfen, sich in seinem neuen Leben zurechtzufinden. Jakob lehnt jede Hilfe ab, will in Ruhe gelassen werden und gibt dies Lilly mit teilweise sehr verletzenden Worten zu verstehen. Lilly lässt sich jedoch nicht abschütteln. Einen letzten Wunsch hat Jakob noch: er will seine in Russland lebende und dem Sterben nahe Mutter nochmals besuchen. Die beiden brechen auf. Es entwickelt sich nach und nach Vertrauen und auch Liebe. Der Film wird zu einem Road-Movie besonderer Art und findet auf Umwegen zu einem „Happy End".

Optional: biblischer Bezug

Filmsequenz „Regen" 01:04:35 bis 01:06:00 zeigen.

Auch in der Bibel gibt es solche „Road-Movies". Es gibt Menschen wie z. B. Abraham und Sarah, die aufbrechen aus dem gewohnten Umfeld. Gott schickt sie auf den ungewissen Weg mit der Zusage „Ich bin bei euch, ich begleite euch, wohin ihr auch geht, ich werde euch segnen" (vergleiche 1. Mose 15.1). Sie vertrauen darauf, dass Gott es gut mit den Menschen meint; dass er uns begleitet, führt, tröstet und beschützt, auch wenn wir den Weg noch gar nicht sehen und ihm quasi blind vertrauen müssen.

Spiele

Der Film macht wieder einmal klar, mit welcher Selbstverständlichkeit man die Welt visuell wahrnimmt und man darauf vertraut, dass alles „gut geht" und Gott „schon irgendwie führt". Zum anderen vermittelt er eine Brücke zu den Menschen, die nicht sehen, aber umso bewusster hören und fühlen, die sich oft aber auch auf andere Menschen verlassen und ihnen vertrauen müssen.

Naheliegend sind deswegen Übungen/Spiele, bei denen einer, einige oder alle Mitwirkenden nicht sehen können. So erleben und erfahren die Teilnehmenden, was es bedeutet, sich auf andere verlassen zu müssen bzw. Verantwortung für andere zu übernehmen. Optimal für die Durchführung ist ein größerer, möglichst ebener Platz (Fußballplatz, Strand, großer Raum o. Ä.). Alle Spiele können als reine „Actionspiele" gespielt werden, die Mehrzahl lädt jedoch auch zur Reflexion ein.

Methode zur Reflexion: Punkteblitzlicht

Die Teilnehmenden finden sich im Kreis zusammen. Der Leiter stellt einige Fragen zur Einschätzung des soeben gemeinsam Erlebten. Denkbare Fragen sind z. B.

- Wie wohl hat sich jede/jeder Teilnehmende in der Gruppe gefühlt?
- Wie gut schätzt die Gruppe ihre Zusammenarbeit ein?
- Wie stark hat die/der Einzelne zum Gelingen der Aufgabe beigetragen?
- Wie zufrieden ist die Gruppe / die/der Einzelne mit der Art und Weise, wie Entscheidungen
- getroffen wurden?

Alle Teilnehmenden schließen nach jeder Frage die Augen und zeigen mit ihren Fingern die Einschätzung an. Zum Beispiel würden 10 Finger bedeuten, dass sich jemand 100%ig wohl in der Gruppe gefühlt hat, überhaupt kein Finger dementsprechend, dass sich jemand total unwohl gefühlt hat. Erst wenn alle ihre Entscheidungen getroffen haben, gibt der Leiter das Zeichen, dass die Augen wieder geöffnet werden können. Dann können sich alle umschauen, wie die anderen über die jeweilige Frage denken und ihre eigene Einschätzung in einer kurzen Runde erläutern.

Spieleblock 1: ohne sprechen

Farbklopfspiel

Die Gruppe wird in zwei Mannschaften geteilt. Die Mannschaften bekommen nun Zeit, sich für jede Farbe ein Klopfzeichen zu vereinbaren (z. B. in den Nacken klopfen für Rot, auf die linke Schulter für Gelb usw.). Die Gruppen müssen sich nun in einer Reihe hintereinander setzen. Vor den zwei Reihen, zwischen den Vordermännern- oder frauen, liegen alle vier Farben. Der Spielleiter zeigt nun dem hintersten Spieler eine Farbe. Diese wird durch Klopfzeichen bis zum Vordermann bzw. zur Vorderfrau weitergegeben. Dieser nimmt die Karte auf und zeigt sie hoch. Die Mannschaft, die gewonnen hat, darf eins Weiterrutschen (Vordermann/Vorderfrau wird zu Hintermann/Hinterfrau). Sieger des Spiels ist die Mannschaft, deren erster Vordermann bzw. erste Vorderfrau zuerst wieder vorn sitzt.

Blinder Mathematiker

Alle stellen sich um ein zusammengebundenes Seil im Kreis auf. Das Seil halten alle in den Händen. Mit geschlossenen Augen versuchen dann alle gemeinsam eine geometrische Figur zu bilden, die der Spielleiter vorgibt (Quadrat, Dreieck, Kreis). Sind sich alle einig, die Aufgabe erfüllt zu haben, können die Augen geöffnet werden, damit sich alle das Ergebnis ansehen können.

Spieleblock 2: einer kann sehen, darf aber nicht reden

Schäferspiel

Auf einer ebenen Wiese wird ein Gehege (Seil) markiert, das einen nicht zu breiten Eingang hat, in das aber alle Teilnehmenden bequem hineinpassen. Die Gruppe bekommt bis auf eine Person (Schäfer) die Augen verbunden. Der Schäfer erhält nun die Aufgabe, die Gruppe in das Gehege zu führen und dabei sicherzustellen, dass der „Zaun“ (Seil) nicht niedergetrampelt wird. Er darf nicht mit der Gruppe sprechen und sie nicht berühren, andere Geräusche (Schnipsen, Klatschen, Pfeifen ...) sind erlaubt. Nach 5 Min., in denen sich der Schäfer mit der Gruppe beraten darf, geht es los.

Variation: Die Teilnehmenden wissen vor ihrer Absprache nicht, wer der Schäfer sein wird. Anfangs werden allen die Augen verbunden, dann bestimmt die Spielleitung den Schäfer, indem sie ihm die Binde abnimmt. Dies erschwert die Planung der Kommandos, jeder könnte zum Schäfer werden.

Raupenspiel

Maximal 10 Personen bilden eine Raupe, indem sie beide Hände auf die Schultern der Person vor ihnen legen. Alle schließen die Augen, nur der Kopf hat die Augen auf und geht mit der Raupe 5 Schritte. Dann geht der Kopf mit geschlossenen Augen nach hinten und gibt mit den Händen ein Signal, dass er angekommen ist. Dann öffnet der neue Kopf die Augen und geht wieder 5 Schritte (bis alle einmal Kopf waren). Das Ganze sollte ohne zu sprechen vonstatten gehen.

Spieleblock 3: einer (oder ein Teil der Gruppe) ist blind, keiner darf sprechen

Titanicspiel

Eine Person wird ausgezählt und bekommt die Augen verbunden. Die restlichen Teilnehmenden verteilen sich im Wasser (markiertes Spielfeld) und erstarren zu Eisbergen. Sobald sie erstarrt sind, dürfen sie nicht mehr den Standort wechseln. Die Person mit den verbundenen Augen muss nun versuchen, auf die andere Seite des Beckens zu gelangen, ohne mit einem der Eisberge zu kollidieren. Dazu tutet sie mit ihrem Echolot vor sich hin. Sobald sie in der Nähe eines Eisberges ist, antwortet dieser mit einem Echo. Berührt die Person einen der Eisberge, sinkt ihr Schiff und sie hat verloren.

Variation 1: Auch eine Teamvariante ist denkbar, bei der ein Team von der einen Seite des Beckens auf die andere gelangen muss, während das andere Team die Eisberge bildet. Das Team, bei dem die wenigsten Kollisionen passieren, gewinnt.

Variation 2: Das Team, das das Becken durchqueren will, muss sich an den Händen halten.

Spieleblock 4: keiner kann sehen und keiner darf sprechen

Spaziergang im Nebel

Die Gruppe wird vom Ausgangspunkt ein Stück durch das Gelände geführt (nicht zu weit). Am Zielpunkt angelangt, erklärt die Spielleitung, dass dichter Nebel aufkommt. Die Teilnehmenden bekommen die Augen verbunden und müssen nun blind den Weg zurück zum Ausgangspunkt finden. Sobald eine Person die Augenbinde abnimmt, ist das Spiel beendet. Die Gruppe muss also dafür sorgen, dass auch wirklich alle ankommen.

Variation: Das Feld wird durch ein Seil eingegrenzt, wo es einen Ein- und Ausgang gibt. In der Mitte ist noch einmal ein Seil in eine Form gespannt. Zwischen den beiden Seilen bewegt sich nun die Gruppe blind. Sie muss zwei Dinge herausfinden: wo der Ausgang ist und was das für eine Form in der Mitte ist. Der Spielleiter dreht die Personen erst und stellt sie dann irgendwohin ins Spielfeld (zwischen den beiden Seilen), sodass die Teilnehmenden verteilt sind. Sie müssen die Aufgaben nun mit der Gruppe erledigen. Schwieriger könnte es durch Schrägen im Spielfeld werden.

Gemeinsamer Abschluss

Schulterklopfen

Alle bilden einen Kreis und machen eine Vierteldrehung nach rechts, sodass jede Person auf den Hinterkopf der Person vor ihr blickt. Nachdem alle die Hände auf die Schultern der Vorderfrau oder des Vordermannes gelegt haben, kann es losgehen. Mit den Worten „Das haben wir super gemacht." wird nun gleichzeitig und im Kreis gelobt und auf die Schultern geklopft. Anschließend machen alle eine halbe Drehung nach links und wiederholen das Ganze.

Schön wären natürlich auch noch ein gemeinsames Lied (z. B. „Wo ein Mensch Vertrauen gibt"; „Keinen Tag soll es geben"; „Gott, dein guter Segen") und ein Gebet zum Abschluss.

Katrin Müller
Diakonin, Referentin für den CVJM-Landesverband Hannover im Haus kirchlicher Dienste der evangelisch-lutherischen Landeskirche Hannovers, Hannover

Lebensträume bauen

Filmtitel	Inception (2010)	**Material**
FSK	ab 12 Jahren	Playmobilfiguren, Knete, kleine Leinwände, Farbe, Pinsel, Polaroid- oder Digitalkamera, Stifte, Tonzeichenkarton DIN A3, Decken, ruhige Musik
Thema	Gott, Lebensträume, Lebensweg	
Passende Bibelstelle	Psalm 32,8	
Größe der Gruppe	9 bis 20 Personen	

Einstieg

Filmsequenz 00:24:42 bis 00:33:37 zeigen.

Als Einstieg in die Einheit schaut man mit der Gruppe diese Filmsequenz. Dabei lernen die Teilnehmenden das Thema der Einheit kennen. Im Anschluss gibt es eine kleine Einführung in das Thema:

„Im Film gibt es eine Architektin, die dafür verantwortlich ist, die Träume zu gestalten. Wie sieht das bei uns aus? Wer kreiert unsere Träume? Und damit meine ich nicht die Träume in der Nacht, sondern die Träume, die unser Leben verändern. Ich bin mir sicher, jede und jeder von euch hat einige Dinge, die sie und er im Leben unbedingt erreichen, sich kaufen oder machen will. Aber wie erreicht man das? Wie wird man zum Architekt seiner eigenen Lebensträume?“

Die Träume darstellen

Im nächsten Schritt sollen sich die Teilnehmenden mit ihren eigenen Träumen auseinandersetzen und diese kreativ darstellen. Dafür wählen sie den wichtigsten ihrer Lebensträume aus und verdeutlichen ihn mit Playmobilfiguren, Knete oder auf einer kleinen Leinwand. Von den Werken aus Playmobilfiguren oder Knete kann mit einer Polaroid- oder Digitalkamera ein Foto gemacht werden, das die Teilnehmenden als Erinnerung mit nach Hause nehmen können. Die Leinwand kann direkt mitgenommen werden. Nun tauschen sich die Teilnehmenden in Zweierteams kurz über ihre Lebensträume aus.

Biblisches

Im Anschluss wird anhand mehrerer Bibeltexte nachgeschaut, wie Gott uns helfen will, unsere Lebensträume zu erreichen und was Gott über sie denkt. Das geschieht in mehreren Kleingruppen mit jeweils 3-4 Personen. Die folgenden Bibelstellen werden mithilfe der Bibellesemethode „SMS-Bibellesen“ erarbeitet (nach Rempe, Daniel (Hg.): Liest du mich? 41 Methoden zum Bibellesen mit Gruppen, Aussaat, 4. Auflage 2012, S. 52): Die Teilnehmenden lesen in der Gruppe den Bibeltext laut vor und versuchen im Anschluss die Hauptaussage des Textes als eine SMS zusammenzufassen. Diese SMS sollte 160 Zeichen haben und konkret eine Person ansprechen. Dabei sollen die Teilnehmenden den Bezug zum Thema „Lebensträume" herstellen und in die SMS mit einbringen. Die fertige SMS wird dann auf einen Tonzeichenkarton geschrieben und im Raum aufgehängt. Sind alle Gruppen fertig, werden nacheinander die SMS vorgelesen.

Die Bibelstellen sind:
1. Gruppe: Psalm 31,1-6
2. Gruppe: Psalm 139,1-10.16
3. Gruppe: 2. Samuel 22,33; Sprüche 16,9; Römer 8,28; 1. Korinther 10,31
4. Gruppe: Psalm 32,7-11
5. Gruppe: Psalm 37,1-5.37

Es sollte mindestens drei Gruppen geben. Kommen mehr als fünf Gruppen zustande, können mehrere Gruppen den gleichen Text bearbeiten. Ist eine Gruppe deutlich früher fertig als die anderen, können sie einen zweiten Text bearbeiten. Die Mitarbeitenden können während der Gruppenarbeit herumgehen und den Gruppen helfen oder Fragen beantworten.

Entspannender Abschluss

Als Zusammenfassung und Abschluss der Einheit macht man mit den Teilnehmenden eine Traumreise. Darin sollte vor allem die biblische Sicht eine große Rolle spielen. Außerdem soll sie Mut machen, eigene Lebensträume zu bewahren und an ihrer Erfüllung zu arbeiten, insofern sie nicht im Widerspruch zu Gott und seinem Willen für unser Leben stehen. Für die Traumreise dürfen die Teilnehmenden sich gemütlich auf ihren Sitzplatz setzen oder sich auf dem Boden auf eine Decke legen. Wichtig für die Traumreise ist es, dass die Teilnehmenden sich entspannen können. Alle müssen sich ruhig verhalten, um die anderen nicht zu stören. Der Text sollte langsam gesprochen werden und zwischen den Absätzen sollte man kleine Pausen einbauen. Wenn man möchte, kann man im Hintergrund leise, beruhigende Musik laufen lassen.

Beispiel für die Traumreise

„Du liegst ganz entspannt auf deiner Decke. Deine Beine sind ausgestreckt und deine Arme liegen neben deinem Körper. Du spürst den Boden unter dir, auf dem du liegst. Du atmest tief ein und aus und spürst, wie du dich immer mehr entspannst. Nun stellst du dir vor, du stehst auf einer saftigen, grünen Wiese. Es ist Frühling. Die Natur erwacht zum Leben. Du hörst die Vögel zwitschern, die Bienen summen. Du hörst den Wind, der in den Blättern der Bäume rauscht. Du machst einen Spaziergang über die Felder. Die Sonne scheint dir ins Gesicht, sie wärmt dein Gesicht. Es ist ein schöner Tag. Es ist dein Geburtstag. Du wirst heute 30 Jahre alt. Du blickst zurück auf dein bisheriges Leben und bist sehr zufrieden damit. Als du noch ein Teenager warst, hattest du viele Träume. Einige davon sind wahr geworden, andere hast du inzwischen verworfen oder sie sind zerplatzt. Einige schwirren immer noch in deinem Kopf herum. Vielleicht wirst du noch die Möglichkeit haben, sie dir zu erfüllen. Du bist dankbar für dein Leben, denn du weißt, dass Gott dich jeden Tag begleitet. Er ist bei dir und du erkennst nun, wie er dich geleitet und bis hierher geführt hat. Auch bei falschen Entscheidungen und schweren Wegstrecken hat er dich nicht allein gelassen. Mittlerweile bist du auf einem kleinen Berg angekommen, auf dem du eine schöne Aussicht auf dein Zuhause hast. Du lässt deinen Blick schweifen, schaust dir die vielen Häuser, die Wiesen, die Bäume, die Straßen und die Tiere auf den Feldern an. Du freust dich auf dein weiteres Leben. Du bist gespannt, wie es beruflich und privat für dich weitergeht. Welche Entscheidungen du treffen wirst. Und welche neuen Träume du haben wirst, denn damit wirst du wohl nie aufhören und das ist auch gut so. Du bittest Gott, dich weiterhin zu begleiten und dir zu zeigen, wie dein Weg weitergeht. Du bist zufrieden mit deiner Arbeit als Architekt deines Lebens und dankbar, dass Gott dein Bauherr ist, mit dem du alles besprechen kannst. Du machst dich nun auf deinen Rückweg. Du fühlst dich gestärkt und motiviert. Es ist nun langsam Zeit, zurückzukommen. Du lenkst deine Aufmerksamkeit auf das Hier und Jetzt. Du atmest tief ein und aus. Du spürst den Boden unter dir. Du spürst deinen Körper, deine Arme, deine Beine. Du streckst dich und wenn du soweit bist, dann kannst du nun langsam deine Augen öffnen."

Annedore Bretschneider
Erzieherin und Jugendreferentin in Elternzeit, Meißen

Autokino

Filmtitel	Matrix (1999)	Die Größe der Gruppe ist abhängig von den räumlichen Möglichkeiten. Ein richtiges Autokino macht erst ab einer Teilnehmerzahl von ca. 15 Autos, also mind. 30 Personen Sinn.
FSK	ab 16 Jahren	
Thema	Abhängigkeit, Glaube, Hilfe, Nachfolge, Verrat, Wirklichkeit	
Passende Bibelstelle	keine	
Größe der Gruppe	ca. 30 Personen	

Material
- Beamer mit mind. 5000 ANSI-Lumen.
- große Leinwand oder alternativ ein großes weißes Laken
- Tontechnik, die das gesamte Veranstaltungsgelände abdecken kann
- gekennzeichnete Parkplätze für die Fahrzeuge
- Parkausweise anhand denen klar ist, dass dieses Auto zur Veranstaltung zugelassen ist
- vorproduzierte Videos: Einstiegsvideo, zwei Videoimpulse, Abschlussvideo (siehe unten)

Mitarbeiter
- Einweiser, die Parkausweise kontrollieren und die Autos zur entsprechenden Parklücke lotsen
- Bauchladenverkäufer, um vor dem Autokino stilecht für Getränke und Snacks zu sorgen

Veranstaltungsort
- Nutzungserlaubnis vom Ordnungsamt für den Ort und für eine geschlossene Veranstaltung
- Stromanschluss
- Autozufahrt
- ausreichend Parkplätze für die Autos, möglichst auf verschiedenen Ebenen, damit es leichter ist, auch in der zweiten Reihe noch etwas zu sehen (auf einen normalen Parkplatz passen dann nur ca. ¼ der Autos wie sonst!)
- ggf. sollten die Nachbarn informieren werden

Hinweis: Natürlich ist diese Einheit auch unabhängig von einem Autokino in einer Jugendgruppe oder in einem Gottesdienst durchführbar.

In den Pausen, also Filmunterbrechungen wird nicht die Bibel ausgelegt, eine Andacht gehalten oder aus dem eigenen Leben erzählt. Es geht vielmehr darum, dass die Zuschauer die Inhalte des Films selbst mit ihrem Leben in Verbindung bringen. Daher wird in den Unterbrechungen jeweils ein Video eingespielt, in dem den Teilnehmenden Fragen gestellt werden. Es ist möglich, danach etwas Zeit zu lassen, damit sich die Teilnehmenden je Auto über die Fragen austauschen können.

Einstieg in den Abend

Zur Begrüßung wird ein Video mit wichtigen Infos (z. B. Ablauf des Abends, Regeln, Getränke und Essen, Motor, Toneinstellungen, Verhalten im Auto ...) und einem herzlichen Willkommen gezeigt. Die Besucher wissen noch nicht, welcher Film gezeigt wird. Dieses Geheimnis wird erst mit dem Vorspann gelüftet!

Einstieg in den Film

Es ist heute nicht entscheidend, ob der Film gefällt oder nicht. Wichtig ist, dass ihr euch darauf einlasst, den Film mit eurem Glauben an Gott in Verbindung zu setzen! Gott im Alltag zu erleben ist eine Schlüsselaufgabe für uns Christen. Nur wie? Wahrscheinlich ist es ganz einfach. Wir müssen einfach die Augen aufmachen, aufwachen und die Wirklichkeit hinter der Realität sehen.

Film bis „Neo wählt die rote Pille" (00:27:29) zeigen.

1. Videoimpuls

Fragen:

- Ist Jesus dein Auserwählter?
- Was sucht dein Suchprogramm?
- Welchem Kaninchen folgst du? Der Welt? Gott? Deinen Freunden?
- Erkennst du die Welt hinter der Realität?
- Welche Pille nimmst du? Jesus? Oder die andere?
- Was ist Traum? Was Realität?

Film bis „Neo rettet Trinity" (01:46:20 – kurz bevor Tank sagt: „Er ist es wirklich.") zeigen.

2. Videoimpuls

Fragen:

- Was ist die Matrix?
- Willst du deinen Geist befreien?
- Bist du von dem System abhängig oder frei in Jesus?
- Was bist du bereit zu opfern?
- Was und wo verrätst du, an was du glaubst?
- Glaubst du an Wunder?
- Ist Jesus wirklich dein Retter?
- Kennst du den Weg? Oder beschreitest du den Weg?

Abschluss

In einem letzten Video werden die Teilnehmenden unter anderem mit den Worten verabschiedet: „Mach die Augen auf und erkenne Gott und die Ewigkeit in der Wirklichkeit hinter dieser Realität in der wir leben. Wach auf!"

Ingo Müller
Jugendreferent in der Ev. Ref. Kirchengemeinde Neunkirchen
und in den CVJM Vereinen vor Ort, Neunkirchen

Neid

Filmtitel	Neid (2004)	**Material**
FSK	ab 0 Jahren*	Aufgabenstellungen für die Gruppen, Eis oder 10 Euro, Plakat und Stifte, Stifte und Papier für Tagebucheintrag
Thema	Dankbarkeit, Neid	
Passende Bibelstellen	1. Mose 4,1-5.8; 1. Mose 37,1-28; Matthäus 6,26.28-30	
Größe der Gruppe	10 bis 30 Personen	

* Da der Film zum Teil etwas surreale Inhalte hat und die Charaktere überspitzt bis abstrakt dargestellt werden, empfiehlt sich der Film erst ab 14 Jahren.

Vorbemerkung

Der Film „Neid" erzählt die Geschichte von Tim und Nick, deren Freundschaft auf eine harte Probe gestellt wird. Als Nick mit einer seiner verrückten Erfindungen, dem Hundehaufenvernichtungsspray „Vapoorize", unerwarteten Erfolg hat, wächst der Neid im ehrgeizigen und korrekten Tim ständig an, was fast zum Zerbrechen der Freundschaft führt.

Die Figur des J-Man ist der personifizierte Neid (J = jealousy, engl. für Eifersucht/Neid), der Tim immer weiter anstachelt und beinahe dazu bringt, die komplette Freundschaft zu zerstören. Erst als J-Man verschwindet, kann die Versöhnung geschehen.

Begrüßung und Einstiegsaktion

Die Teilnehmenden werden begrüßt. Das Thema der Einheit wird erst einmal nicht genannt. Es wird die Frage in den Raum gestellt, wer ein Eis bzw. 10 Euro haben möchte (der „Einsatz" kann variiert werden, es sollte aber etwas sein, das die Personen, die es nicht bekommen haben, neidisch werden lässt). Die oder der Schnellste bekommt das Eis bzw. die 10 Euro. Die anderen gehen leer aus.

Alternativ: Einer Teilnehmerin oder einem Teilnehmer das Eis bzw. die 10 Euro grundlos vor der gesamten Gruppe geben.

Lied

Filmsequenz 1

Filmsequenz 00:00:00 bis 00:14:24 zeigen.

Geleitetes Gruppengespräch zu folgenden Fragen:
- Wie fühlt sich Tim wohl jetzt?
- Wie fühlt sich Nick jetzt?
- Wie könnte der Film weiter gehen?

Zur besseren Übersicht und Veranschaulichung können hier und bei den folgenden Gruppengesprächen gemeinsam Mindmaps zu den Fragen entwickelt werden. Dies bietet sich vor allem bei unruhigen Gruppen an, da so die Aufmerksamkeit auf die Visualisierung der Worte gelegt wird.

Alternativ oder ergänzend: Die Teilnehmenden entwickeln (bei vielen Teilnehmenden in Kleingruppen) kleine Theaterszenen und spielen vor, wie der Film weitergehen könnte.

Filmsequenz 2

Filmsequenz 00:14:25 bis 00:26:57 zeigen.

Geleitetes Gruppengespräch zu folgenden Fragen:
- Wie hat sich die Situation weiter entwickelt?
- Was sind die Gründe, warum sie sich so entwickelt hat?
- Wir würdest du dich als Tim fühlen?

Alternativ oder ergänzend: Die Teilnehmenden stellen sich vor, sie seien Tim. Sie sollen ihre (= Tims) Gedanken als Tagebucheintrag aufschreiben. Anschließend können je nach zeitlichem Rahmen verschiedene Teilnehmende ihre Einträge vorlesen.

Filmsequenz 3

Den Rest des Films ab 00:26:57 zeigen.

Insgesamt ist es sinnvoll, den gesamten Film anzuschauen, da sich die Handlung über den ganzen Film entwickelt und aufbaut.

Wenn man nur beschränkte Zeit hat, bietet sich folgende zeitsparende Alternative an:

Filmsequenz 00:26:57 bis 00:36:15 zeigen.

Der weitere Verlauf der Geschichte wird danach erzählt: Die Geschichte läuft schließlich immer weiter aus dem Ruder. Natürlich fällt Nick auf, dass sein Lieblingspferd verschwunden ist und er unternimmt alles, um es zurückzubekommen. Er setzt sogar eine Belohnung aus, die wiederum J-Man motiviert, das Pferd auszugraben, um die Belohnung einzukassieren. Tim soll ihm dabei helfen, jedoch „verlieren" sie das Pferd, das sie auf ein Auto geschnallt haben, bei einem Hochwasser/Unwetter. Froh darüber, dass dieses Problem beseitigt ist und er seinem Freund nichts sagen muss, wird Tim von Nick, der nicht ahnt, dass Tim etwas mit dem Verschwinden seines Pferdes zu tun hat, zum „Vapoorize"-Partner gemacht, da er gehört hat, dass Tim gefeuert wurde. Tim nimmt gern an und die beide reisen um die Welt zur Vermarktung ihres Produktes. Als J-Man davon Wind bekommt, versucht er Tim mit dem Wissen über den Pferdemord zu erpressen. Tim will Nick alles beichten, allerdings kommt J-Man dazwischen, den Tim unabsichtlich mit dem Bogen anschießt. J-Man verspricht daraufhin, sich nie wieder blicken zu lassen.

Filmsequenz 01:19:37 bis Ende zeigen.

Geleitetes Gruppengespräch zu folgenden Fragen:
- Wie geht der Film aus?
- Wie hättest du reagiert, wenn du die Beichte von Tim als Nick hörst?
- Wie findest du Nicks Verhalten?

Vielleicht muss an dieser Stelle noch einmal sichergestellt werden, dass die Teilnehmenden den Film verstanden haben, gerade die Rolle des J-Man ist nicht leicht verständlich.

Gruppenarbeit

Die Teilnehmenden werden in Kleingruppen mit je 4-5 Personen eingeteilt. Wenn möglich, ist jeder Kleingruppe ein Mitarbeiter zugeordnet.

Wie war das, als du mitbekommen hast, wie (Name) das Eis bzw. Geld bekommen hat, und du leer ausgingst? Wie hat sich das eingefühlt?

Auch in der Bibel wird von Neid berichtet.
Lest gemeinsam 1. Mose 4,1-5.8 und 1. Mose 37,1-28
und tauscht euch zu folgenden Fragen aus:

- Wo kommt Neid in dieser Geschichte vor? (Neid auf Opfer, das anerkannt wird; Neid über den Lieblingssohn, den bunten Rock und die Überheblichkeit Josefs)
- Wie wurde damit umgegangen? (Mord, Verkauf des eigenen Bruders)
- Überlege, wo du in deinem Leben auf andere Menschen neidisch bist! (Materielles, Begabungen, Ansehen, Aussehen ...)
- Wie gehst du in diesen Situationen damit um? (ignorieren, den anderen denunzieren, lästern, etwas kaputt machen ...)
- Wie könntest du in der Situation besser damit umgehen? Denk dabei auch an den Film (sich den Neid selbst eingestehen, den Neid zugeben und dem anderen davon berichten (Nick bemerkte Tims Neid im Film nicht), dankbar sein über das, was man hat ...)

Lest gemeinsam Matthäus 6,26.28-30.

Wie kann uns diese Bibelstelle helfen? (Gott weiß genau, was wir brauchen, und versorgt uns damit, darüber können wir dankbar sein. Wenn wir eine Grundhaltung der Dankbarkeit haben, ist es für den Neid viel schwerer, uns zu „umgarnen“.)

Wenn ausreichend Zeit ist, können die Ergebnisse der Kleingruppen in der Großgruppe zusammengetragen werden:

- Welche Bereiche sind euch eingefallen, in denen ihr auf Menschen neidisch seid?
- Was hilft euch, mit Neid gut umzugehen?

Abschlussaktion – Vom Neid zur Dankbarkeit

Gestaltet gemeinsam ein Plakat mit Dingen, für die man dankbar sein kann („Ich bin dankbar für ...). Hängt dieses Plakat im Gruppenraum auf, um es immer vor Augen zu haben.

Martin Becher
Sozialarbeiter und Gemeindepädagoge, Ansbach

Mutig voran

Filmtitel	Rapunzel – Neu verföhnt (2010)	**Material**
FSK	ab 0 Jahren	siehe unten
Thema	Angst, Lebensträume, Lebensweg, Selbstbewusstsein, Vertrauen	
Passende Bibelstelle	2. Timotheus 1,7	
Größe der Gruppe	5 bis 20 Mädchen (geschlechtsspezifische Einheit)	

Material Bodenbild

einfarbige Tücher (z. B. Organza); filmähnlicher symbolisch nachgebauter Turm (als Baumaterial eignen sich z. B. leere Klopapierrollen: unten beschweren, als Spitze und als Aufsatz auf die Rollen (umgedreht) ein zum Kegel geformter Papierkreis (Einschnitt am Radius), dazwischen runde Käseschachtel o. Ä.); aufstellbarer Spiegel; Krone; dunkle Sprechblasen mit negativen Botschaften („Du bist zu schüchtern / schwach / dumm ...") und heller Rückseite; Schüssel mit kaltem Wasser und Perlen; 2 Holzstücke für die Wippe; Steine; 3 Zettel mit den Stichworten „Kraft" / „Liebe" / „Besonnenheit"; evtl. den Bibelvers in Scheckkartenformat

Material Bastelaktion

Lederstreifen als Armbänder (alternativ Stoffstreifen bestempeln, bemalen, bekleben o. ä.), Brandmalkolben, Lochzange, Schnur

Hinweis: Der Film zeigt Rapunzels Weg zu ihrem wahren Ursprung (Tochter des Königs!) und damit zu sich selbst. Während sie im „Turm der Lüge" von ihrer Stiefmutter gefangen gehalten wird, beginnt sie, für ihren Traum zu kämpfen: eine Reise zu den Lichtern. Durch verschiedene Hürden gewinnt Rapunzel an Mut, Selbstbewusstsein und der Fähigkeit zur Selbstfürsorge. Diese Einheit beschäftigt sich mit besagten Hürden und ihrer Überwindung – gegliedert durch die drei Schlagworte aus 2.Timotheus 1,7: Kraft, Liebe, Besonnenheit.

Bodenbild

Es stellt einen aus Tüchern gelegten Weg dar. Am Anfang des Weges steht ein Turm, am Ende des Weges ein Spiegel. Formiert man einen halbkreisförmigen Sitzkreis um das Bodenbild, haben alle Teilnehmerinnen Blick auf den Spiegel. Die drei Hürden werden jeweils als kleine Hügel (an der Stelle irgendetwas unter die Tücher legen) markiert.

Einstieg

In kurzen Sätzen wird von Rapunzels Leben im Turm und ihrem Traum erzählt.

1. Hürde: Einflüsterungen

Filmsequenz 00:11:17 bis 00:14:22 zeigen.

Die Gruppenleiterin legt dunkle Sprechblasen um den ersten Hügel herum, liest einige davon flüsternd vor und beginnt dann einen Austausch: Wie wirken diese Worte auf uns ...? Was passiert in uns? (Worte haben Macht!)

Überwindung der Hürde

Filmsequenz 00:18:28 bis 00:20:41 zeigen.

Impuls: Gemeinsam wird angeschaut, wie Rapunzel damit umgeht und darüber geredet: Rapunzel entwickelt Selbstbewusstsein, sie traut sich etwas zu.
Zeichen setzen: Die Teilnehmerinnen nehmen sich jede eine Sprechblase und schreiben eine Gegenbotschaft in Ich-Form auf die helle Rückseite. Jede liest ihre vor und legt sie so zurück, dass man die helle Rückseite sieht. Ziel ist es, sich auf eigene Fähigkeiten und Ressourcen zu besinnen.
Der Zettel mit dem Stichwort „Besonnenheit" wird neben den Hügel gelegt.

2. Hürde: Angst

Filmsequenz 00:28:46 bis 00:29:31 zeigen.

Die Gruppenleiterin stellt eine Schüssel mit kaltem Wasser zum zweiten Hügel auf dem Weg.
Impuls: Etwas Neues liegt vor Rapunzel, etwas, das sie noch nie gemacht hat: der Sprung „ins kalte Wasser". Sie schwankt noch, ob sie ihre sichere Zone verlassen soll. Gibt es ähnliche Situationen auch in unserem Leben? Was geht uns da durch den Kopf? Was würden wir Rapunzel raten? (ausbrechen, Turm verlassen, Welt erkunden ...)

Überwindung der Hürde

Filmsequenz 00:29:31 bis 00:30:53zeigen.

Impuls: Rapunzel schwingt die Hüften runter, sie wagt den Sprung in die Freiheit, tanzt auf der Wiese, hüpft ins Wasser. Ihr Mut hat sich gelohnt. Aber woher kam der Mut? (Sehnsucht treibt an, gibt Kraft – Rapunzel fokussiert ihren Traum, nicht die Angst.)
Zeichen setzen: Als Zeichen dafür, dass wir mutige Frauen sein wollen, darf sich jede Teilneherin eine Perle aus dem kalten Wasser nehmen.
Der Zettel mit dem Stichwort „Kraft" wird neben den Hügel gelegt.

3. Hürde: Erwartungsdruck

Filmsequenz 00:30:54 bis 00:32:37 zeigen.

Es wird zunächst kurz über die gesehene Szene geredet: Kennt ihr solche Situationen?
Die Gruppenleiterin legt ein schmales, längliches Stück Holz (o. Ä.) zum dritten Hügel und darauf ein größeres rechteckiges, flaches Stück Holz, sodass eine Art Wippe entsteht. Auf die rechte Seite werden Steine gelegt, sodass die eine Seite zu Boden kippt (es müssen so viele Steine sein wie Teilnehmerinnen, siehe unten).
Bezug zur Szene: Was geht in Rapunzel ab? (Zwei Seiten kämpfen in Rapunzel: ihr eigener Wunsch gegen die Erwartungen der Mutter – sie ist hin- und hergerissen.)

Überwindung der Hürde
Impuls: Wie geht Rapunzel mit dem Erwartungsdruck letztendlich um? Warum? (Schluss der Szene: sie nimmt ihren eigenen Wunsch ernst, lässt sich nicht mehr weiter von den Erwartungen der Mutter erdrücken – Balance ...)
Biblisches Gebot: Liebe deinen Nächsten wie dich selbst.
Zeichen setzen: Als Zeichen der Selbstliebe und der Tatsache, dass die Bedürfnisse der anderen gleichwertig zu den eigenen sind, darf jede Teilnehmerin einen Stein auf die andere Seite des Brettes legen (die Steine müssen in etwa das gleiche Gewicht haben wie die ersten, damit die Wippe nicht auf der anderen Seite kippt – ein „gesundes Gleichgewicht" ist wichtig).
Der Zettel mit dem Stichwort „Liebe" wird neben den Hügel gelegt.

Schlussgedanke

Rapunzel findet am Ende der Geschichte heraus, wer sie wirklich ist: eine Königstochter (Krone wird vor den Spiegel gelegt). Auch wir sind Königstöchter. Gott wünscht sich, dass wir wie Rapunzel unseren eigenen Weg gehen und dabei diese drei Persönlichkeitsstärken entwickeln. Als mutige, besonnene und liebende Frauen dürfen wir unterwegs sein.

Es kann sich jetzt anbieten, sich mit den Teilnehmerinnen darüber zu unterhalten, welche der drei „Geist-Eigenschaften" (Kraft, Liebe, Besonnenheit) sie persönlich gerade am meisten brauchen, und sie dann mit genau dieser Eigenschaft zu segnen bzw. dafür zu beten. Gott möchte uns damit immer wieder neu beschenken, darauf dürfen wir vertrauen.

Der Bibelvers 2. Timotheus 1,7 wird vorgelesen und jede Teilnehmerin bekommt ihn zum Mitnehmen.

Aktion als Erinnerung

Die Teilnehmerinnen können sich als Gruppe drei Symbole für Kraft, Liebe und Besonnenheit überlegen. Wenn zu wenig Zeit ist, können diese auch vorgegeben werden. Diese Symbole können sie sich dann in ein Lederarmband gravieren (alternativ Stoff bedrucken o. Ä.).

Tabea Wichern
Schuljugendreferentin und Religionslehrerin am
Ev. Gymnasium Doberlug-Kirchhain, Doberlug-Kirchhain

Auf der Suche nach festem Halt

Filmtitel	The life of Pi: Schiffbruch mit Tiger (2012)	**Material**
FSK	ab 12 Jahren	Farbstifte, Papier
Thema	Glaube, Gott, Liebe, Religionen	
Passende Bibelstelle	Johannes 3,16	
Größe der Gruppe	keine Begrenzung	

Der Film „The life of Pi – Schiffbruch mit Tiger" erzählt die Geschichte eines jungen Mannes, der als Schiffbrüchiger 227 Tage auf dem Meer unterwegs ist. Es geht um Glaube, Hoffnung, Verzweiflung und das, was einen Menschen in auswegloser Situation am Leben erhält.

Piscine Molitor Patel, genannt Pi, wächst als jüngster Sohn eines Zoodirektors in den 1970er-Jahren im französisch-indischen Pondicherry auf. Er ist ein aufgeweckter Junge, der sich früh unterschiedlichen Religionen öffnet. Bemerkenswert ist die Konsequenz, die er aus seinen Erkundungen der Religionen zieht: Er sucht sich aus den drei Weltreligionen die ihm zusagenden Elemente heraus und schafft sich so eine Art eigener Superreligion. Er nimmt sich sogar die Freiheit, alle drei Religionen zu praktizieren. Als Pi 17 Jahre alt ist, will seine Familie – mitsamt ihrem halben Zoo – nach Kanada emigrieren. Doch ihr Frachter sinkt in einem gewaltigen Sturm. Pi rettet sich als Einziger in ein Beiboot und stellt fest, dass er dort nicht allein ist: Eine Ratte, ein verletztes Zebra, ein Orang-Utan, eine Hyäne und der bengalische Tiger Richard Parker, der schließlich als einziges Tier überleben wird, sind mit an Bord. Ein beispielloser Überlebenskampf zwischen Mensch und Raubtier beginnt. Pis Odyssee führt den Jungen nicht nur physisch an seine Grenzen, sondern wird auch zu einer inneren Reise und Glaubensprüfung. Die Auseinandersetzung mit Gott prägt Pis Überlebenskampf während seiner Odyssee im Pazifik. Neben seinem Überlebensinstinkt, seinem Verstand und einer Rettungsfibel im Boot hilft dem Teenager der Glaube an Gott, die lebensgefährliche Lage zu überstehen.

Baustein: Geschichten von Gott und den Menschen

„Ist die Geschichte wahr?", zweifeln am Ende der Erzählung die japanischen Versicherungsagenten, die den Überlebenden befragen. Sie glauben ihm nicht, trotz all seiner Versuche, sie zu überzeugen. So erzählt er seine Geschichte noch einmal. Ähnlich, aber doch ganz anders, grausamer, nur mit überlebenden und dann getöteten Menschen, ohne Tiere. Am Ende fragt er: „Und welche Geschichte gefällt Ihnen besser?“ Und er bestätigt das rätselnde Nachdenken der Agenten mit der Formulierung: „Genauso ist es mit Gott.“

In der Romanvorlage heißt es: „Jede Religion hat massenhaft Geschichten.“ In Geschichten ist die Religion am lebendigsten. Man erzählt von menschlichen Abgründen: Hass, Neid, Wut, Gewalt. Man erzählt von menschlichen Leidenschaften: Liebe, Fürsorge, Mitleid. Und man hört von Gottes Barmherzigkeit, seinem Zorn, seinen Strafen, seinen Verheißungen und seiner Liebe. Die Bibel ist voll von solchen Geschichten über Gott und den Menschen.

Mit den Teilnehmenden wird die Frage diskutiert, welche Version der Geschichte sie für „wahr“ halten. Anschließend sammeln sie selbst Geschichten, die ihnen wichtig geworden sind: Geschichten aus der Bibel; Geschichten über Menschen, die etwas mit Gott erlebt haben; Geschichten, die sie selbst erlebt haben. Es folgt ein Austausch darüber, was ihnen dabei wichtig geworden ist.

Baustein: See-/Landkarte zeichnen

Im Film werden verschiedene Lebensstationen von Pi aufgezeigt. Sein Leben ist davon geprägt, seinen Platz in dieser Welt zu finden und Gott mit seinem Leben in Einklang zu bringen. Auf dem Ozean ist er dem Kampf der Elemente ausgesetzt. Nur das Rettungsboot, das Floß, die Beziehung zu Richard Parker und der Glaube an Gott geben ihm Halt. Es ist eine abenteuerliche Reise.

Die Teilnehmenden zeichnen jeder für sich eine See- oder Landkarte auf, die ihr bisheriges Leben nachzeichnet (zusätzlich können sie auch aufzeichnen, wie sie sich ihre Zukunft vorstellen). Verschiedene Landschaften und Landmarken stehen für besondere Erlebnisse – z. B. Berge für Höhepunkte, Wüsten als Durststrecken, Wasser für besondere „Erfrischungen“, Inseln, Felsenriffs ... Der Fantasie sind keine Grenzen gesetzt. Die Karten stellen sie sich dann in der Kleingruppe gegenseitig vor.

Zusätzliche Frage: Wo/wie würden sie Gott einzeichnen?

Bernhard von Clairvaux (1090-1153) sagt: Du musst gar nicht über Meere fahren, Wolken durchstoßen oder die Alpen überqueren. Dein Weg ist nicht so weit. Du brauchst Gott nur bis zu dir selbst entgegen zu gehen. Gott als das Wort ist dir nämlich ganz nah: Es ist in deinem Mund und es ist in deinem Herzen. (frei übersetzt)

Baustein: Den Film mit anderen (Augen) sehen

Pi wendet sich verschiedenen Religionen zu. Dabei kommt immer das zum Vorschein, was ihn an der jeweiligen Religion fasziniert. Der Film eignet sich deshalb auch gut, um mit anderen Religionen ins Gespräch zu kommen.

Den Film zusammen mit muslimischen Jugendlichen anschauen. Anschließend findet eine Diskussion statt über das, was aus der jeweiligen Sicht über Gott ausgesagt wurde, was sichtbar geworden ist.

Kontakt zu muslimischen Jugendlichen kann man z. B. über die örtliche/regionale Moschee herstellen. Als gemeinsame Veranstaltung – warum nicht in den Räumen einer Moschee?

Andacht

Pi ist ein aufgeweckter Junge und interessiert sich schon früh für Religion. Er belässt es nicht dabei, dass er als Hindu auf die Welt gekommen ist. Er will mehr wissen. Er will den Dingen auf den Grund gehen. Er stößt dabei auch auf das Christentum. Hauptsächlich in Person von Pater Martin, den er bei einem Familienausflug kennenlernt. Diesen löchert er mit vielen Fragen und immer wieder geht es dabei um die Frage, wieso der christliche Gott so ist, wie er ist. In der Romanvorlage des Films kommt dies sehr deutlich zum Vorschein. Pi kann nicht verstehen, warum ein Gott Mensch geworden ist, was ihn dazu getrieben hat, sterblich zu werden und all das Leid zu ertragen. Pi war überwältigt von der Menschlichkeit Gottes. Das kannte er von keiner anderen Religion. Dass Gott uns Menschen so nahe kommt, ja selbst einer von uns wird. Das ist einer der zentralen Punkte unseres Glaubens. Im Johannesevangelium heißt es: „Denn so sehr hat Gott diese Welt geliebt: Er hat seinen einzigen Sohn hergegeben, damit keiner verloren geht, der an ihn glaubt. Sondern damit er das ewige Leben erhält" (Johannes 3,16 BasisBibel). Pi selbst hat sich nicht für einen Gott entschieden und sein Glaube wurde auf eine harte Probe gestellt. Doch vielleicht war es gerade das Leiden Jesu und diese Liebe, die ihm die Kraft gegeben haben, alles durchzustehen und die Hoffnung nicht aufzugeben. So wird der Glaube an Gott nicht zu einer Forderung, sondern zu einer Einladung, ihm zu vertrauen und sich auf seine Liebe einzulassen.

Martin Burger
Landesjugendreferent für Jugendpolitik und Freiwilligendienste
im Ev. Jugendwerk in Württemberg, Stuttgart

Echte Freundschaft

Filmtitel	The Social Network	**Material**
FSK	ab 12 Jahren	Papier, Stifte
Thema	Freundschaft, Identität, Lebensweg	
Passende Bibelstelle	Psalm 31,16; Lukas 19,1-10	
Größe der Gruppe	keine Begrenzung	

Der Film „The social network" erzählt die Geschichte von Facebook-Gründer Mark Zuckerberg. Doch es ist nicht nur ein Film über Facebook. Es geht um Themen wie Freundschaft, Beziehungen (reale und im Netz), Verrat und Neid.

„Social network" erzählt die Geschichte von Mark Zuckerberg, dem Begründer von Facebook. Doch „eigentlich ist es kein Film über Facebook", so die Hauptdarstellerin Rooney Mara in einem Interview (Bonusmaterial der DVD „The social network"). Es geht um Themen wie Freundschaft, Loyalität, Neid, Klassenunterschiede, Macht, Betrug, Beziehungen, soziale Interaktion. Und letztendlich ist es auch die alte Geschichte von Kai und Abel, die uns in modernem Gewand erzählt wird. Andrew Garfield, der Eduardo Severin darstellt, den besten Freund von Zuckerberg, sagt im Interview: „Für mich ist der Verrat durch einen Bruder, denn so sehe ich meine Beziehung zu Mark, das Hauptthema. Die Unmenschlichkeit gegen einen Menschen. Kain und Abel. Und ich fand, das reichte aus, zu erforschen, inwieweit ein Mensch einen anderen vernichten kann." Regisseur David Fincher zeigt uns einen Mark Zuckerberg, der auf der Suche ist. Nach Freundschaft, Anerkennung und Erfolg. Er möchte dazugehören. Dabei spürt er nicht, wie sehr er durch sein Verhalten andere Menschen um ihn herum irritiert, verstört und abschreckt. Seine Freundin verlässt ihn, weil er „ein Arschloch ist". Am Ende sagt eine Rechtsanwältin: „Sie sind kein Arschloch, Mark, sie geben sich nur größte Mühe, eines zu sein." Jesse Eisenberg, der Mark Zuckerberg spielt, meint, dass das alles sehr pragmatisch sei. Menschen mit ähnlichen Interessen verbinden sich. Aber es wird nie eine so facettenreiche Beziehung wie im echten Leben entstehen. Und gerade das macht wohl den Erfolg von Facebook aus.

Baustein: Timeline

Bei Facebook gibt es die sogenannte „Chronik", englisch „Timeline". Die geposteten Einträge werden chronologisch übersichtlich dargestellt, man kann Ereignisse und Bilder aus der Vergangenheit hinzufügen und in den Ereignissen „blättern". Besondere „Meilensteine" können hervorgehoben werden. Wer will, kann so einen Überblick über sein ganzes bisheriges Leben darstellen.

In diesem Baustein wird die Idee der Chronik aufgenommen. Die Teilnehmenden bekommen Papier und Stifte, um ihre persönliche Lebenschronik als „Timeline“ zu erstellen. Diese kann von der Vergangenheit (Was waren bisher wichtige Ereignisse in meinem Leben?) bis in die Zukunft (Wie stelle ich mir meine Zukunft vor, was sollen wichtige Ereignisse sein, z. B. Beruf, Hochzeit, Kinder ...?) reichen. Die Ergebnisse können dann in der Gruppe (je nach Größe auch in der Kleingruppe) vorgestellt werden.

Andachtsidee: Psalm 31,16 „Meine Zeit steht in Deinen Händen“
In jeder „Timeline“ kommen Höhen und Tiefen vor. Rückblickend können wir vielleicht wie der Psalmbeter sagen, dass alles in Gottes Händen steht. Wir können nicht in die Zukunft schauen, doch wir haben Wünsche und Hoffnungen; niemand weiß, ob sich diese erfüllen werden. Doch egal, was sich auch entwickelt: unsere Zeit steht in Gottes Händen.

Baustein: Cybermobbing

„Im Internet schreibt niemand mit Bleistift, sondern mit Tinte“, sagt Erica zu Mark, nachdem er in seinem Blog aufs Übelste über sie hergezogen ist. Cybermobbing ist heute keine Seltenheit. Jugendliche werden über soziale Netzwerke gemobbt und fertig gemacht. Bilder werden missbraucht, Gerüchte gestreut. Für die Betroffenen kann dies in einer persönlichen Katastrophe enden. Dies sollte auch in der Jugendarbeit thematisiert werden, besonders dann, wenn es um „soziale Netzwerke“ geht.

Informationsmaterial gibt es z. B. im Internet unter www.klicksafe.de/themen/kommunizieren/cyber-mobbing (Stand Juli 2014) oder www.bmfsfj.de (z. B. die Publikation „Ein Netz für Kinder“ – Stand Juli 2014); unter ejwblog.de/trainee-einheiten gibt es Schulungsmaterialien für die Jugendarbeit kostenlos zum Download (Stand Juli 2014).

Baustein: Freundschaft

Bei Facebook geht es darum, Freundschaftsanfragen zu verschicken und Freunde zu gewinnen. Wenn Mark Zuckerberg am Ende darauf wartet, dass seine Freundschaftsanfrage beantwortet wird, geht es ihm aber nicht um oberflächliche Freundschaft.

Methodischer Hinweis
- Was ist mir an einer Freundschaft wichtig?
- Was sollten gute Freunde tun?

Hier können z. B. Körperumrisse gemalt und beschriftet werden.
Austausch in der Gruppe.

Eine passende Bibelstelle zum Thema Freunde ist z. B. Johannes 15,9 ff.
Impulsfragen können zusammen mit den Bibeltexten auf ein Blatt geschrieben werden.

Beispiele:
- Was sagt die Stelle über Freundschaft aus?
- Wer wird als Freund bezeichnet?
- Was ist dir an dieser Bibelstelle wichtig?

Daraus kann ebenfalls ein Austausch in der Gruppe entstehen.

Andacht zum Thema „Freundschaft“

Eduardo sagt zu Mark: „Ich war dein einziger Freund. Du hattest einen Freund.“ Am Ende des Films sitzt Mark vor dem Facebookprofil seiner Ex-Freundin Erica. Er hat ihr eine Freundschaftsanfrage geschickt und klickt die ganze Zeit auf „aktualisieren“, weil er auf ihre Antwort wartet. Freundschaft und Anerkennung sind wichtige Themen in „The Social Network“. Darum soll es auch in der Andacht gehen. Grundlage dafür ist die Geschichte von Zachäus aus Lukas 19,1-10 (nach Neue Genfer Übersetzung).

Nein, ein Zuckerschlecken war seine Kindheit sicherlich nicht. Okay, seine Eltern waren nicht die Ärmsten und er hatte immer mehr Geld zur Verfügung als andere. Geld, mit dem er sich auch manche Freunde kaufen konnte. Denn daran fehlte es ihm. Menschen, auf die er sich verlassen konnte, die mit ihm durch dick und dünn gingen. Denen er nichts vorzumachen brauchte. Irgendwie hat das nie geklappt. Er wurde von den anderen eher ausgelacht als respektiert. Denn er war klein gewachsen, sein Köperumfang dafür umso größer. Immer dieser Spott von den anderen. Er konnte nicht so schnell rennen, beim Spielen wurde er nicht beachtet, zum Rumschupsen hat es gerade noch gereicht. Wie oft hat er sich danach gesehnt, einfach dabei zu sein, anerkannt zu werden. Er hatte schon immer ein geschicktes Händchen für Geld. Schon früh begann er, Geld zu verleihen, das er dann gut verzinst wieder zurückbekam. Wirkliche Freunde schaffte er sich damit nicht, aber immerhin Respekt.

Eines Tages waren seine Eltern pleite. Sie hatten sich verspekuliert und ihren Reichtum verloren. Da musste er früh auf eigenen Beinen stehen. Doch irgendwie hat er sich durchgebissen. Mit der römischen Besatzungsmacht hat er sich immer gut arrangiert. Seine Eltern hatten ein gutes Beziehungsnetzwerk aufgebaut, auf das er im Notfall zurückgreifen konnte. Da kam ihm ein Angebot der Römer gerade recht: Sie suchten Menschen, die für sie die Zölle eintrieben. Menschen, die verantwortlich handeln und gut mit Geld umgehen konnten. So ein Angebot konnte er nicht ausschlagen. Und das Beste daran: er musste zwar die Zölle an die Römer abführen, er konnte aber auch einiges in die eigene Tasche wirtschaften. Man musste nur die Zölle hoch genug ansetzen. Im Laufe der Jahre wuchs sein Reichtum immer mehr an, aber auch die Verachtung aus der Bevölkerung. Beliebt machte er sich mit seinem Job nicht. Aber das war ihm egal. Beliebt war er ja noch nie in seinem Leben gewesen. Dafür war er gefürchtet und bei den Römern anerkannt. Er hatte Angestellte, die für ihn arbeiteten und ihn respektierten. Was wollte er mehr? Um Geld musste er sich keine Sorgen machen. Er konnte sich alles leisten. Ihn störte es auch nicht, dass er aufgrund seiner Kontakte mit den Römern nicht in die Synagoge durfte. Besonders gläubig war er sowieso nicht. Gott mag zwar sein Volk aus Ägypten geführt und früher ein paar Wunder vollbracht haben, aber davon hatte er in seinem Leben noch nichts gespürt. Und von den frommen Führern hatte er sowieso die Schnauze voll. Er konnte sie nicht ausstehen mit ihrer Heuchelei. Nein, das mit Gott war nicht seine Sache.

So wurde er immer mehr zum Außenseiter in seinem Volk. Denn die Menschen mieden ihn, sie wechselten die Straßenseite, wenn sie ihm begegneten und grüßten ihn nicht. Ja, sie hassten ihn, diesen Ausbeuter, der ihnen das letzte Geld aus der Tasche zog. Er schaute, dass er auf seine Kosten kam, er hatte ja die römischen Soldaten als Beistand. Doch je länger er so lebte, desto unzufriedener wurde er in seinem Herzen. Einerseits genoss er dieses Gefühl der Macht, das tat ihm irgendwie gut, und er konnte ja dadurch auch alles kaufen, was er wollte, aber auf Dauer spürte er doch sehr die Einsamkeit des Außenseiters. Er sehnte sich nach echten Freunden, nach Verständnis und Gemeinschaft. Er hätte so gern auch irgendjemand seine weichen Seiten gezeigt und wünschte sich, geliebt zu werden. Sein Beruf brachte es mit sich, dass er immer gut informiert war. Die Karawanen, die von weit her kamen und das Land durchzogen, brachten immer die neuesten Nachrichten mit.

So kamen ihm immer wieder Berichte über einen Wanderprediger zu Ohren, der die Menschen faszinierte. Der ganz anders von Gott sprach als üblich und der seine Nachfolger als Freunde bezeichnete. Die Berichte von Wunderheilungen waren ihm nicht so wichtig, das gab es immer mal wieder: Menschen, die durch Wundertaten Aufmerksamkeit erregten. Aber dass einer so von Gott sprach, das hatte er noch nie gehört. Dieser Jesus von Nazareth war anders. Anscheinend waren ihm gesellschaftliche Unterschiede egal. Er gab sich mit Prostituierten und Verbrechern ab und machte sich so die frommen Pharisäer zum Feind. Allein das wäre schon ein Grund, diesen Jesus einmal näher kennenzulernen. Ganz nach dem Motto „deine Feinde sind auch meine Feinde".

Da hörte er eines Tages, dass dieser Jesus in seine Stadt kommen würde. Und er sagte sich: „Mein Leben ist festgefahren, so geht es doch nicht weiter, ich glaube, diesen Jesus will ich mal treffen. Ich wage es, auch wenn es sicher schwierig wird." Und es kam, wie es kommen musste: Als er zu der Stelle in der Stadt kam, an der Jesus erwartet wurde, baute sich vor ihm eine Mauer auf, eine Mauer von Menschen, die nichts dafür tun wollten, ihn durchzulassen, diesen Verräter und Betrüger. Er hatte ja dieses besondere Problem: Er war sehr klein. Er konnte nicht über diese Menschenmauer schauen, er hatte also keine Chance Jesus zu sehen. Und da war es wieder, das Gefühl der Hilflosigkeit und ohnmächtigen Wut. Die anderen waren größer, die anderen gehörten zusammen, er war ausgeschlossen, so war das eigentlich schon immer. Was also tun? Zurückgehen, vor allen die Niederlage eingestehen und die Hoffnung auf diesen Rabbi aufgeben oder, und das durchzuckte ihn ganz kurz, mit seinem Schwert dreinschlagen, sich den Weg freihauen, die ganze Wut rauslassen, und alles kurz und klein schlagen, egal, was danach kommt? Da kam ihm plötzlich eine ganz komische, verrückte Idee: Direkt neben ihm war ein Baum. Obwohl er als Kind klein und dick war, konnte er schon immer ganz gut klettern. Aber jetzt als Erwachsener? Das wird einen Tumult geben, das war ihm klar. Aber auch egal, es war für ihn die einzige Chance. Er ergriff den ersten Ast und zog sich mühsam hoch. Die Leute neben ihm lachten ungläubig: „Was will der denn?" Er kletterte unbeirrt weiter, er ächzte, es ging längst nicht mehr so einfach wie früher. Inzwischen lachten und schrien die Leute: „Schaut mal, der kleine Geldsack, wie ein Affe!" Aber dann hörte das Schreien auf, denn jetzt kam Jesus. Jesus war jetzt unten auf dem Platz. Er, gut versteckt hinter dem Laub der Zweige, saß im Baum über ihm. Jesus predigte und erzählte seine Geschichten von Gott, der keine Unterschiede macht zwischen Reichen und Armen, Frommen und Sündern, Männern und Frauen, Erwachsenen und Kindern, Angesehenen und weniger Angesehenen, der sie alle in die Arme nehmen will. Er schluckte: Wann hatte ihn zum letzten Mal jemand in die Arme genommen? Oder nur freundschaftlich die Hand auf die Schulter gelegt? Das wollte er auch gern, von Gott in die Arme genommen werden.

Inzwischen war Jesus fertig. Er und seine Jünger hatten Hunger und Jesus schaute sich um nach jemandem, der ihn einladen und ihn auch besonders brauchen würde. Da knackste oben ein Zweig, doch er wagte es nicht, Jesus anzusprechen, obwohl er es gern getan hätte. Jesus schaute nach oben. Er sah diesen kleinen Erwachsenen im Baum. Ein Bild für Götter und gleichzeitig tief traurig. Da versteckte sich einer und brauchte gleichzeitig Hilfe. Da hatte einer alles aufs Spiel gesetzt. Hinter dem wohlgenährten Gesicht und den vornehmen Kleidern sah Jesus die Verzweiflung, die Einsamkeit und auch den Hass. Aber jetzt wurde Jesus von hinten angesprochen. Es war einer der angesehensten Bürger der Stadt, der sagte: „Bitte, Rabbi, gib dich nicht mit dem ab, das ist ein Zöllner und Ausbeuter, nein, bei mir ist schon alles vorbereitet, deine Jünger und du sind bei mir willkommen." Aber Jesus schaute wieder nach oben. Er bekam dieses Gesicht nicht mehr aus dem Sinn. Was würde passieren, wenn er diesen Menschen jetzt da oben in seinem Versteck zurückließ? Mit all seinem Hass, seiner Verzweiflung und Verlorenheit? Nein, das konnte er einfach nicht. Und was würde wohl passieren, wenn er diesen Mann in die Arme nahm? Da erhob Jesus seine Stimme: „Zachäus, komm schnell herunter! Ich muss heute in deinem Haus zu Gast sein!" Zachäus konnte es nicht fassen. Dieser Jesus sprach ihn mit Namen an und wollte sein Gast sein. Das hätte er nicht erwartet. So schnell er konnte, stieg er vom Baum herunter.

Da passierte das Unglaubliche: Jesus trat auf ihn zu und umarmte ihn. Gemeinsam gingen sie zum Haus von Zachäus. Die Leute waren alle empört, als sie das sahen: „Wie kann er sich nur von solch einem Halsabschneider und Außenseiter einladen lassen!" Doch Jesus kümmerte sich nicht um das Geschwätz der Leute. Und Zachäus war es sowieso egal, was die Leute sagten. Die Begegnung mit Jesus hatte ihn umgehauen. Er konnte es nicht erklären, aber durch die Umarmung und diesen Blick, der alles durchdringen konnte, spürte er, dass er sein Leben ändern musste. Hier war einer, der ihm Halt gab, er spürte Anerkennung und Freundschaft. Das konnte er sich mit seinem ganzen Geld nicht kaufen. Zachäus sagte zu Jesus: „Herr, die Hälfte meines Besitzes will ich den Armen geben, und wenn ich von jemand etwas erpresst habe, gebe ich ihm das Vierfache zurück." Jesus schaute ihn freundlich an und sagte:: „Heute ist der wichtigste Tag für dich und für deine Familie! Weißt du, warum? Weil Gott dich heute in seine Familie aufgenommen hat! Du bist einer von den Söhnen vom Abraham, die verloren waren. Das genau ist meine Aufgabe. Der Auserwählte, der Menschensohn, ist gekommen, um die Menschen wieder zurück zu Gott zu holen, die aufgegeben wurden oder die sich verirrt haben." Diese Begegnung mit Jesus sollte Zachäus nie vergessen. Er handelte so, wie er es Jesus versprochen hatte, denn tief in seinem Herzen wusste er nun: Ich gehöre dazu. Ich bin anerkannt. Gott liebt mich, ich bin sein Freund!

Martin Burger
Landesjugendreferent für Jugendpolitik und Freiwilligendienste
im Ev. Jugendwerk in Württemberg, Stuttgart

Filmperspektiven

Nicht immer hat man die Zeit, Filmbücher zu wälzen und eigene Ideen von A bis Z zu entwickeln. Die „Filmperspektiven" sind hier sehr hilfreich. Sie bieten einen Einblick in eine Reihe von Filmen, bei denen sich eine genauere Auseinandersetzung lohnt. Kurz und knackig werden wir informiert, unser Blick wird auf interessante Inhalte, Bibelstellen oder methodische Hinweise gelenkt. Eine wahre Fundgrube für Filmbegeisterte und solche, die es werden wollen.

Markus Gast, Inhaber Kairos Media, über die Website filmperspektiven.de: „Ob ‚Star Wars', ‚Der Herr der Ringe' oder ‚Der Schuh des Manitu': Filme sind die Geschichten unserer Zeit und agieren als ‚visuelle Parabeln' der Gegenwart. Sie erzählen, illustrieren und provozieren. Viele Szenen veranschaulichen Konzepte, Philosophie oder Emotionen. Daher eignen sich Filmausschnitte, um Predigten zu bereichern und Punkte zum Leben zu erwecken. ‚filmperspektiven.de' enthält Angaben zu populären Filmen, die Predigten, Andachten und Diskussionen unterstützten. Mit Zeitangaben, Fragen, Anwendungsempfehlung und Kurzbeschreibung wird die eigene Ansprache schnell angereichert und die gegenwärtige Kultur mit der Botschaft Jesu konfrontiert. Alle Infos zu Anmeldung und Preisen gibt es unter www.filmperspektiven.de."

Alle Filmperspektiven wurden geschrieben von

Björn Wagner
Referent des Generalsekretärs beim
CVJM-Gesamtverband in Deutschland, Autor, Marburg

Mirja Wagner
Familienfrau, Autorin, freie Lektorin
und Buchhändlerin, Marburg

Ab durch die Hecke

Zum Film

2006, FSK: 0, Genre: Komödie, Animationsfilm

Inhalt

Eine Gruppe von Tieren lebt friedlich und zurückgezogen in einem Wald, der von der angrenzenden Stadt durch eine große Hecke abgeschottet ist. Und das ist auch gut so, denn Anführer Vern – eine Schildkröte – hat seit einer Begegnung mit Kindern große Angst vor den Menschen. Eines Tages kommt der clevere Waschbär Richie des Weges, der es den verängstigten Tieren schmackhaft macht, die große Hecke zu überwinden. Gemeinsam machen sie sich auf, eine neue Welt zu erkunden.

Beschreibung der Filmsequenz

Die Tiere nehmen Richie in ihre Familie auf ohne zu wissen, dass er sie verraten will. Ihre offene Hand bringt enorme Schuldgefühle und ein schlechtes Gewissen für Richie. Er ist beeindruckt von ihrer Liebe und Aufopferung seiner Person gegenüber. Dieses schlechte Gewissen wird durch Tonspuren aus dem Fernsehen deutlich gemacht.

Anwendung

Wie fühlt man sich, wenn man ein schlechtes Gewissen hat? Wie fühlt sich das an, wenn man eine eigene Agenda verfolgt? In einer Gemeinschaft egozentrisch zu sein, bringt unweigerlich schlechtes Gewissen und Schuldgefühle mit sich.

Fragen

- Hast du dich schon einmal so richtig mies gefühlt, weil du etwas Schlimmes gemacht hast?
- Wie fühlt sich schlechtes Gewissen an?

Abspielhinweise

Startzeit: 00:36:55, Endzeit: 00:38:15

Warnungen

-

Zitate

-

Bibelstellen

Römer 3,22-23

Stichwörter

Ausnutzen, schlechtes Gewissen, Schuld, Verräter

Der Teufel trägt Prada

Zum Film
2006, FSK: 0, Genre: Drama, Komödie, Romanze

Inhalt
Miranda Priestley entscheidet, welche Mode in der neuen Modezeitung „Runway“ erscheinen soll. Andy Sachs, ihre neue Assistentin, hält nicht viel von Mode und bekommt erklärt, wie wenig Entscheidungsfreiheit in Modedingen sie wirklich hat.

Beschreibung der Filmsequenz
Wie stark man von der Kultur beeinflusst ist, wird in dieser Szene anhand von Mode demonstriert. Besonders wichtig erscheint dabei, dass einem die Entscheidungen abgenommen werden, was gut aussieht und was nicht.

Anwendung
Man hat weniger Entscheidungsfreiheit als man denkt und diese Szene hilft anhand von Mode zu verstehen, wie die gewaltige Marketingmaschinerie unser Leben und unsere Entscheidungen beeinflusst. Die Konsumkultur nimmt uns gefangen – diese Szene hilft, ein Bewusstsein dafür zu entwickeln.

Fragen
- Ist dir bewusst, dass du sehr stark von der Kultur und der Werbung beeinflusst bist oder denkst du, du bist individuell und unabhängig?
- Wenn du deinen Schrank anschaust, welche Kleidung hängt drin?
- Wie frei bist du?

Abspielhinweise
Startzeit: 00:20:51, Endzeit: 00:23:25

Warnungen
-

Zitate
-

Bibelstellen
Römer 12,2

Stichwörter
Beeinflussung, Entscheidung, Kultur, Mode

Die fetten Jahre sind vorbei

Zum Film

2004, FSK: 12, Genre: Action, Drama

Inhalt

Jan bricht mit seinem Freund regelmäßig in Villen ein, jedoch ohne zu stehlen, sondern nur, um die Einrichtung komplett umzustellen. Und um eine Nachricht zu hinterlassen: Die fetten Jahre sind vorbei. Gleichzeitig kämpft Freundin Jule gegen ihre Schulden an, die sie durch einen Autounfall angehäuft hat. Als Jule bei einem „Einbruch" mitmacht, kommt es zur Katastrophe ...

Beschreibung der Filmsequenz

Jan und Jule: Jule hat gerade ihren Job verloren. Sie unterhalten sich darüber, dass Rebellion in der heutigen Zeit immer schwieriger geworden ist und alles an Gegenwehr schon einmal da war. Es kann keine Revolte mehr geben, weil alle vor der Glotze hängen.

Anwendung

Der Film stellt gut die Hoffnungslosigkeit und Perspektivlosigkeit unserer Gesellschaft dar.

Fragen

- Was ist in dieser Welt wirklich wichtig, was zählt im Leben? Wofür lohnt es sich zu kämpfen?
- Womit verbringe/vergeude ich meine Zeit im Leben?
- Woran kann ich wirklich glauben?

Abspielhinweise

Startzeit: 00:34:08, Endzeit: 00:36:20

Warnungen

Sie trinken Wein aus der Flasche, rauchen und benutzen zum Teil Fäkalsprache.

Zitate

-

Bibelstellen

2. Mose 20; Prediger 1,8-11

Stichwörter

Glaube, Ideale, Konsum, Lebenssinn, Revolution

Die vier Federn

Zum Film
2002, FSK: 12, Genre: Abenteuer, Drama, Romanze

Inhalt
Harry Favorsham ist einer von vier Freunden, die zusammen in den Krieg ziehen sollten. Er kneift in letzter Minute und wird dadurch von seinen Freuden geächtet. Der Film erzählt von seiner Wiederherstellung durch Werke echter Freundschaft.

Beschreibung der Filmsequenz
Ethne schreibt einen Brief an Jack Durrance, in dem sie ihre Reue zum Ausdruck bringt. Sie bereut, nicht mehr für ihre Freunde getan zu haben.

Anwendung
Der Brief kann sehr fein deutlich machen, wie wichtig es ist zu handeln, statt zu warten und zu überlegen.

Fragen
- Bereust du, etwas nicht getan zu haben?
- Kannst du dir vorstellen, jemanden gehen zu lassen für ein größeres Gut?
- Meinst du, der Zeitpunkt, um in einer bestimmtem Sache zu handeln, kann schnell vorbei sein?

Abspielhinweise
Startzeit: 00:44:32, Endzeit: 00:45:13

Warnungen
-

Zitate
-

Bibelstellen
Lukas 9,24; Lukas 14,26

Stichwörter
Brief, Freundschaft, Gott, Reue, Verlust

Die Welle

Zum Film

2008, FSK: 12, Genre: Drama, Thriller

Inhalt

Was passiert, wenn man zu überzeugt von etwas ist? Dieser Film zeigt plastisch und direkt, wie Fanatismus entstehen und Dialogbereitschaft verloren gehen kann. Eine Mahnung an jegliche Gemeinschaft, inklusiv statt exklusiv zu sein.

Beschreibung der Filmsequenz

Rainer Wenger ist Lehrer an einer Schule und führt ein besonderes Projekt über „Autokratie" (Diktatur) im Rahmen einer Projektwoche durch: Er fängt an, eine solche zu errichten und die Schüler ziehen anfangs zögerlich, später jedoch fanatisch begeistert mit. In der Endszene versucht Wenger die Welle, die er losgetreten hat, aufzuhalten und stellt fest, dass es dafür schon zu spät ist.

Anwendung

Wie positioniert sich eine Gemeinschaft, die eine Wahrheit gefunden hat, von der sie absolut überzeugt ist? Die Kirche hat ein Erbe der Unterdrückung, der Gewalt und Intoleranz – wie gehen wir heute damit um? Diese Filmszene stellt eindrücklich dar, wie sich eine Gemeinschaft so verändert, dass sie menschenverachtend wird. Wir können nur lernen, offen und dialogbereit zu sein, indem wir uns immer wieder mit den Stolperfallen der Exklusivität befassen.

Fragen

- Kann ich von jemandem, der nicht an Gott glaubt, etwas über Gott lernen?
- Sind wir wirklich vor Exklusivität gefeit?
- Welche Werte vertreten wir?
- Wie treten wir den Menschen gegenüber, die andere Meinungen vertreten? Als Bekehrungsopfer oder Dialogpartner?
- Wie werden Christen von anderen wirklich gesehen?

Abspielhinweise

Startzeit: 01:28:30, Endzeit: 01:31:12

Warnungen

Starke Reden

Zitate

-

Bibelstellen

2. Mose 20,22; Apostelgeschichte 17,16-34

Stichwörter

Exklusivität, Fanatismus, Faschismus

Goodbye Bafana

Zum Film
2007, FSK: 6, Genre: Biografie, Drama, Historie

Inhalt
In einem durch das Apartheidssystem durchdrungenen Afrika der sechziger Jahre gibt es nur Schwarz und Weiß. Die Weißen fühlen sich gottgegeben höher gestellt und sind sich ihrer Sache absolut sicher. Die Augen eines Kindes sehen aber durch all das hindurch und offenbaren das Unrecht.

Beschreibung der Filmsequenz
James Gregory wird mit seinen Kindern Zeuge eines gewalttätigen Übergriffs der Polizei von Südafrika. Die Polizei schlägt dabei rücksichtslos auf Frauen, Männer und Kinder ein und offenbart dabei das dunkle Herz der Apartheid. Im anschließenden Gespräch mit seiner Tochter offenbart seine Frau Gloria den wahren Grund für die Apartheid: Gott hat es so eingesetzt und gewollt.

Anwendung
Ob wir es wahrhaben wollen oder nicht: Es gibt viele Staatssysteme und Lebensweisen, die biblisch legitimiert werden und dabei völlig falsch liegen. Die Schwierigkeit besteht darin, dass diese Systeme nicht mehr hinterfragt werden können – auch nicht mehr anhand der Bibel. Wir sollten uns von der Geschichte des Missbrauchs biblischer Offenbarung zum Zweck der Legitimierung der eigenen, diktatorischen und bösen Pläne dazu ermahnen lassen, kritikfähig zu bleiben und den Dialog mit unserer Umwelt und anderen Meinungen zu suchen. Das gibt es schon im Kleinen in so vielen Gemeinden und Gemeinschaften – der Satz „Wehret den Anfängen" ist hier auf jeden Fall wichtig.

Fragen
- Kennst du Leute, die sich ihrer Sache absolut sicher und nicht mehr dialogbereit sind?
- Wie wirken solche Leute auf dich?
- Meinst du, dass wir die absolute Wahrheit aus der Bibel herauslesen können und nicht mehr überprüfen müssen?
- Von wem lernst du und mit wem bist du im Dialog?
- Warum denkst du, ist es in der Geschichte so oft schief gegangen?
- Wie viel Dialog muss sein, welche Art von Dialog kann auch schädlich sein?

Abspielhinweise
Startzeit: 00:22:49, Endzeit: 00:25:09

Warnungen
In der Szene gibt es Gewaltdarstellungen seitens der Polizei an Wehrlosen, Frauen und auch Kindern.

Zitate
„Es ist Gottes Wille mein Schatz – er lässt ja auch nicht Spatz und Schwalbe zusammen sein.“ (Gloria Gregory)

Bibelstellen
Matthäus 22,34-40; Apostelgeschichte 17,16-34; 1. Korinther 13,12

Stichwörter
Apartheid, Gleichberechtigung, Leiden, Not, Unterdrückung, Verfolgung

Indiana Jones und das Königreich des Kristallschädels

Zum Film
2008, FSK: 12, Genre: Abenteuer

Inhalt
Indiana Jones und das Königreich des Kristallschädels ist das vierte Abenteuer rund um Indy Jones, der hier verhindern will, dass ein Artefakt in falsche Hände gerät.

Beschreibung der Filmsequenz
Indiana Jones flieht mit Mutt Williams auf dem Motorrad vor russischen Verfolgern. In letzter Sekunde können sie in die Bibliothek der Universität fliehen, um dort unter den Studenten etwas Chaos zu stiften. Einer der Studenten ist derartig in ein Buch vertieft, dass er den Trubel nicht bemerkt, sondern versucht Indy in ein Gespräch zu verwickeln. Indiana steigt wieder auf das Motorrad und gibt ihm den guten Rat, aus der Bibliothek heraus zu gehen. In dieser Szene wird ziemlich deutlich, wie weltfremd man werden kann, wenn man nur in der Bibliothek bleibt. Das wirkliche Leben kommt manchmal rasant und drastisch auf einen zu. Eine perfekte Szene, um deutlich zu machen, dass man praktisch werden muss.

Anwendung
Wir Christen vergraben uns leider viel zu oft unter Büchern. Vor allem unter einem Buch, dabei kann man zur Weisheit der Bibel nur in der Einheit von Wort und Tat, von Herz und Hand kommen. Wenn man nur in der Bibliothek sitzt und versucht, die richtige Erkenntnis durch Lesen und Denken zu bekommen, wird sie einem immer verschlossen bleiben. Nur wenn man aus der Bibliothek herausgeht und das Gelesene anwendet, erlebt man die Kraft und Vollmacht eines biblischen Glaubens.

Fragen
- Glaubst du, dass man nur im Handeln wirklich seinen Glauben bekennen kann?
- Was ist in deiner Gemeinschaft wichtiger – der richtige Glaube oder die richtige Tat?
- Was ist unsere Bibliothek?
- Welche Rolle spielt die Lebenspraxis?
- Wie kann man Gerechtigkeit in der Theorie herbeiführen? Woran sollen die Menschen erkennen, dass wir zu Gott gehören?

Abspielhinweise
Startzeit: 00:33:38, Endzeit: 00:35:27

Warnungen
-

Zitate
-

Bibelstellen
Jakobus 1,22-25

Stichwörter
Bibel, Buch, Glauben, Praxis, Taten, Theorie

Last Samurai

Zum Film
2003, FSK: 16, Genre: Action, Drama, Historie

Inhalt
Der Bürgerkriegsveteran Kapitän Nathan Algren erreicht Japan gegen Ende der 1870er. Er soll dort die Truppen des Kaisers Meiji ausbilden, um von der langen Tradition wegzukommen, dass man auf die Samurai baut, um die Gegenden zu schützen. So wird Meijis neue Armee vorbereitet, die restlichen Samurais auszulöschen. Als Algren sich verletzt und von den Samurai gefangen genommen wird, lernt er deren Kodex näher kennen. So beginnt sich für ihn die Frage zu stellen, auf welcher Seite er von nun an stehen möchte.

Beschreibung der Filmsequenz
Nathan liest aus seinem Tagebuch vor und beschreibt seine Zeit bei den Samurai. Tief berührt von der spirituellen Kraft des Ortes findet er Frieden, obwohl er mit Gott nichts mehr anfangen kann. Nathan wird dadurch wirklich zum Prototyp des postmodern-spirituellen Menschen, der an keinen Gott mehr glaubt, sondern spirituelle Kraft sucht. Der Mensch ist zutiefst spirituell und der postmoderne Mensch nochmals mehr – Nathan Algren wird in dieser Szene zum Prototyp des suchenden Menschen, der von spiritueller Kraft angezogen wird.

Anwendung
Die Szene stellt die Menschen stellen, die heute unsere Gesellschaft ausmachen. Menschen, die ihren Glauben an Gott zugunsten „spiritueller Kraft“ aufgegeben haben und diese häufig in östlichen Religionen suchen. Diese Szene ist gut geeignet, um deutlich zu machen, wie postmoderne Menschen glauben.

Fragen
- Kann die Gemeinde ein Ort der „Spiritualität“ werden, ohne ihre Botschaft zu verraten?
- Sind Menschen heute religiös?
- Was versteht man unter Spiritualität? Was ist unsere Botschaft und beinhaltet sie Spiritualität?
- Wie sieht die Spiritualität der Bibel aus?
- Wie kann man Gott an „spirituell Suchende“ vermitteln?

Abspielhinweise
Startzeit: 01:00:49, Endzeit: 01:01:45

Warnungen
Das Thema „Spiritualität“ wird mit dem japanischen Buddhismus verknüpft.

Zitate
-

Bibelstellen
Römer 1,18-23

Stichwörter
Buddhismus, Japan, Moderne, Philosophie, Postmoderne, Spiritualität, Weltanschauung

Mitten ins Herz

Zum Film
2007, FSK: 0, Genre: Komödie, Romanze

Inhalt
Andrew Fletscher schreibt mit Sarah einen Song und beide stolpern in eine kontroverse Liebesbeziehung hinein. Sarah ist die Vorlage für eine Romanfigur eines berühmten Romans und leidet sehr unter ihrer schriftlichen Fixierung, während Andrew ein gescheiterter Ex-Popstar ist – ihr Weg zueinander konfrontiert sie mit ihren jeweiligen Identitätsproblemen.

Beschreibung der Filmsequenz
Sarah schließt sich auf dem Klo ein, weil der Autor des Buches, das ihr Leben enthält, sich im selben Restaurant wie sie befindet. Andrew überzeugt sie davon, dass sie ihm eine Rede halten und deutlich machen kann, was sie davon hält, dass er ihr Leben in ein Buch geschrieben hat. Sie versucht es, bekommt aber kein Wort heraus.

Anwendung
Sprachlosigkeit über wichtige Dinge ist ein weit verbreitetes Phänomen – die Szene ist ideal geeignet, um zu zeigen, wie es sein kann, nicht reden zu können.
Angst verhindert zu oft, dass man das, was einem auf dem Herzen liegt, sagen kann. In dieser Szene wird genau das dargestellt. Wie kann man sprachfähig werden und wie kann man Hilfe bekommen?

Fragen
- Kennst du eine Situation, in der du gern etwas sagen würdest, aber nichts rausbekommst?
- Wie bekommt man Mut, um etwas zu sagen?
- Würdest du dir wünschen, dass jemand für dich redet?

Abspielhinweise
Startzeit: 00:45:15, Endzeit: 00:49:42

Warnungen
-

Zitate
-

Bibelstellen
Nehemia 2,1-3; Nehemia 13,11

Stichwörter
Angst, Einschüchterung, Gelähmtsein, Reden, Schweigen, Wut

Schindlers Liste

Zum Film

1993, FSK: 12, Genre: Biografie, Historisches Drama

Inhalt

Während des Zweiten Weltkriegs deportieren die Deutschen Juden aus Polen in Ghettos. Oscar Schindler, ein erfolgloser Geschäftsmann aus Deutschland, kommt nach Warschau, um daraus Profit zu schlagen. Er baut mit jüdischem Geld und der Hilfe von Izzak Stern eine Emaillewarenfabrik auf und wird reich. Stern benutzt die Fabrik, um Juden im Ghetto zu helfen. Als Amon Göth das Ghetto räumen lässt und die ersten Juden in die Vernichtungslager deportiert werden, erkennt Schindler, dass er helfen muss. Mit seinem Geld und seinem Einfluss schafft er es, über 1.000 Juden vor der Vernichtung zu bewahren.

Beschreibung der Filmsequenz

Schindler und Stern stellen die Liste der Juden zusammen, die Schindler retten wird. Er wird immer energischer und verlangt mehr Namen, mehr Menschen. Stern erklärt, dass diese Liste das Leben darstellt und rund um ihre Ränder das Verderben herrscht. Er stellt fest, dass Schindler die Juden den Nazis quasi abkauft und ist fassungslos über dieses Opfer.

Anwendung

Anhand der Liste (sie ist zum Download im Internet erhältlich unter: www.yadvashem.org/yv/en/righteous/stories/pdf/shindlers_list.pdf – Stand Juli 2014) kann man sehr gut illustrieren, wie Gottes Gedanken für die Menschen sind. Beispiele dafür kann ganz allgemein Gottes Wort, die Bibel, sein oder auch Jesu Opfer am Kreuz. Es ist ein sehr atmosphärischer Film, in dem ein Mensch zum Retter von vielen Menschen wird.

Fragen

- Was würdest du verkaufen oder geben, um Menschen vor dem Verderben zu retten?
- Wen würdest du auf eine Liste von Menschen schreiben, die du retten willst?
- Wie weit würdest du gehen, um Leben zu retten?

Abspielhinweise

Startzeit: 00:09:22, Endzeit: 00:10:57

Warnungen

-

Zitate

„Diese Liste ist das Leben.“ (Izzak Stern)

Bibelstellen

1. Mose 18,5; Psalm 13,0; Johannes 3,16; Römer 7,10

Stichwörter

Leben, Opfer, Rettung, Verderben

Sophie Scholl

Zum Film
2005, FSK: 12, Genre: Biografie, Drama, Krimi

Inhalt
Wegen einer Flugblattaktion an der Münchner Universität wird die junge Studentin Sophie Scholl zusammen mit ihrem Bruder Hans im Februar 1943 verhaftet. In den folgenden Tagen wird sie von Mitgliedern der Gestapo verhört. Sie nimmt dabei nie Abstand von ihren Idealen und stellt sich außerdem schützend vor die anderen Mitglieder der „Weißen Rose".

Beschreibung der Filmsequenz
Sophie wird nachts im Gefängnis von Folterschreien geweckt und wendet sich in ihrer Angst an Gott. Sie betet Worte von St. Augustinus.

Anwendung
Gebet lindert Angst.

Fragen
- An wen wendest du dich in Angst und Verzweiflung?
- Lindert Gebet wirklich Angst?
- Wie geht man mit Leid um?

Abspielhinweise
Startzeit: 01:00:54, Endzeit: 01:01:47

Warnungen
Folterschreie

Zitate
„Lieber Gott, ich kann nicht anders als stammeln zu dir, nichts anderes kann ich, als dir mein Herz hinhalten." (Sophie Scholl)

Bibelstellen
Psalm 50,15

Stichwörter
Angst, Gebet

Star Trek

Zum Film

2009, FSK: 12, Genre: Abenteuer, Action, Sci-Fi

Inhalt

Schon früh ist klar, dass aus dem pfiffigen und abenteuerlustigen James T. Kirk einmal etwas Großes wird. In der Starfleet Academy findet der junge Kirk seine Vorbestimmung. Seine ersten Begegnungen während der Ausbildung mit einem gewissen Mr. Spock verlaufen zwar nicht gerade reibungslos, doch bald stellt sich heraus, dass sie ihre Kräfte besser bündeln sollten. Die Bedrohung zeigt sich in Form der Romulaner, die ihr Spielchen mit der Geschichte treiben wollen.

Beschreibung der Filmsequenz

Nach einer üblen Schlägerei in einer Bar findet sich Kirk Auge in Auge mit Sternenflottenkapitän Pike wieder. Pike erinnert ihn an seinen Vater und dessen große Taten. Pike sieht Kirks Potenzial. Er fordert ihn heraus, mehr zu tun als Schlägereien anzuzetteln. Kirk geht nicht darauf ein.

Anwendung

Wenn wir uns in unseren Gemeinden umschauen, finden wir sehr viel Potenzial, Gaben und Fähigkeiten und ein enormes Erbe, das wir weitertragen können. Die Szene kann aufrütteln, neu über die persönliche Situation nachzudenken: Womit beschäftigt sich mein Leben? Ist sinnvoll, was ich tue? Bin ich am richtigen Platz? Gott fordert uns heraus ihn nachzuahmen, ihm nachzueifern. Er hat schon die Worte gesprochen, die im Film sehr ähnlich formuliert werden: „Wer an mich glaubt, wird genau solche Taten vollbringen, wie ich sie vollbringe. Ja, er wird sogar noch größere Taten vollbringen, als ich sie vollbracht habe“ (Joh 14,12 BasisBibel). Tun wir das (jeder für sich, als Gemeinschaft) oder müssen wir uns neu auf diese Herausforderung einlassen?

Fragen

- Haben wir Gaben und Potenzial von Gott bekommen?
- Woran liegt es, dass wir es nicht oder nur wenig einsetzen? Können wir mehr?
- Sind wir uns der Tragweite des Auftrags und der Herausforderung bewusst?

Abspielhinweise

Startzeit: 00:21:57, Endzeit: 00:23:58

Warnungen

-

Zitate

-

Bibelstellen

Johannes 14,12

Stichwörter

Berufung, Erbe, Herausforderung, Vorbild

Star Wars:0 Episode III Die Rache der Sith

Zum Film
2005, FSK: 12, Genre: Sci-Fi, Action, Abenteuer

Inhalt
Der dritte Teil der Krieg der Sterne-Filme erzählt die Geschichte des Niedergangs von Anakin Skywalker und seine Verwandlung in den bösen Darth Vader. Er handelt aus guter Absicht, aber ihm ist dabei jedes Mittel recht und das ist sein Fehler.

Beschreibung der Filmsequenz
Padmé, die Frau von Anakin, kommt zu ihm, um mit ihm zu sprechen. Sie stellt dabei fest, dass er böse geworden ist. Sein Wille, jedes Mittel einzusetzen, um sie vor drohender Gefahr zu retten, ist dabei der Auslöser.

Anwendung
Es darf nicht jedes Mittel recht sein, um zu helfen oder Gutes zu tun. Der Zweck heiligt eben nicht die Mittel.

Fragen
- Sollte man alles in der Hand haben?
- Was geschieht, wenn man nicht vertrauen und loslassen kann?
- Wie viel Macht darf man haben?
- Wie weit darf man gehen, um Gutes zu tun?

Abspielhinweise
Startzeit: 01:39:30, Endzeit: 01:41:33

Warnungen
Erwähnung der übernatürlichen „Macht"

Zitate
-

Bibelstellen
Sprüche 16,18; Lukas 4,1-13

Stichwörter
Korruption, Macht, Niederlage, Versuchung

Waltz with Bashir

Zum Film

2008, FSK: 12, Genre: Animation, Biografie, Dokumentation

Inhalt

Waltz with Bashir beschreibt die Suche eines Mannes nach seiner Vergangenheit. In seiner Vergangenheit gibt es den Krieg in Beirut und seine Rolle darin, die sich nach und nach enthüllt. Aber mit der Enthüllung kommt auch die Frage nach seiner Schuld an den Gräueltaten auf.

Beschreibung der Filmsequenz

Die Anfangsszene zeigt hetzende Hunde, die durch die Straßen von Tel Aviv rennen, ohne Rücksicht, ohne Halt. Die Hunde haben ein gemeinsames Ziel: die Wohnung von Boaz Rein-Buskila. Danach wird in eine Bar geblendet, in der Boaz seinem alten Freund und Kriegskameraden Ari Folmann erklärt, dass diese Szene ein wiederkehrender Albtraum ist. Seit vielen Monaten hat er diesen Albtraum, da er im Krieg in den feindlichen Dörfern Hunde erschießen musste, bevor sie Alarm schlagen konnten. Nach 20 Jahren Verdrängung macht diese Schuld sein Leben zur Hölle.

Anwendung

Unsere Gesellschaft ist nicht mehr in der Lage, mit Schuld umzugehen. Wir schweigen alles aus, verdrängen unsere Beteiligung oder reden uns ein, dass alles in Ordnung ist. Aber so leicht ist Schuld nicht zu erledigen. Unbewältigte Schuld frisst an unserer Seele. Gott will uns versöhnen, auch mit uns selbst und unserer Schuld, damit unser Gewissen rein sein kann.

Fragen

- Beschäftigst du dich mit Versöhnung in deinem Leben und deinen Beziehungen?
- Gibt es „tote Hunde“ in deinem Leben?
- Meinst du, dass das Evangelium Jesu eine Versöhnung in allen Lebensbereichen mit einschließt?
- Wenn ja, warum?
- Was müsste passieren, damit lange Vergessenes wieder ans Licht kommt?

Abspielhinweise

Startzeit: 00:01:02, Endzeit: 00:05:25

Warnungen

Die Hunde in der Szene sind entstellt und haben „Geisteraugen“.

Zitate

-

Bibelstellen

Jesaja 1,18; Römer 3,22-23

Stichwörter

Albtraum, Bewältigung, Krieg, Schuld, Verbrechen, Verdrängung, Vergangenheit

Tipps aus der Praxis

Anleitung zur Filminterpretation

„Ein Film ist wie ein Kuchen mit 700 Schichten" hat es Regisseur Ridley Scott einmal treffend auf den Punkt gebracht. Dieses Zitat macht deutlich, wie faszinierend es sein kann, in die Welt des Films einzutauchen und den unterschiedlichen Ebenen nachzuspüren. Wer mit Filmen arbeitet, braucht neben dem ersten Eindruck weitere „Werkzeuge", um die Vielfalt der Themen zu entdecken. Wer solche inhaltlichen Tiefenbohrungen vornimmt, kann mit dem Film in einen Dialog treten und bleibt davor bewahrt, vorschnell eigene Themen überzustülpen.

Hier ein Vorschlag, wie man bei Filmen auf Spurensuche gehen kann:

Vier Fragen

- Was habe ich wahrgenommen? (gesehen, gerochen, gehört ...)
- Was habe ich gefühlt?
- Welche Einfälle/Assoziationen sind mir gekommen?
- Welchen Schluss ziehe ich in Hinblick auf den Kern, das zentrale Problem, die „Message" des Films?

Interpretation eines Films

Grundsätzlich ist wichtig, den Film mindestens zweimal anzuschauen:

- zuerst konsumieren (auf Gefühle achten)
- dann auswählen, definieren, entscheiden ...

„Vier Augen sehen mehr als zwei" – die Vorbereitung sollte, wenn möglich, im Team erfolgen.

Besonders wichtig nach dem ersten Anschauen:

- eigene Empfindungen wahrnehmen und benennen
- Welche Szenen waren besonders dicht und intensiv?

Wahrnehmung

- Szene für Szene anschauen und aufschreiben, was auffällt
- verschiedene Handlungsstränge trennen und dramaturgische Verflechtungen aufzeigen
- die Handlung des Films in kurzen Sätzen wiedergeben
- mögliche Themen aus dem Film definieren
- Personen, „Brüche„ in der Handlung, Orte usw. wahrnehmen

Information

- Quellen: Internet, Bücher, Zeitschriften
- Daten, Motive, Hintergründe zum Thema
- Entstehungszeit des Films

- Regisseur, Drehbuchautor, Produzent
- Anlass für den Film
- Innovationen, Spezialeffekte

Themen
- Welche Themen nehme ich wahr?
- Was ist das eigentliche Thema des Films?
- Welche Bezüge zur Lebenswirklichkeit der Teilnehmenden kann man herstellen?
- Welche Fragen, Probleme, Ansichten, Erfahrungen der Teilnehmenden können aufgegriffen, beantwortet, angeregt werden?

Religion/Glaube
- „mit dem Film ins Gespräch kommen": die Themen und Aussagen des Films ernst nehmen und die eigene Meinung dazu darlegen
- keine Scheu vor assoziativem Denken
- existenzielle Fragen des Films theologisch reflektieren
- Fragen des Films ernst nehmen
- Welche Bibeltexte eignen sich?

Zusätzliche Umsetzungsmöglichkeiten

„Film+Verkündigung" nimmt vielfältige Möglichkeiten auf, wie Filme in der Jugendarbeit eingesetzt werden können. Zusätzlich hier noch ein paar Vorschläge für die methodische Gestaltung:

„Geleitetes Sehen" eines Films

Der Film wird ganz gezeigt. Es gibt eine inhaltliche Einführung, die bereits das Thema / die Themen des Films aufnimmt. Während des Films gibt es bis zu zwei Unterbrechungen, bei denen eine inhaltliche Tiefenbohrung vorgenommen wird. Als „Abspann" gibt es dann einen Schlussimpuls. Wichtig: Bilder wirken immer mehr als das gesprochene Wort. Deshalb empfiehlt es sich, die Unterbrechungen musikalisch ein- und auszuleiten. Dies erleichtert es dem Zuschauer, aus dem Film heraus zu treten.

Was steckt im Film drin? Welche methodischen Möglichkeiten schlägt er mir vor?

Hier wird bewusst mit Stilmitteln gearbeitet, die sich aus dem Film heraus ergeben. Beispiele:
- Wetterbericht über die menschliche Befindlichkeit (z. B. „Und täglich grüsst das Murmeltier")
- interessanten Gast für eine Talkrunde einladen (z. B. eine Person mit Handicap bei „Gattaca")
- ein gestelltes Gespräch zweier Zuschauer (z. B. „Truman Show")

Martin Burger
Landesjugendreferent für Jugendpolitik und Freiwilligendienste im Ev. Jugendwerk in Württemberg, Stuttgart

Rechtliche Bedingungen für die öffentliche Vorführung von Filmen

Das Urheberrechtgesetz (UrhG) und öffentliche Vorführungen von Filmen

Unterschiedliche Filme werden heute in Kirchen und Gemeinden öffentlich gezeigt. Oft dienen dabei Filmausschnitte als Darstellung, um eine gewisse Botschaft zu untermauern. Häufig werden auch Spielfilme oder Dokumentationen mit christlichem Inhalt in Hauskreisen oder Jugendgruppen gezeigt. Auch in Kinderdiensten und der Sonntagsschule werden gern Filme vorgeführt.

Videos oder DVDs sind jedoch nur für den persönlichen, privaten Gebrauch gedacht. Sie dürfen aufgrund des Urheberrechts nicht einfach öffentlich gezeigt werden. Darauf weisen auch die Urheberrechtshinweise im Vorspann der Filme hin.

Das Urheberrechtsgesetzt schützt jegliches geistiges Eigentum vor ungewollter Verbreitung und Veränderung. Die darin geforderte enge, persönliche Verbundenheit der Teilnehmenden untereinander liegt praktisch nur dann vor, wenn die Vorführung im Familien- oder engsten Freundeskreis, also im Privatbereich, erfolgt. Zwar gibt es Ausnahmen für die Jugendhilfe, jedoch kann dies in der Regel höchstens auf Konfirmandengruppen bzw. Firmgruppen bezogen werden, da nur diese für die Dauer der Konfirmanden-/Firmzeit eine enge persönliche Beziehung aufbauen. Klassische Jugendgruppen und auch Freizeiten stehen – gerade durch das missionarische Grundanliegen – jedem offen und sind so von häufig wechselnde Beziehungen gekennzeichnet.

Den Text des Urheberrechtsgesetzes (UrhG) findet man im Internet unter unter
www.bundesrecht.juris.de/bundesrecht/urhg (Stand Juli 2014), Rechtsänderungen unter
www.urheberrecht.org (Stand Juli 2014).

Lizenzen zur öffentlichen Vorführung

Für das öffentliche Vorführen von Filmen ist es daher unerlässlich, im Besitz einer gültigen Erlaubnis des Inhabers der öffentlichen Vorführungsrechte zu sein. Öffentliche Vorführung ohne eine entsprechende Erlaubnis stellt eine Verletzung des Urheberrechtes dar und führt zu juristischen Konsequenzen.

Wer mit Filmen arbeitet, bewegt sich also keinesfalls in einem rechtsfreien Raum. Es gibt jedoch verschiedene organisierbare und finanzierbare Möglichkeiten, um einen Film oder Filmausschnitte legal öffentlich aufzuführen.

Eine Lizenz benötigt grundsätzlich nur derjenige, der die Filme öffentlich vorführt – nicht jedoch derjenige, der lediglich Räumlichkeiten zur Verfügung stellt, z. B. Tagungshäuser, Freizeitheime.

Lediglich wenn z. B. eine Tagungsstätte die Möglichkeit zur Filmvorführung regelrecht bewirbt oder ausdrücklich Filme zur öffentlichen Vorführung bereitstellt, gilt sie selbst als Veranstalter mit den entsprechenden Pflichten.

Medienzentralen

Viele Medienzentralen verfügen mittlerweile über ein reichhaltiges Filmsortiment. Wer sich darüber einen Film besorgt, darf diesen ohne Probleme öffentlich aufführen. Besonders empfehlenswert ist hier das Katholische Filmwerk (www.filmwerk.de – Stand Juli 2014). Eine Übersicht der evangelischen und katholischen Medienzentralen findet man unter www.medienzentralen.de (Stand Juli 2014).

CVL-Filmlizenz über die Lizenzagentur CCLI

Man muss nicht direkt bei Filmstudios die Erlaubnis für eine Filmaufführung einholen. Vermittler wie die Lizenzagentur CCLI (www.ccli.de) bieten entsprechende Lizenzen an. Die CVL-Filmlizenz von CCLI erlaubt Kirchen und Gemeinden, die Filmtitel von inzwischen über 400 **Filmstudios** innerhalb der Gemeindearbeit zu zeigen. Die CVL-Filmlizenz ist eine Pauschallizenz. Das bedeutet, dass man alle Filme der angeschlossenen Filmproduzenten ganz oder ausschnittsweise beliebig oft zeigen darf. Mit der Filmlizenz kann man auch bereits gekaufte oder geliehene Filme für Filmaufführungen benutzen. Natürlich dürfen nur Filme gezeigt werden, die legal erworben oder geliehen wurden.
Die CVL-Filmlizenz ist nicht auf Gotteshäuser (also klassische Kirchen) beschränkt. Die Lizenz gilt für Kirchen und Gemeinden sowie Gruppen freier Werke wie CVJM oder EC „in deren Räumlichkeiten“, also z. B. auch in Gemeindehäusern; allerdings nicht auf Freizeiten außerhalb. oder anderen Räumlichkeiten. Dann ist die MPLC-Lizenz (siehe unten) nötig. Teilweise gibt es günstige Gruppenverträge, z. B. für den CVJM oder für Gnadauer Gemeinschaften inkl. EC. Es gibt Jahres- und Veranstaltungslizenzen.

MPLC Lizenz

MPLC repräsentiert über 400 Produzenten und Studios, angefangen bei unabhängigen und nationalen Produzenten bis hin zu den großen Hollywood-Filmstudios. Auch hier gibt es die Möglichkeit, sowohl Schirmlizenzen (Jahr) als auch Einzellizenzen (Veranstaltung) zu erwerben.
Weitere Informationen gibt es unter www.mplc-film.de. Die enthaltenen Erlaubnisse sind sehr ähnlich denen der CVL-Lizenz.

Für alle Lizenzen gilt:

- Filmtitel und Filmplakat dürfen nicht in der Außenwerbung verwendet werden.
- Bei einigen Lizenzen darf überhaupt keine Außenwerbung gemacht werden.
- Es darf kein Eintritt oder eine sonstige Gebühr erhoben werden (eine Kollekte zur Kostendeckung der Veranstaltung ist erlaubt).

Filmmusik

Die Filmmusik ist häufig über die GEMA (www.gema.de) geschützt; erkennbar am GEMA-Logo auf der DVD. Das heißt, dass man neben der Aufführungsrechte für den Film auch die Aufführungsrechte für die Musik benötigt. Diese werden über die GEMA abgewickelt. Zwischen EKD und GEMA sowie zwischen VDD und GEMA gibt es einen Pauschalvertrag, nach dem für die Wiedergabe keine Vergütung gezahlt werden muss, wenn die Gemeinde maximal einmal pro Woche eine Filmvorführung organisiert und der Eintritt maximal 1 Euro beträgt. Unter die Pauschalverträge fallen Landeskirchen, Gemeinden, diakonische Einrichtungen sowie Werke und Verbände mit entsprechender Zugehörigkeit.

Martin Burger
Landesjugendreferent für Jugendpolitik und Freiwilligendienste im Ev. Jugendwerk in Württemberg, Stuttgart

Claudia Siebert
Programmleiterin bei buch+musik ejw-service gmbh, Kassel

Links und Literatur

Websites

www.cinema.de
Europas größte Filmzeitschrift online mit Trailern, Filmkritiken, Hintergrundberichten. Erscheint als Printabo monatlich. Starttermine, Filmbesprechungen und Hintergrundinfos auf Hochglanz.

www.filmdienst.de
Die Website zum Magazin. Besonders lohnenswert ist das Archiv mit Kurz- und Langkritiken. Erscheint als Printabo alle zwei Wochen. Sehr fundiert, es gibt ausführliche Filmkritiken zu allen Filmen, die ins Kino kommen (über den „Mainstream“ hinaus).

www.epd-film.de
Das evangelische Pendant zu www.filmdienst.de.

www.kinofenster.de
Das Onlineportal für Filmbildung, herausgegeben vom Bundesamt für politische Bildung. Jeden Monat eine thematische Reihe, Archiv, Hintergründe, Interviews, weiterführende Artikel.

www.imdb.com
Das absolute Muss für Cineasten. Hier bleiben keine Wünsche offen: Schauspieler, Regisseur, Film, Drehbuchautor, Kabelträger – hier gibt es alle Informationen zu allen Filmen. Und es gibt ausgiebige Listen, wo welche Kritik zu finden ist (hauptsächlich englischsprachig).

www.lernort-kino.de und **www.film-kultur.de**
Ob als PDF-Download oder auf Papier: die Filmhefte vom Institut für Kino und Filmkultur haben es in sich: themenbezogen und zielgruppenorientiert. Einführung in die Filme, Materialien, Literaturlisten.

www.filmwerk.de
Das Katholische Filmwerk bietet nicht nur Filme an, sondern auch Arbeitshilfen mit interessanten Infos (z. B. Aufbau von Filmen, Kameratechniken ...), Interpretationsmöglichkeiten und Anleitungen zu Filmgesprächen.

www.theophil-online.de
Ökumenische Online-Zeitschrift für ReligionspädagogInnen mit Interesse an lebensweltorientierter Theologie. Eine Fundgrube – nicht nur für Filmfreunde.

www.sippe-w.de
Auf der Seite von Ralf Wagner gibt es eine Vielzahl von Filmandachten, biblischen Bezügen und sogar eine Reihe von Filmseminaren.

www.hollywoodjesus.com
Hier gibt es garantiert zu jedem Film eine theologische Entsprechung. Lohnt sich reinzuschauen, auch wenn man nicht immer der gleichen Meinung sein muss. Eine Fundgrube für religiös interessierte Filmfreaks.

digitalcommons.unomaha.edu/jrf/
In den USA erscheint eine eigene Internet-Zeitschrift zum Thema: „The Journal of Religion and Film".

www.aintitcool.com
Harry Knowles Homepage ist Kult. Angefangen hat er im kleinen Schlafzimmer – inzwischen wird er von den großen Filmschaffenden Hollywoods hofiert, denn an Harry kommt keiner vorbei. Wenn er den Daumen hebt, wird der Film ein Erfolg. Und wehe, er lässt ihn sinken ...

Literatur

Blothner, Dirk: Erlebniswelt Kino – Über die unbewusste Wirkung des Films, Lübbe, Köln, 1999 (leider nur noch antiquarisch erhältlich)
Warum wirken Filme? Welche Themen sprechen die Zuschauer an? Praktisch und verständlich arbeitet Blothner die Kernthemen heraus und bringt sie mit unserer Lebenswelt in Zusammenhang.

Blothner, Dirk: Das geheime Drehbuch des Lebens – Kino als Spiegel der menschlichen Seele, Lübbe, Köln, 2003 (leider nur noch antiquarisch erhältlich)
Auch hier geht Blothner den großen und kleinen Themen des Lebens nach und bietet grundlegende Einsichten in die (Film)Welt.

Geller, Friedhelm: Religion im Film, KIM, Köln, 1999 (leider nur noch antiquarisch erhältlich)
Kurzkritiken und Stichworte zu 2400 Kinofilmen. Der Klassiker schlechthin und unentbehrlich für alle, die immer mal auf der Suche nach Filmen und Themen ist. Die Inhalte sind jeweils knapp dargestellt, Themen von „Allgemein christliche Inhalte" bis „Zölibat" sind als Schlagworte angeführt.

Kirsner, Inge/Wermke, Michael (Hg.): Religion im Kino – Religionspädagogisches Arbeiten mit Filmen, Garamond, Jena, 2. Auflage 2014
Ein Buch zum Thema „Religion im Kino", dessen Herzstück die Analyse von Filmen, vielmehr aber das didaktische Material (verschiedene Bausteine) ist.

Liebmann, Tobi/Schott, Martin/Werth, Denis: Mov(i) – Film die bewegen, Born, Kassel, 2013
Das Buch stellt 16 Methoden vor, wie aus Filmen Andachten und Impulse werden. Anhand 33 Filmen und 20 Filmtipps ganz unterschiedlicher Genres wird das ganze auch praktisch gezeigt.

Monaco, James: Film verstehen – Kunst, Technik, Sprache, Geschichte und Theorie des Films und der Neuen Medien, Rowohlt, Reinbek, 2. Auflage 2009
Filme zu sehen ist leicht. Da sie Wirklichkeit nachahmen, findet jeder Zugang zu ihrer Oberfläche. Filme zu verstehen ist dagegen oft schwierig. Denn ihre eigene Sprache muss erst entschlüsselt werden. Je mehr man über Filme weiß, desto mehr teilen sie mit ...

Petrick, Dagmar: Mit Gott im Kino – 25 Filmandachten, SCM R. Brockhaus, Holzgerlingen, 2014
Die Texte für die persönliche Andacht, für Hauskreise, Gemeindegruppen und auch Gottesdienste erzählen die Filme jeweils kurz nach. Impulse und Fragen helfen, die Brücken zu Glaubenselementen oder biblischen Wahrheiten zu schlagen.

Stand der Angaben: Juli 2014

Zusammengestellt von Martin Burger
Landesjugendreferent für Jugendpolitik und Freiwilligendienste
im Ev. Jugendwerk in Württemberg, Stuttgart

Dank der Herausgeber

Wir freuen uns, dass so viele Menschen uns bei der Herausgabe dieses Buches unterstützt haben.

Wir danken den Autorinnen und Autoren der einzelnen Beiträge, die dieses Buch so einzigartig machen. Eure Beiträge sind das Herzstück dieses Buches. Sie tragen dazu bei, dass dieses Buch gehaltvoll und abwechslungsreich ist. Ein herzliches Dankeschön geht an Björn und Mirja Wagner, die uns ihre „Filmperspektiven" zur Verfügung gestellt haben.

Es gab Menschen, die sich die Mühe gemacht haben, alle eingereichten Beiträge durchzulesen, inhaltlich zu prüfen und ihre Meinung dazu einzubringen. Herzlichen Dank für euren Einsatz!

Wir danken dem netzwerk-m e.V., dem CVJM-Gesamtverband in Deutschland e. V. und dem Evangelischen Jugendwerk in Württemberg dafür, dass sie dieses Buch unterstützen.

Was wäre eine Idee, wenn sie nicht umgesetzt wird? Wir danken dem Verlag buch+musik für die Umsetzung und Herausgabe unseres Werkes. Ohne den unerschütterlichen Glauben daran, dass dieses Praxisbuch „dran" ist, wäre nie etwas daraus geworden.

Herzlichen Dank!

Martin Burger
Landesjugendreferent für Jugendpolitik und Freiwilligendienste
im Ev. Jugendwerk in Württemberg, Stuttgart

Vassili Konstantinidis
Referent für Freiwilligendienste beim netzwerk-m e.V., Kassel

Platz für deine Notizen

Platz für deine Notizen

Platz für deine Notizen

Platz für deine Notizen